LIBRAIRIE LAS AMÉRICAS INC.
10 rue St-Norbert, Mtl., QC. H2X 1G3
Tel.: (514) 844-5994 Fax: (514) 844-5290
E-Mail:librairie@lasamericas.ca
www.lasamericas.ca
TPS: 892264342RT TVQ: 1018841564

Cómo analizar un film

Instrumentos Paidós
Colección dirigida por Umberto Eco

1. O. Calabrese - *El lenguaje del arte*
2. M. Wolf - *La investigación de la comunicación de masas*
3. G. Stefani - *Comprender la música*
4. M. T. Serafini - *Cómo redactar un tema*
5. A. Costa - *Saber ver el cine*
6. M. De Marinis - *El nuevo teatro, 1947-1970*
7. F. Casetti y F. Di Chio - *Cómo analizar un film*
8. M. T. Serafini - *Cómo se estudia*
9. A. Campiglio y V. Eugeni - *De los dedos a la calculadora*
10. D. Barbieri - *Los lenguajes del cómic*
11. M. Wolf - *Los efectos sociales de los media*
12. M. T. Serafini - *Cómo se escribe*
13. G. Bettetini y F. Colombo - *Las nuevas tecnologías de la comunicación*
14. V. Pisanty - *Cómo se lee un cuento popular*
15. M. Bertuccelli - *Qué es la pragmática*
16. M. Gennari - *La educación estética*
17. F. Casetti y F. Di Chio - *Análisis de la televisión*

Francesco Casetti
Federico Di Chio

CÓMO ANALIZAR UN FILM

PAIDÓS
Barcelona
Buenos Aires
México

Título original: *Analisi del film*
Publicado en italiano por Gruppo Editoriale Fabbri,
Bompiani, Sonzogno, Etas S.p.A., Milán

Traducción de Carlos Losilla

Cubierta de Julio Vivas

Quedan rigurosamente prohibidas, sin la autorización escrita de los titulares del «Copyright», bajo las sanciones establecidas en las leyes, la reproducción total o parcial de esta obra por cualquier método o procedimiento, comprendidos la reprografía y el tratamiento informático, y la distribución de ejemplares de ella mediante alquiler o préstamo públicos.

© 1990 by Gruppo Editoriale Fabbri, Bompiani,
Sonzogno, Etas S.p.A., Milán
© 1991 de todas las ediciones en castellano,
Ediciones Paidós Ibérica, S.A.,
Mariano Cubí, 92 - 08021 Barcelona
y Editorial Paidós, SAICF,
Defensa, 599 - Buenos Aires
http://www.paidos.com

ISBN: 84-7509-668-9
Depósito legal: B-12.323/2001

Impreso en Edim, S.C.C.L.,
Badajoz, 145 - 08018 Barcelona

Impreso en España - Printed in Spain

SUMARIO

Introducción

Este libro tiene una finalidad práctica: es una introducción y una guía para el análisis del film. Del film como objeto de lenguaje, como lugar de representación, como momento de narración y como unidad comunicativa: en una palabra, del film como texto. Hablaremos, por lo tanto, de análisis, de análisis del film y, yendo aún más lejos, de análisis textual del film.

Nunca como hoy ha gozado de tanta aceptación el ejercicio analítico: estamos asistiendo a una multiplicación de las experiencias, a un florecimiento de las iniciativas, a una densificación de las referencias. Esta difusión sólo en parte se debe a una cierta forma de moda: depende más bien del reconocimiento de la utilidad y la eficacia del análisis. De hecho, a este último siempre se le han atribuido valores didácticos, valores teóricos y valores documentales. Valores didácticos, sobre todo, en cuanto el análisis enseña a desmontar y a remontar un objeto con el fin de comprender su estructura y su funcionamiento, con lo cual permite entrar en la mecánica del film, captar las leyes de su composición y familiarizarse con un lenguaje distinto del natural, además de adiestrar un tipo de mirada cómplice y disciplinada. También un valor teórico, por cuanto los grandes problemas se plantean y afrontan siempre más a partir de los films concretos, por lo que el análisis textual se convierte en un instrumento verdaderamente indispensable para una teoría que descubre progresivamente la utilidad de los ejemplos o, mejor aún, que amplía la mirada solamente después de haberla concentrado. Un valor documental, en fin, porque el análisis se ha utilizado siempre para dar cuerpo a investigaciones históricas y sociológicas, porque asume recoger con sencillez los datos que ofrece un film, quizá sin quererlo, y a partir de ahí se dedica a identificar constantes y variables, a confrontar lo dicho y lo no dicho, a reagrupar y dividir, etc.

Sin embargo, a este largo reconocimiento no le corresponde una intención unitaria, un fondo común o unos procedimientos compartidos. Es cierto que, del mismo modo que no existe una teoría unificada del cine, no se puede proporcionar ningún modelo universal de análisis de films: en ambos casos, la idea de lo que se debe afrontar es tan amplia (y legítimamente amplia) que resulta inútil (e incluso incorrecto) esperar reacciones análogas. No obstante, es evidente la ausencia de un cuadro metodológico explícito que por lo menos disponga los elementos y ponga en ellos un poco de orden, estableciendo un mapa muy general que, guardando el respeto debido tanto a la particularidad de cada tipo de método como a la idiosincrasia de cada analista, sepa al menos arrojar un poco de luz sobre los datos recurrentes del problema. Aparte de esto, en muchos ejemplos de análisis los diversos pasos realizados permanecen como trasfondo, ocultos en el interior de los resultados obtenidos: por ello se hace difícil tanto individualizar los procedimientos activados como enfrentarlos con otros posiblemente practicados en otra parte. El resultado es una cierta pérdida del sentido de la orientación.

Así, este libro se sitúa en la encrucijada existente entre la actualidad del análisis, la diversidad de sus manifestaciones y la búsqueda de una base metodológica explícita. Quiere ser esencialmente un «manual»: por consiguiente, intentará proporcionar indicaciones sobre los procedimientos y categorías que se activan en el análisis, esbozando así un primer marco de referencia. En concreto, en el capítulo I se abordarán algunos problemas de fondo del proceso analítico, entendido como una verdadera «persecución» de exploración y de descubrimiento de un objeto; en el capítulo II, por el contrario, se ilustrarán con mayor detalle las etapas del análisis del texto fílmico, y se introducirán las primeras categorías generales. Seguidamente, dedicaremos cada uno de los demás capítulos a un ámbito de intervención particular: afrontaremos el análisis de los componentes cinematográficos (cap. III), el análisis de las formas de la representación (cap. IV), el análisis de las estructuras narrativas (cap. V), y finalmente el análisis de la dinámica comunicativa (cap. VI). Veremos así desfilar diversos territorios y diferentes modalidades de acción: esto nos permitirá acoger en nuestro horizonte numerosas líneas de observación y varios tipos de investigación, que intentaremos activar conjuntamente o al menos en paralelo, sin por ello reducirlo todo a un modo de proceder único y codificado.

En este sentido, sin duda se advertirá en el libro una acusada inclinación al sincretismo: como se ha dicho, los objetivos, las categorías y los esquemas propuestos son muchas veces el fruto de la confrontación, de la integración y quizá de la contaminación de enfoques muy diversos. En resumen, hemos utilizado los análisis realizados hasta el momento (y no sólo los fílmicos) para extraer directrices conjuntas o procedimientos conciliables; en cualquier caso, un método más general en relación a los caminos particulares que se han seguido. Y éste es quizá también uno de los límites de nuestro trabajo, junto con la elevada densidad y el esquematismo de los contenidos. De cualquier modo, ambas debilidades son el precio que hemos tenido que pagar por intentar organizar intuiciones, sensibilidades e itinerarios particulares en una vía metodológica al mismo tiempo practicable y productiva. Sin embargo, el sincretismo y la compresión del conjunto no podrán impedirnos que reconozcamos a cada uno lo suyo (en las notas se individualizarán las contribuciones y se explicarán posibles reelaboraciones), ni que nos detengamos en algunos puntos problemáticos para decir lo que pensamos (incluso un «manual» reposa siempre sobre un punto de vista concreto). El amplio conjunto de ejemplificaciones (cada capítulo, además de remitir puntualmente a secuencias, encuadres o imágenes extraídas del patrimonio cinematográfico, se centra en el análisis de un film completo) servirá además para aclarar muchos pasajes, para diluir la masa de información y para verificar el contenido de los modelos que propondremos.

Sin embargo, no se encontrará aquí (ni en ninguna otra parte) el método que permita a quien quiera que sea analizar no importa qué tipo de film. En su lugar, se podrá encontrar un abanico de propuestas, una serie de perspectivas posibles, ordenadas y encuadradas según ciertas directrices metodológicas de fondo. Todo ello sazonado con algunos elementos de reflexión general y con muchas recomendaciones indispensables. Según nuestra intención, esto debería permitir desarrollar una progresiva familiaridad con la práctica del análisis, desde los primeros reconocimientos hasta las investigaciones más detalladas. Lo que se va a delinear aquí, y esto hay que dejarlo bien claro, es la huella de un análisis ideal referido a un objeto preciso, es decir, al film como texto, contemplado desde múltiples perspectivas, si no desde todas ellas: un ejercicio en realidad poco practicable. Será así el lector-analista quien deba escoger: un ámbito específico de intervención, una angulación concreta, o incluso una simple categoría que pueda conducirle hacia lugares que este libro no puede frecuentar. Por lo demás, el mismo film estudiado sugerirá con frecuencia el camino más apropiado. El alcance del libro es, pues, el de indicar posibles itinerarios y mostrar ciertos pasos en una u otra dirección, con el fin de comprender las oportunidades y las trampas que nos esperan. Se trata de un manual y, como todos los manuales, queriendo ofrecer un panorama resumido, corre el riesgo, por un lado, de omitir cosas importantes, y, por el otro, de resultar superficial como un catálogo. Por eso esperamos del lector observaciones, integraciones y críticas: después de todo, sólo la práctica continua de cuanto aquí se sugiere, su experimentación sobre el terreno, pueden identificar los aciertos y los puntos débiles de nuestro trabajo, y permitirnos una reelaboración más eficaz.

Este libro, y resulta ocioso decirlo, no hubiera existido sin los grandes ejemplos de análisis textuales de films: después de las experiencias ya clásicas de Serguei M. Eisenstein o André Bazin, debemos recordar las que han marcado la pauta durante los últimos años de la mano de Raymond Bellour, Christian Metz, Noël Burch, Eric Rohmer, Dudley Andrew, Guido Aristarco, Jacques Aumont, Gianfranco Bettetini, David Bordwell, Gian Piero Brunetta, Edoardo Bruno, Antonio Costa, Maurizio Grande, Stephen Heath, François Jost, Tierry Kuntzel, Jean Louis Leutrat, Lino Miccichè, Roger Odin, Gianni Rondolino, Marie Claire Ropars, Pierre Sorlin, Giorgio Tinazzi, Jenaro Talens, Jorge Urrutia, Marc Vernet y tantos otros. Algunos de estos análisis han provocado nuestro entusiasmo, otros han sido fuente de perplejidad: de cualquier modo, a todos les debemos mucho. Y también hemos contraído una deuda especial con aquellos que empezaron a reflexionar explícitamente sobre la historia y la problemática del análisis fílmico: entre otros, Raymond Bellour, Christian Metz, Jacques Aumont, Michel Marie, Roger Odin y Stephen Heath.

Los contenidos, la metodología y los procedimientos propuestos en este manual se han experimentado y puesto a punto en diversos cursos universitarios y postuniversitarios, así como en varios cursos de reciclaje para profesores y profesionales de la cultura. De entre todas estas ocasiones, queremos recordar el ciclo de lecciones que impartió uno de los dos autores de este libro en la Iowa University, donde empezó a definirse y a tomar forma la estructura que posee ahora el texto. También debemos mucho a todos aquellos que participaron activamente en estas sesiones.

Finalmente, debemos dar las gracias a quienes, con sus sugerencias, indicaciones y consejos, nos permitieron perfeccionar nuestra labor. De entre ellos, estamos particularmente agradecidos a Lucia Lumbelli, Lino Micciché, Roger Odin y Peppino Ortoleva, aunque también a Gigi Livio, Mietta Gennaro, Fabrizio Zavaterelli, Fabio Scaletti, Laura Corridore y Annalucia Cesario, por las reflexiones que compartieron con nosotros y las correcciones que nos sugirieron, y a Cinzia Squadrone, Ruggero Eugeni y Paola Arata, por la atención con que leyeron el manuscrito y por las observaciones que nos proporcionaron. Gracias especiales a Jolanda Milo, sin cuya disponibilidad la redacción de este libro nos hubiera resultado aún más dificultosa.

Naturalmente, este trabajo no tendría ningún sentido sin los films, y en concreto sin los films que más amamos: para ellos va la última dedicatoria.

1. El recorrido del análisis

1.1. Analizar

Podemos definir intuitivamente el análisis como un conjunto de operaciones aplicadas sobre un objeto determinado y consistente en su descomposición y en su sucesiva recomposición, con el fin de identificar mejor los componentes, la arquitectura, los movimientos, la dinámica, etc.: en una palabra, los principios de la construcción y el funcionamiento. En suma, se monta y se desmonta el juguete, para saber, por una parte, cómo está hecho por dentro, cuál es su estructura interna, y, por otra, cómo actúa, cuál es su mecanismo.

Desde este punto de vista, el análisis se plantea como un verdadero *recorrido*: se parte de un objeto dotado de presencia y de concreción, se fragmenta y se vuelve a componer, volviendo así al objeto del principio, pero ya explícito en su configuración y en su mecánica. Aparentemente, se trata de un camino circular: al término del itinerario se vuelve al punto de partida. En realidad, el camino acaba adquiriendo un conocimiento más pleno del objeto analizado: éste reaparece mostrando, más allá de su aspecto primitivo, su esqueleto y su nervadura. Ni más ni menos que el modo en que se hace y en que actúa, sus principios de construcción y sus principios de funcionamiento. Según esto, el camino conduce a una mejor *inteligibilidad* del objeto investigado.[1]

Por consiguiente, el análisis como recorrido, y como recorrido que tiene como objetivo la inteligibilidad. En el próximo capítulo estudiaremos las distintas etapas que caracterizan un itinerario de este tipo, sobre todo en lo que se refiere

1. Esta idea de análisis está estrechamente emparentada con la idea de «actividad estructuralista» propuesta en BARTHES, 1963.

a la descomposición y la recomposición. En este capítulo discutiremos, en cambio, los problemas más generales que suscita el análisis al abordar los *textos*, es decir, los objetos significantes y comunicativos, así como las implicaciones más inmediatas que comporta en relación a ese texto concreto, a ese peculiar «juguete» que es el *film*. En resumen, afrontaremos los aspectos más importantes de un *análisis textual del film*.[2]

1.2. La distancia óptima

Lo primero que salta a la vista es que el análisis textual del film comporta necesariamente un *alejamiento* de la situación normal a través de la cual se percibe este último. De hecho, es característico del film ostentar una realidad material casi inasible, puesto que está formada por luces y sombras proyectadas sobre una pantalla. Esta fugacidad ha convertido siempre al film en un objeto difícilmente dominable.[3] Sin lugar a dudas, puede verse muchas veces, aprovechándose así la decisiva diferencia entre la primera visión, más aproximativa y parcial, puesto que está casi exclusivamente atenta a la dimensión narrativa, y las visiones sucesivas, más precisas y completas, ya que se encuentran abiertas al detalle no directamente funcional en relación a la historia, así como también a los recovecos estilísticos, a los matices del lenguaje, etc. En este sentido, volver a ver significa ya empezar a asir.

2. ODIN, 1988 subraya con fuerza las relaciones de convergencia, pero también de divergencia, entre el «análisis fílmico» (genérico) y el «análisis *textual* del film». Para el concepto de texto, véase CONTE (comp.), 1977. Sobre la idea de film como texto, véase CASETTI, 1980, ROPARS, 1976 y ROPARS, 1981 (aunque sean posiciones divergentes: para el primero, que se inspira en la *Texttheory*, el texto es un objeto lingüístico unitario, delimitado y comunicativo; para la segunda, que se inspira en Barthes, el texto es el lugar de una producción lingüística, más que un producto, y en consecuencia un lugar abierto, disperso y múltiple). Aquí se adoptará la primera perspectiva.

3. Sobre la «fugacidad» del film, y sobre la dificultad del análisis fílmico ya sea para poseer el objeto o para citarlo, véase BELLOUR, 1979 (en particular «Le texte introuvable»). Para la no-inmediatez del film para el analista, véase también AUMONT/MARIE, 1988.

Sin embargo, el espectador está eternamente condenado a seguir las cadencias y las direcciones impuestas por la película; su condición, incluso en el mejor de los casos, podría resumirse en una observación del tipo: «Mientras con un libro puedo moverme libremente, detenerme, volver atrás o comparar dos enunciados, en el cine me encuentro inevitablemente sometido a la concatenación de las imágenes, al flujo sonoro, a su ritmo regulado. El film se desarrolla externamente a mí, sin ninguna intervención posible por mi parte».[4]

Para remediar esta condición, que convertía el objeto que se debía analizar en algo literalmente inabordable, era necesaria una reclusión física: encerrarse con una moviola y pasar el film casi fotograma a fotograma;[5] o recorrerlo a través de una transcripción gráfica que fijara en la página lo que en la pantalla resulta tan volátil.[6] La descomposición y la recomposición sólo podían empezar cuando el objeto estaba efectivamente disponible fuera de la sala.

Hoy en día, la existencia de ciertos instrumentos convierten todo esto en algo menos complejo: el videocassette permite un acceso inmediato al film, que se aparece ante nuestros ojos mediante un simple mando, controlable en cada uno de sus aspectos; el magnetoscopio y sus funciones (*slow motion, stop frame, rewind*, etc.) permiten romper el flujo de la película, fragmentándolo, recorriéndolo según un nuevo orden. Por consiguiente, el sentido de impotencia del espectador frente a su objeto queda drásticamente reducido: cualquiera puede, no sólo ver y volver a ver el film, sino también visionarlo. Y el análisis, basándose cuidadosamente en este visionado, puede realizarse con mayor facilidad. La sala ya no es el único lugar destinado a la visión: en la escuela, en casa, con los amigos, en cualquier sitio se puede seguir un film, y siguiéndolo se puede interrumpir, tomar nota, transcribirlo en unas páginas, compararlo con otras imágenes, reproducirlo en una serie de fotos fijas, etc.

4. Esta condición del espectador se discute en BETTETINI, 1979.

5. La parada en un fotograma concreto y su función en el análisis fílmico se discute en KUNTZEL, 1973. Véase también BELLOUR, 1979:10.

6. El papel de la transcripción gráfica se comenta en AUMONT/MARIE, 1988, donde también se presentan y comentan algunos de los ejemplos hasta aquí elaborados. Véase también, siempre en AUMONT/MARIE, 1988, la bibliografía relativa al problema.

Sin embargo, esto no trae consigo un menor alejamiento con respecto a los modos de fruición tradicionales del cine: simplemente, la diversidad resulta a la vez menos llamativa y más radical.[7]

Este alejamiento de la situación cinematográfica ordinaria, sea como fuere, consiente por un lado una plena disponibilidad de los films en lo que se refiere al análisis, pero por otro ejerce el efecto de minar la *fascinación* de las imágenes y los sonidos provenientes de la pantalla. En la sala, el film, más que verse, se vive; cuando se nos hace presente y reversible, puede observarse, escrutarse y sopesarse, con la máxima atención, pero sin ningún tipo de abandono. Por lo demás, la fascinanción se basa en el hecho de que las imágenes y los sonidos se suceden rápidamente y en continuidad: basta pensar en las reacciones de los espectadores frente a los distintos incidentes que pueden ocurrir durante una proyección, como la rotura de la película o la inversión de las bobinas, o incluso frente a una excesiva ralentización de las situaciones que se desarrollan en la pantalla, para comprender hasta qué punto una visión veloz e ininterrumpida es esencial para que el film «prenda». Por lo tanto, lo que hace que una película sea inasible es también lo que la hace más próxima. Pues bien, el análisis exige que el film esté literalmente al alcance de la mano, pero también actúa con el fin de dividirlo, de enfriarlo, de alejarlo. De convertirlo en una cosa en sí misma que se pueda recorrer en cuanto tal. En este sentido, el *distanciamiento* del análisis no es sólo la ratificación de una forma distinta de visión, sino también la búsqueda de una cierta *distancia* con respecto al objeto.[8]

Una distancia de este tipo representa, por lo demás, un factor constante en cada investigación correcta: cualquier estudioso sabe que debe estar lo bastante cerca del objeto investigado como para captar todas sus características esencia-

7. Hablando de videocassettes y de magnetoscopios, no hay que olvidar el hecho de que el cambio de soporte (del fílmico al magnético) comporta una transformación radical del texto: literalmente, ya no nos encontramos ante un «film».

8. Sobre el modo en que el cine construye una «fascinación», véanse las reflexiones en clave psicoanalítica de METZ, 1977.

les, pero también lo bastante lejos como para no quedarse pegado o implicado en él. El problema radica en el tipo de distancia que se debe adoptar: esta última lleva consigo un inevitable cambio de estatuto de lo que se tiene enfrente, que de objeto de placer y de goce pasa a ser objeto de estudio; pero no por ello debe excluirse una tensión entre el observador y lo observado, o quizás una ligazón recíproca. Al contrario, los intereses, las motivaciones y la disponibilidad deben quedar intactos. Desde este punto de vista, una «distancia óptima» es aquella que permite una investigación crítica, y a la vez no excluye una investigación apasionada: aquella que no está en contradicción con una «distancia amorosa».[9]

Por lo tanto, hay que alejar el film, sustraerse a su fascinación más inmediata. Pero sin perder el contacto con él, sin extraviar la razón, sin extrañarse. El distanciamiento del análisis (una distancia óptima respecto del film, un modo distinto de verlo) no representa ni una pérdida ni una renuncia. Lo repetiremos: es un movimiento que sirve para convertir el film en algo disponible y a la vez dominable, presente en sus partes más concretas y en toda su extensión, a la vez que asequible en sí mismo, sin resonancias superfluas. Por lo demás, para qué sirve este distanciamiento y de qué va acompañado, es algo que puede verse mejor dando un paso hacia delante y entrando en el corazón del recorrido del análisis.

1.3. Analizar, reconocer, comprender

Ante todo hay que decir que el análisis, al enfrentarse con su objeto, intenta reconocer y comprender aquello que tiene ante sí, pero lo hace mediante una modalidad particular.

El reconocimiento y la comprensión no son lo mismo. El reconocimiento está relacionado con la capacidad de identificar todo cuanto aparece en la pantalla: se trata, por lo tanto, de una acción puntual, desarrollada sobre elementos simples, y presta para captar esencialmente la identidad (qué es

9. Para la idea de «distancia óptima», tomada de Lévi-Strauss, y sus relaciones con la «distancia amorosa», hay que referirse obligatoriamente a BARTHES, 1973.

esta figura, este ruido, esta luz, etc.). La comprensión, por el contrario, está relacionada con la capacidad de insertar todo cuanto aparece en la pantalla en un conjunto más amplio: los elementos concretos identificados en interés del texto, el mundo representado con la razones de su representación, lo que se llega a comprender en el marco del propio conocimiento, etc. Se trata, así, de un trabajo de integración que consiste en conectar más elementos entre sí (antes que aislarlos en su singularidad) y en remitir cada uno de ellos al conjunto que lo rodea (antes que identificar su especificidad).

Pero entre el reconocimiento y la comprensión existe un nexo dinámico, un vínculo recíproco: ante un film, y más en general ante un texto, se oscila en una especie de vaivén constante entre la identificación de los elementos concretos y la construcción de un todo. Es, obviamente, un movimiento inmediato, que en nuestra visión o en nuestra lectura cotidiana llevamos a cabo sin darnos cuenta. Pues bien, el análisis consiste en activar este movimiento, pero de un modo mediato o, si se quiere, meditado. Y todo ello en busca de dos objetivos, ambos esenciales para arrojar un poco de luz sobre la inteligibilidad del objeto investigado.[10]

El primero consiste en reconocer más y mejor. El análisis, a través de la descomposición, procede a un reconocimiento sistemático de los elementos del texto, y ello conduce a inventariar todo aquello que pertenece al objeto examinado, o al menos todo aquello que es relevante, aunque quizá no sea asequible de inmediato. En este sentido, el análisis, intentando hacer más satisfactorio el reconocimiento, se plantea como *auxilio* de la comprensión (y como auxilio de una comprensión más apropiada).

El segundo consiste en captar, además del texto, cómo se llega a comprenderlo. El análisis, sobre todo en la fase de la recomposición, saca a la luz, más allá de la estructura y de la dinámica del objeto, también el qué, el cómo y el por qué hemos comprendido. El análisis es, además de una ayuda para

10. Para las relaciones entre el análisis, el reconocimiento y la comprensión, véanse los trabajos de Lucia Lumbelli, en particular LUMBELLI, 1981.

la comprensión, una comprensión de segundo grado, una *metacomprensión.*[11]

Por lo tanto, ayuda para captar un texto y aprendizaje de cómo se capta: mediante estos dos pasos, y mediante el modo en que se conjuntan (repetimos: ralentizando un movimiento de otro modo inmediato), se comprende cómo el análisis debe, en cualquier caso, reorganizar la relación normal con el objeto: este último no puede golpear y luego desaparecer, sino que de algún modo debe convertirse en una presencia fija y a la vez reencontrar su autonomía. En otras palabras, se necesita un distanciamiento: para trabajar con sistemacidad y con autoconciencia.

1.4. Analizar, describir, interpretar

Pero el recorrido del análisis también está marcado por el hecho de mezclarse con otras dos actividades: la descripción y la interpretación.

Describir significa recorrer una serie de elementos, uno por uno, con cuidado y hasta el último de ellos; pasar revista a un conjunto detallada y completamente. Se trata de un trabajo minucioso, pero también de un trabajo objetivo: de hecho, la descripción adopta como guía no tanto el observador como a lo observado. Sin duda alguna, aquél siempre está presente, pero de hecho casi al margen, entre paréntesis, en una posición lo más neutra posible.

Interpretar, en cambio, no significa solamente desplegar una atención obstinada con respecto el objeto, sino también interactuar explícitamente con él; no sólo pasar revista, sino también reactivar, escuchar, dialogar. Es, por lo tanto, un trabajo que consiste en captar con exactitud el sentido del texto, aunque sea yendo más allá de su apariencia, empeñándose en una reconstrucción personal, pero sin dejar de serle fiel. En esta labor subjetiva, el observador se pone en primer plano, exhibiendo con prepotencia su relación con el objeto.

11. La idea de relacionar la empresa analítica con el «comprender cómo se comprende» procede de METZ, 1971; pero la «autorreflexividad» del análisis se subraya también en HEATH, 1975, BELLOUR, 1979 y ODIN, 1977 y 1988.

La práctica analítica tiene evidentemente que ver tanto con la descripción como con la interpretación. A primera vista, la descripción triunfa en la fase de la descomposición del texto, mientras que la interpretación emerge sobre todo en la fase de la recomposición de los datos. En realidad, ambos momentos del análisis tienen que ver con los dos procesos. Sin duda, la descomposición del texto parece más un reconocimiento objetivo (el texto posee una evidencia de la que no se puede prescindir), y la recomposición tiene más el sabor de una empresa personal (lo que se pone en primer plano es una clave específica de lectura). Pero, después de todo, también la descomposición está orientada por el observador, y de cualquier manera personalizada, como fruto de su idiosincrasia. De hecho, recorrer lo existente significa ya aplicarle un punto de vista: decidir detenerse aquí y no allá, retener esto y no aquello, subdividir de un modo y no de otro, etc. En resumen, está ya en juego una elección, a la fuerza procedente de quien analiza. Paralelamente, tampoco la recomposición debe tener como única guía la simple invención, sino también un principio de objetividad: si es cierto que cada reconstrucción del texto es la «propia» reconstrucción, también es verdad que ésta debe basarse en verificaciones detalladas y puntuales. En suma, incluso el diseño más personal debe ser finalmente legitimado por el propio texto.

Por consiguiente, el análisis se revela estrechamente relacionado tanto con la descripción como con la interpretación: cada una de sus fases tiene que ver con los dos procedimientos, aunque sea en medida y modos distintos. La idea resultante es que debemos enfrentarnos tanto con una operación descriptiva ya orientada hacia la interpretación, como con una actividad interpretativa basada en la descripción.[12]

Hecho éste que nos permite ahora volver al momento del principio del análisis y completar la definición.

12. Para las relaciones entre descripción, interpretación y análisis del film, véanse las amplias observaciones de AUMONT/MARIE, 1988 y ODIN, 1988.

1.5. La presencia del analista

Hemos visto cómo el analista, ante un film y, más en general, ante un texto, se encuentra al inicio de un camino que lo conduce de un objeto concreto dotado de evidencia y de corporeidad, a un objeto nuevo, que deja al desnudo los principios de la construcción y los principios del funcionamiento del primero: y hemos empezado a ver cómo a lo largo del recorrido se activa una «lectura» que se basa en un reconocimiento sistemático de los elementos en juego, en una comprensión de la manera en que se comprende, y en una descripción puntual de los diversos componentes o en una interpretación personal de los datos.

Estas acciones que nutren la «lectura» de un film nos permiten arrojar un poco de luz sobre el principio del análisis: más que por un distanciamiento del objeto, está marcado por otros factores. Comencemos por dos, ambos identificables con la presencia del observador, que enderezan desde el principio el desarrollo de las operaciones: la precomprensión del texto y la hipótesis explorativa.

En primer lugar, sobre el análisis pesa la *comprensión preliminar* que se tiene del texto, el grado y el tipo de conocimiento que se poseen antes de empezar a trabajar sobre él. De hecho, a partir de este conocimiento empieza la indagación, y sobre él se apoya inevitablemente el «ejercicio de lectura», ya sea para alimentarlo posteriormente, ya para anularlo en una comprensión más amplia y meditada.

En segundo lugar, sobre el análisis pesa la presencia de una *hipótesis explorativa*, es decir, la existencia de una especie de prefiguración de aquello que será, o mejor, podría ser, el resultado del reconocimiento. El analista, además de saber unas cuantas cosas antes de empezar a trabajar, también lleva consigo una imagen normativa del punto al que pretende acceder, y basa su trabajo en la necesidad de verificar, profundizar y, si se da el caso, corregir esta intuición de partida. La cual, repetimos, guía el análisis, pero no debe en modo alguno vincularlo: la descomposición y recomposición del texto, chocando con la riqueza y con la concreción de los datos, pondrá a prueba, rediseñará y quizá destruirá el proyecto inicial del analista.

Por consiguiente, en el análisis existe desde el principio una presencia idiosincrática del observador. Este, al afrontar un texto, ya tiene una idea hecha, así como también posee una idea de lo que puede encontrarse. Sin embargo, y no nos cansaremos de repetirlo, esta intervención inicial no predetermina el juego: debe confrontarse continuamente con la puntualidad y la objetividad de las verificaciones. Sencillamente, orienta el análisis desde el principio, le otorga un cierto objetivo, le hace asumir una determinada marcha: presta a ceder ante las contingencias de las nuevas indicaciones procedentes del texto (y, por consiguiente, ante la aparición de una nueva precomprensión y de nuevas hipótesis exploratívas). En suma, esta intervención constituye un verdadero punto de unión entre dos exigencias distintas: por un lado sirve para otorgar propiedad y funcionalidad a los movimientos emprendidos (cuando empiezo a comentar la presencia de un texto, debo saber por lo menos a dónde quiero llegar: si no sé qué quiero encontrar, tampoco sabré qué buscar, cómo buscarlo, dónde encontrarlo; sobre todo, no sabré si lo que estoy recuperando, de la manera en que lo recupero y en el lugar en que lo recupero, me será útil y productivo con respecto al resultado); por otro lado debe compararse con los datos que van apareciendo (una hipótesis interpretativa debe apoyarse en un conjunto de pruebas: no puedo obligar a decir a un texto aquello que no quiere decir).

En este sentido, el análisis aparece constantemente suspendido entre la disponibilidad y la clausura, entre el ojo abierto de par en par y la mirada directa. Continuamente se está buscando un compromiso entre dos exigencias: ser fiel al texto, no traicionarlo; y llegar a conseguir un principio explicativo, aquel que según cada analista es su «cifra». Por ello no se analiza a tontas y a locas, sino decidiendo de antemano los resultados: se empieza a analizar cuando ya se tiene en mente una especie de meta, aunque siempre se esté dispuesto a cambiar de ruta sobre la base de nuevas adquisiciones.[13]

13. Esto nos permite aclarar las relaciones existentes entre la práctica analítica y el ejercicio de la crítica. Es un lugar común decir que el análisis es «neutro» mientras que la crítica toma posición. Ahora bien, es verdad que el análisis no comporta explícitamente juicios de valor, pero también conduce a la expresión de una postura propia en su enfrentamiento con el obje-

De esta continua búsqueda del equilibrio surgen también otros tres pasos que jalonan el recorrido analítico, entre la evidencia del dato textual y el resultado interpretativo: la delimitación del campo de la investigación, la elección del método de exploración y la exploración de los aspectos específicos de la indagación.

Ante todo la delimitación del campo, que siempre responde a la pregunta: ¿hacia dónde dirigirse? ¿Qué investigar? Aquí nos movemos en el ámbito de un análisis inmanente del film, es decir, de un análisis que juega con imágenes y sonidos (en lugar de, por ejemplo, con procesos de producción, modos de consumo, instituciones profesionales o críticas, legislaciones, etc.) y que afronta estas imágenes y estos sonidos en sí mismos, sin pasar necesariamente por lo que constituye su entorno (por ejemplo, la personalidad del autor, las características de la época, etc.). Sin embargo, incluso en este cuadro perfectamente delimitado, hay más de una opción posible. En términos de amplitud del campo de la indagación, se puede proceder mediante diversas gradaciones: un grupo de films, un solo film, una secuencia, en incluso una simple imagen. En términos de pregnancia de este mismo campo se puede escoger cualquier cosa extremadamente anómala, con el fin de subrayar su singularidad, o, al contrario, cualquier cosa que se preste a comparaciones, para subrayar el parentesco y la recursividad. En términos de extensibilidad de este mismo campo, se puede proceder de lo pequeño a lo grande, aplicando procedimientos de generalización, es decir, trasladando los resultados reunidos en el análisis de una porción del film, al propio film, a un conjunto de films, etc., o bien de lo grande a lo pequeño, aplicando procedimientos de ejemplificación, es decir, controlando si los resultados reunidos a través del análisis de un film o de un conjunto de films son también válidos para cada una de sus partes o para cada uno

---

to, y en consecuencia a una toma de posición, aunque sólo sea por las razones que sustentan la investigación o por el modo en que se realiza. Quizás el analista no esté dividido, como a menudo lo está el crítico, entre la necesidad de informar y el deseo de juzgar; los datos que maneja, y lo que debe hacer con ellos, interactúan con evidencia. Sobre las relaciones entre el análisis (y en particular el análisis textual) y la crítica, véanse AUMONT/MARIE, 1988 y ODIN, 1988:9.

de los miembros del conjunto. Y así sucesivamente[14]. Lo que hay que subrayar en cada caso es el modo en que cada una de estas elecciones se justifica según finalidades precisas y, en este sentido, orienta ya el análisis desde el principio. Pongamos un ejemplo: si quiero comprender cómo funciona el cine de Sergio Leone, puedo escoger *Por un puñado de dólares;* pero si quiero comprender, más en general, cómo funciona el *western* como género, deberé añadir probablemente algún otro film al mencionado, o tomar como punto de partida sólo algunas de sus secuencias, las más canónicas, o elegir un film distinto (¿por qué no *La diligencia*?).

En segundo lugar, está la elección del método. Conviene repetir que aquí nos movemos en el ámbito del análisis inmanente, pero incluso en este marco son muchas las direcciones posibles. Nos podemos servir de los instrumentos de la semiótica, considerando el film como texto, es decir, un conjunto ordenado de signos dedicado a construir «otro» mundo, y a la vez establecer una interactuación entre destinador y destinatario (éste será nuestro campo de maniobras privilegiado).[15] Se pueden utilizar los instrumentos de la so-

14. Un ejemplo de análisis de un film completo puede hallarse en BAIBLÉ/MARIE/ROPARS, 1974 o en GUZZETTI, 1981. Son más numerosos los análisis de films contemplados en uno solo de sus aspectos: desde el clásico de Metz sobre la gran sintágmatica de *Adieu Philippine*, en METZ, 1968, hasta los análisis de los fenómenos de la «disnarratividad» en Robbe-Grillet, en GARDIES, 1980 (véanse también CHATEAU/JOST, 1979 o GARDIES, 1983). Son numerosísimos los ejemplos de análisis de secuencias, de donde se infiere el funcionamiento y la composición de todo el film: hay clásicos como los de las secuencias de apertura en KUNTZEL, 1972, 1975a, 1975b y ODIN, 1980, 1986, etc. Son interesantes también los casos de análisis de ciertos pasajes, con el fin de sacar a la luz la recurrencia de algunos fenómenos que atraviesan el film: véanse por ejemplo VERNET, 1988 y LEUTRAT, 1988. Son más raros los análisis de corpus enteros: Bellour mezcla la atención a ciertos autores (sobe todo Hitchcock) con el estudio de ciertos procedimientos significantes (campo/contracampo, etc.).

15. Iremos mencionando las investigaciones semiológicas a medida que abordemos sus distintos ámbitos de indagación. Sin embargo, conviene recordar el papel orientador que en este campo desempeñó METZ, 1971. Un segundo dato que hay que recordar es el rol particular del análisis textual con respecto a la teoría semiótica, tanto la cinematográfica como la general: el problema es afrontado por ODIN, 1988, donde se observa cómo el análisis textual a menudo se limita a «aplicar» categorías elaboradas teóricamente, e incluso a veces intenta actuar directamente sobre la teoría, descubriendo categorías nuevas y planteando nuevos problemas.

ciología, afrontando el film como una representación más o menos completa del mundo en el que operamos, como un espejo y a la vez como un modelo (para algunos se tratará más de un espejo y para otros más de un modelo) de lo social. Se puede recurrir a los instrumentos del psicoanálisis, tomando a los personajes puestos en escena como personajes reales, con sus pulsiones, sus complejos, etc., o bien considerando el mismo film como una especie de texto onírico, del cual se pueden entresacar las pulsiones y los complejos de su autor; o afrontando el mecanismo fílmico en sí mismo, desde el momento en que funciona de modo análogo al mecanismo psíquico. Nos podemos acercar al film con los instrumentos de la historia, considerándolo como cualquier otro documento de su tiempo. Y aún hay muchos más enfoques posibles y métodos practicables.[16]

Finalmente, existe la *definición de los aspectos* del privilegio, de los distintos modos del fenómeno de sacar a la luz. Se podrán analizar entonces elementos como los componentes lingüísticos, es decir, los elementos constitutivos del texto, los ladrillos que sostienen el edificio; o los modos de la representación, es decir, el tipo de mundo que se dispone so-

16. Para una investigación sociológica, hay que recordar KRACAUER, 1947 (pues constituye uno de los primeros momentos en los que el sociólogo siente la necesidad de un análisis detallado del film); bastante más relacionado con la práctica del análisis textual está SORLIN, 1977, que así funda la propia perspectiva sociológica en la posibilidad de descubrir el funcionamiento lingüístico del film. A mitad de camino entre la sociología y la semiología pueden situarse los análisis de GRANDE, 1986. El capítulo de los análisis psicoanalíticos es bastante rico a partir de los años setenta: baste recordar METZ, 1977 (en particular el examen de la metáfora y de la metonimia en el cine) y BELLOUR, 1979 (por ejemplo el examen de las relaciones entre campo, contracampo y relaciones objetales). Una investigación textual de orientación psicoanalítica es también la realizada por MICCICHÈ, 1979 sobre *Ossessione*. También es amplio el capítulo de las investigaciones históricas que pasan a través del análisis textual: entre las distintas experiencias de este tipo, muy distintas entre sí, pueden recordarse los trabajos del grupo Lagny/Ropars/Sorlin (ROPARS/SORLIN, 1976, SORLIN, 1977, LAGNY/ROPARS/SORLIN, 1979, LAGNY/ROPARS/SORLIN, 1986), los trabajos del grupo Bordwell/Staiger/Thompson (BORDWELL/STAIGER/THOMPSON, 1989), los trabajos de Leutrat sobre el *western* (en particular LEUTRAT, 1985), los trabajos de Brunetta (BRUNETTA, 1974 sobre Griffith; y un amplio recurso a los análisis textuales en BRUNETTA, 1979-1982). Puede encontrarse también una orientación histórica, aunque en un sentido más llano, en ANDREW, 1984.

bre la pantalla y la forma en que se lo configura; o la dimensión narrativa, es decir, los elementos que componen la historia y los giros que asume el relato; o las estrategias de comunicación, la manera en que el emisor y el receptor se presentan en el texto y los géneros de interacción que declaran practicar (éstos serán también los ámbitos de indagación que afrontaremos a lo largo de este libro).

1.6. Disciplina y creatividad

Cinco son los momentos que señalan la entrada en escena del analista. Los recordaremos: por un lado, la precomprensión del texto y la hipótesis explorativa; por el otro, la delimitación del campo, la elección del método y la definición de los aspectos que se habrán de estudiar. Estos momentos ejercen el efecto un poco paradójico de eliminar la naturaleza propia del objeto indagado: finalmente, éste se presenta de súbito como algo orientado, parcial, manipulado. Esto parece contradecir la necesidad de entrar en contacto con una realidad, por así decirlo, desnuda y cruda, necesidad que lleva a «desprender» la situación del análisis de la visión ordinaria con el fin de disponer de un objeto con todos sus datos a la vista y despojado de cualquier resonancia. En realidad, estos momentos no anulan la posibilidad de un enfoque efectivo del texto: éste continúa estando allí, al alcance de la mano, en toda su concreción y su empiricidad. Sin embargo, estos momentos nos sugieren que el recorrido del texto hacia su inteligibilidad, para realizarse bien, tiene necesidad desde el principio de algunas condiciones: la transformación del film en una presencia estable y reversible, el refuerzo de la disponibilidad y de la objetividad del texto, pero también la individuación de un punto de abordaje al film lo más productivo posible, de la explicitación de las estrategias que se quieren seguir, del descubrimiento de los presupuestos y de los efectos del análisis mismo: en una palabra, de una primera finalización y de una primera filtración de los datos. Desde este punto de vista, el alejamiento del film y la superposición de la presencia del analista son dos gestos totalmente complementarios: ambos intentan señalarnos el mejor camino.

Un último apunte. El análisis, como se acaba de decir, se

realiza según ciertas condiciones. Y éstas constituyen verdaderos pasos obligados: sin una hipótesis explorativa, una delimitación del campo, una buena distancia, etc., la observación sería caótica, casual, impuesta: literalmente privada de su pertinencia. De ahí la idea de una *disciplina* precisa en la base del análisis; se avanza por el camino superando ciertas fases, adoptando ciertos procedimientos, siguiendo un cierto orden: en resumen, se recorre un itinerario íntimamente regulado. Pero esta disciplina no constituye un mero vínculo: los pasos obligados corresponden a otros tantos momentos en los que se expresan decisiones individuales. Esto es entiende a la perfección en la discutida intervención del analista (esa intervención que hace decir a algunos que «construye» su propio objeto;[17] nosotros diremos, menos radicalmente, que lo «encuadra» o lo «predetermina»): aquí está en juego tanto el cumplimiento de alguna necesidad, sin la cual el objeto no estaría preparado para la recuperación, como la puesta a punto de una dirección particular que convierte la recopilación de datos en «esta» recuperación y no en otra. En resumen, si es cierto que el recorrido está regulado, y estrechamente regulado, también es cierto que se abre a la libertad del analista: si se quiere, a su *creatividad.*

Eso es lo importante: por un lado, una disciplina (que convierte el análisis en una empresa científica); por otro, una creatividad (que hace del análisis una especia de arte). Una cosa no se da sin la otra. Por lo demás, existe un vínculo entre los dos componentes que garantiza la exactitud y la productividad de los resultados conseguidos: por un lado, éstos pueden controlarse según procedimientos recurrentes; por el otro, revelan adquisiciones completamente personales. Este vínculo entre los dos componentes explica la conformidad y a la vez la unicidad del objeto final: éste puede ocupar el puesto del texto del que parte porque por un lado reposa sobre una manipulación ahora ya canónica, y porque por otro deja entrever una iniciativa tendencialmente inédita. Por lo tanto, una vez más, disponemos de un hilo tendido entre dos polos, la presencia de difracciones, de superficies que no concuerdan del todo: pero es precisamente aquí, en esta encrucijada, donde el análisis se juega su propio destino.

17. La idea la subraya Kuntzel, 1975 a: 182.

2. Los procedimientos del análisis

2.1. Cómo se analiza

2.1.1. Las etapas del análisis

En el capítulo precedente hemos proporcionado una primera caracterización del análisis. Se ha descrito como una especie de recorrido que a través de una descomposición y una recomposición del film conduce al descubrimiento de sus principios de construcción y de funcionamiento: un recorrido en el que interviene un reconocimiento sistemático de todo cuanto aparece en la pantalla y una comprensión de cómo se comprende; que superpone una descripción minuciosa y una interpretación personal de los datos; que exige que el analista se distancie de la fruición ordinaria para establecer una «distancia óptima» con respecto a su objeto, obligándole al mismo tiempo a intervenir para encuadrar y predeterminar ese mismo objeto.

Entramos ahora en el corazón de este recorrido, y afrontamos las operaciones de disgregación y reagregación de un film, y más en general de un texto. Las dos fases presumen ciertas opciones de fondo de las que ya hemos hablado, como la delimitación del campo, la elección del método, etc., así que no vamos a volver sobre estos aspectos.[1] Mejor será añadir que las dos fases son estrechamente complementarias: si se rompe una unidad en fragmentos es para reunirlos en una nueva unidad que nos diga cómo está hecha y cómo funcio-

1. O mejor, «neutralizaremos» tales opciones, intentando tener en cuenta una situación lo más amplia posible: elegiremos un film, en todos sus aspectos, sin vincularnos a un método estricto, etc.

na la primera; a la disgregación de los elementos debe seguir una reagregación que consienta entender a la perfección la estructura o el mecanismo de lo que se tiene delante. En este sentido, analizar no significa hacer una autopsia, es decir: seccionar hasta la sutura no es posible. Nuestros objetos están vivos, y el procedimiento analítico debe servir sólo para comprender mejor su esqueleto y su nervadura. De ahí que deban utilizarse el microscopio y el bisturí, pero sin poner en peligro el retorno a la vida del «paciente», su salida del estado de anestesia.

Entonces, ¿cómo se realiza la intervención? ¿Cómo debemos comportarnos durante el análisis? Y, sobre todo, ¿cuáles son las etapas fundamentales de este proceso? Veamos ahora los pasos fundamentales que deben guiar nuestro trayecto.

Segmentar. El primer paso que se debe dar, en todo proceso de análisis, es la segmentación, es decir, la subdivisión del objeto en sus distintas partes. Se trata de individuar en una especie de continuo los fragmentos que lo componen, y de reconocer como algo lineal la existencia de una serie de confines.

Pensemos en un botánico ante una planta. Observando su objeto desde abajo puede distinguir poco a poco raíces, troncos, ramas, hojas, flores... Y la subdivisión que opera procede progresivamente, en la individuación de partes siempre más pequeñas, en el establecimiento de confines cada vez más imperceptibles: con un gesto que, sin embargo, no es jamás inmotivado, puesto que es absolutamente fundamental saber qué y dónde «cortar».

Estratificar. El segundo objetivo es la estratificación, que consiste en la indagación «transversal» de las partes individuadas, en el examen de sus componentes internos. Para determinar segmentos adyacentes ya no se sigue la linealidad, sino que se procede por «secciones», con el fin de captar los diversos elementos que están en juego, ya sea singularmente o en su amalgama.

En otros términos, una vez identificado el tronco del árbol, se corta por la mitad y se pasa a observar los diversos estratos concéntricos que constituyen su espesor y que recorren, a lo largo, toda la extensión lineal: cada círculo con una identidad propia, y a la vez todos juntos formando el tronco.

Enumerar y ordenar. Sobre la base de lo realizado en la primera parte del recorrido analítico se pasa a una recensión sumaria de los elementos observados: es decir, se delinea un primer mapa del objeto que tenga en cuenta las diferencias y semejanzas tanto de la estructura como de las funciones. Se trata de un mapa puramente descriptivo, sin el cual, sin embargo, no sería posible continuar adelante: de hecho, tomándolo como base se llega a descubrir las correspondencias, la regularidad y los principios que rigen el objeto analizado.

Sin duda, ningún texto se da al observador en toda su evidencia. Se puede captar su superficie, diferenciar las partes principales, comprender las tendencias recurrentes, y, sin embargo, el conjunto de sus datos continuará siendo huidizo, y con él su estructura y su funcionamiento. En el film, esto se da aún con mayor razón. De ahí, pues, la importancia de estudiar el mapa que sintetiza los resultados de la primera parte del análisis (el «desmembramiento» del objeto), para intentar penetrar en la lógica del propio objeto, para tratar de comprender su orden constitutivo.

Recomponer y modelizar. Con esto se da el paso decisivo para la recomposición del fenómeno, para la reconstrucción de un cuadro global. De hecho, de nada sirve establecer relaciones si éstas no se reconducen hacia una visión unitaria del objeto que establezca los sentidos, a través de una representación sintética, de sus principios de construcción y de funcionamiento.

En resumen, se segmenta y se estratifica, se enumeran y se reordenan los elementos, se reúnen en un complejo unitario y se les da una clave de lectura, confiando en haber comprendido mejor la estructura y la dinámica del objeto investigado. Esto quiere decir para nosotros analizar, cualquiera que sea el objeto de la investigación.

2.1.2. La regla del juego

El objeto de nuestro análisis será un tipo particular de «organismo»: el texto fílmico, con toda su vitalidad simbólica. Lo que debemos intentar hacer será, pues, descomponerlo y recomponerlo, intentando comprender más a fondo sus reglas de construcción y de funcionamiento.

Para disgregar y reagregar existe casi una modalidad consolidada, casi reglas de acción. Esto no quiere decir que sean vinculantes y automáticas, restrictivas y despersonalizadoras. Ciertamente, se opera con ellas y en su propio interior, pero ello no excluye la posibilidad de su aplicación individual, subjetiva y, dentro de ciertos límites, creativa. Es como cuando se habla una lengua: el léxico y la sintaxis son los mismos para todos, pero cada uno habla de distinto modo, manifestando una manera propia de expresarse. Todo proceso de análisis, pues, no sólo descubre modalidades compartidas, sino que también testimonia intervenciones y sensibilidades personales; describe, así, un lugar de encuentro entre un código común de acción y la singularidad de cada aproximación.

El análisis de un film, por lo tanto, no es simplemente el anodino desciframiento de un texto, sino también la exposición y la valoración de un modo propio de acercarse al cine.

Dicho esto, adentrémonos en la práctica del análisis. Como ejemplo nos serviremos de un film, *Paisà*, de Roberto Rossellini (Italia, 1946), que creemos bastante apropiado por el significado y la riqueza de las soluciones propuestas. Nos referiremos, en concreto, al cuarto episodio del film, el que transcurre en Florencia.

2.2. La descomposición

2.2.1. Dos tipos de descomposición

Frente a un objeto como un texto fílmico, el analista debe imponerse desde el principio dos tipos de cuestiones.

La primera incluye interrogantes de este tipo: «¿Por dónde entro en el texto?», «¿Por dónde empiezo?», «¿Hasta dónde voy?», «¿Qué debo examinar?». Estas cuestiones expresan la exigencia de distinguir, en el *continuum* del texto, porciones concretas, separadas de los confines que permiten no sólo orientarse preventivamente, sino también proceder con orden y sistematicidad. De ahí la operación que hemos llamado *segmentación*, o descomposición de la linealidad; aquella, para entendernos, que nuestro botánico utilizaba para distinguir las partes sucesivas de una planta. Es, como resulta evidente, la misma operación que realiza el lector de una novela reconociendo la narración como organizada en grandes secciones, los capítulos, o en secciones más pequeñas, los párrafos o los puntos y aparte.[2]

La segunda serie de cuestiones incluye interrogantes de diverso género, como: «¿Qué debo distinguir en el interior de lo que hay frente a mí?», «¿Sobre qué debo centrar mi atención?», «¿Qué puedo privilegiar?», «Y, ¿por qué?» Tales cuetiones expresan la exigencia de indagar transversalmente las porciones de texto preelegidas, para diferenciar los componentes internos. De ahí la operación que hemos llamado *estratificación* o descomposición del espesor: el tallo de una planta puede analizarse diferenciando sus diversas vetas, la presencia de resina, el tipo de tejido, etc. Estos elementos ilustran la composición íntima de la sección escogida, pero a la vez van más allá de ella: por ello, mientras se identifican los componentes que forman en su conjunto un fragmento, nos preparamos también para seguir esos mismos componentes en otro fragmento, y finalmente en la totalidad del texto. Volvamos otra vez a nuestro lector de novelas: cuando se enfrenta a un capítulo, se muestra atento a este o aquel personaje, a esta o aquella descripción ambiental, a esta o aquella solución estilística; así descubre los distintos elementos que constituyen la sustancia del capítulo, pero a la vez capta cualquier cosa que luego pueda repetirse a lo largo del texto, en un juego variable de reapariciones y reclamos, algo que derriba las barreras existentes entre las diversas partes.[3]

A estas dos series de cuestiones el análisis deberá responder con sus propios criterios de intervención, y por lo tanto con procedimientos que, aunque uniformándose según determinadas reglas compartidas, dejan siempre, como se ha dicho, un margen a la elección subjetiva y a la creatividad. El

2. Entre las muchas intervenciones sobre lo que parece ser el aspecto más sorprendente del análisis (pero sin duda no el único), véase en particular «Segmenter/Analyser», en BELLOUR, 1979.

3. Para este segundo tipo de descomposición, contemplado en estrecha orrelación con el anterior, véase SEGRE, 1974:24.

objeto-film, por ello, como es de suponer, forzará algunas elecciones, requerirá procedimientos concretos, pero nunca limitará u obstaculizará las acciones del analista. Sabiendo esto, podemos por fin afrontar el film sin ningún tipo de temor reverencial.

2.2.2. La descomposición de la linealidad o segmentación

La descomposición de la linealidad consiste, según decíamos, en subdividir el texto en segmentos cada vez más breves que representen unidades de contenido siempre más pequeñas. El procedimiento parece claro. El problema, sin embargo, se plantea cuando debemos decidir en qué parte del flujo del film debemos intervenir para interrumpirlo, dónde situar los confines y qué distinciones operar.

Lo más natural, y probablemente lo más adecuado, es comenzar a subdividir el film en grandes unidades de contenido, en bloques amplios y cerrados sobre sí mismos, para poder continuar progresivamente fraccionando esta unidad en otra más pequeña, intentando que el propio contenido se muestre susceptible de subdivisiones significativas. De este modo se obtienen fragmentos de distinta amplitud y complejidad: respectivamente, los *episodios*, las *secuencias*, los *encuadres* y las *imágenes*.

Los episodios. Representan la partición más amplia de un film, relacionada con la presencia, en el interior de una película, de más historias o partes marcadamente diferenciadas de una historia.

En los libros, su equivalente son los diversos cuentos de una misma colección, o las distintas partes de una misma novela. Pero, continuando con los libros, el paso de una sección a otra viene indicado por los correspondientes artificios gráficos: los signos de separación (como la interrupción de un capítulo en mitad de una página y el comienzo, situado un poco más abajo, de un nuevo capítulo en la página siguiente) o los signos tipográficos (el número progresivo de los capítulos, cada uno de los títulos, los distintos caracteres de estos últimos, etc.). Del mismo modo, en el film, existen artificios que indican el final de una gran unidad de contenido como el episodio y el inicio de otra. Puede tratarse de títulos en sobreimpresión que indican el inicio de una nueva trama o el principio de una fase distinta de la historia (por ejemplo, los clásicos «films de episodios», o *Rocco y sus hermanos*, de Visconti); o de una *voz fuera de campo* que, mediante ciertos comentarios, subraya el «cambio de escena» y actúa como conexión entre las distintas partes (por ejemplo, *Le journal d'un curé de campagne*, de Bresson); o incluso de cambios radicales que nos llevan de una situación a otra muy distinta de la precedente, con un salto radical en el ambiente y en el tiempo.

En *Paisà*, la subdivisión en seis episodios, además de preanunciarse en los títulos de crédito (una especie de «índice general» del film), viene señalada por medio de otros indicadores: la sustitución de los primeros planos por planos generales, el paso de las imágenes de ficción a imágenes indudablemente documentales, el movimiento desde un paisaje geográfico a otro, e incluso la intervención de la voz en *off* que llena el vacío entre los episodios, relacionándolos a través de un tenue hilo contenutista (a medida que los aliados americanos atraviesan la península italiana, se ponen en escena, en diversos lugares, las vivencias del pueblo italiano: en Sicilia, en Nápoles, en Roma, en Florencia, etc.).

Las secuencias. Los films de episodios, sin embargo, son muy pocos. Cuando nos referimos a unidades fundamentales del contenido de un film se habla más comúnmente de *secuencias*. Estas son más breves, menos articuladas y menos delimitadas que los episodios, pero de estos últimos conservan un carácter autónomo y distintivo.

También las secuencias recurren a signos de puntuación que marcan sus confines. En este sentido, utilizan el *fundido encadenado* (en el que una imagen se desvanece mientras aparece otra); el *fundido o la apertura en negro* (la imagen se esfuma en el vacío o aparece a partir de él); la *cortinilla* (línea divisoria entre dos imágenes que se mueve lateral o verticalmente reduciendo una imagen y dejando sitio a la otra); el *iris* (un círculo negro que se cierra progresivamente sobre la imagen); etc. Pero quizá no nos encontremos con signos de transición tan evidentes y explícitos: un simple *corte* puede separar dos segmentos narrativos, dos «párrafos» de la historia.

Así pues, resulta fundamental el criterio distintivo que se refiere al contenido de las partes: allí donde se advierte una mutación del espacio, un salto en el tiempo, un cambio de los personajes en escena, un paso de una acción a otra; en suma, allí donde termina una unidad de contenido y se inicia otra, podemos siempre situar con legitimidad el confín entre una secuencia y otra.

Sin embargo, hay que precisar que se puede dar el caso de claros signos de interrupción que se encuentren en mitad de una unidad de contenido determinada. En este caso, hay que dejar a la discreción del analista la decisión acerca de hacer corresponder el límite de la secuencia con el signo de puntuación, o interpretarlo simplemente como una pequeña división interna destinada a diferenciar dos unidades de contenido más pequeñas, las *subsecuencias*, que no son lo suficientemente fuertes como para crear una fractura significativa en el interior de la unidad semántica total.[4] En este sentido podemos definir la subsecuencia como una unidad de contenido que, aunque perfectamente identificable, puede leerse como componente de una unidad semántica superior, parte de un todo que la trasciende y la comprende.

Aclaremos esta nueva partición con un ejemplo. El cuarto episodio de *Paisà* puede dividirse en seis secuencias, cada una de ellas identificable por el lugar en el que transcurre la acción. La primera es la del hospital, en la que Hariett, la protagonista, trabaja como enfermera. La segunda es la de la Florencia liberada, separada de la precedente por un fundido en negro, y divisible a su vez en dos subsecuencias, respectivamente el encuentro de Hariett con Massimo en el patio del Palacio Pitti y el encuentro de ambos con los oficiales ingleses a orillas del Arno; las dos subsecuencias están divididas mediante un fundido encadenado (menos «fuerte» que un fundido en negro). La tercera secuencia, cuyo inicio viene señalado por un fundido encadenado, es la de los Uffizi: tam-

4. Naturalmente, hay siempre la posibilidad de una utilización «desviadora» de la puntuación, bien para llevar a cabo determinados efectos estilísticos, bien para otorgar un sentido paródico.

bién ésta puede dividirse en dos subsecuencias, el acercamiento de Hariett y Massimo a la Galeria degli Uffizi y el recorrido de la Galeria; entre las dos subsecuencias se produce otro fundido encadenado, y además la segunda va acompañada de un comentario musical, hasta aquí ausente y de aquí en adelante recurrente. La cuarta secuencia es la del primer contacto con la Florencia en espera de la liberación: se abre con un fundido encadenado (además de con el habitual cambio de espacio) y también se subdivide en dos subsecuencias, respectivamente el recorrido hacia el gran edificio y el encuentro con el ex mayor en los tejados; las dos subsecuencias están separadas por un fundido encadenado. La quinta secuencia es la del trayecto a través de la «tierra de nadie»: ésta no se abre con signo de puntuación alguno (y sin embargo el cambio de lugar, de un interior a un exterior, es suficiente para señalar la diferencia), mientras presenta un fundido encadenado en su propio interior, cuya función es la de «acelerar» el trayecto, más que la de subdividirlo en dos etapas concretas y autónomas (de ahí que este fundido una más que separe; o mejor, que sea una forma de transición más que un verdadero signo de puntuación). Advirtamos de todas formas que la música representa un clarísimo elemento de homogeneización en toda la secuencia. La sexta secuencia es la del frente de batalla: se abre con una cortinilla de derecha a izquierda y poco a poco, aunque en continuidad, deja ver el encuentro con los partisanos, el intercambio de disparos y la noticia de la muerte de Lupo. Incluso aquí, la música desempeña una función fuertemente homogeneizante, pues su cambio de tono y su desaparición señalan el fin del episodio.

Los encuadres. Prosiguiendo con la descomposición de la linealidad del film, podemos subdividir las secuencias en unidades más pequeñas: los *encuadres*. Con esto es como si pasáramos de los «párrafos» a las «líneas» de un libro.

En sentido estricto, el encuadre es una unidad técnica, es decir, un segmento de película rodado en continuidad. En el nivel de la filmación esto viene delimitado por dos paradas del motor de la cámara, y en el nivel del montaje por dos cortes de las tijeras. Un tipo de delimitación como éste convierte el encuadre en un elemento de referencia común: de hecho es fácil identificarlo, puesto que sus bordes presentan dos cortes bien visibles. Pero un tipo de delimitación como éste convierte también al encuadre en una entidad un poco ambigua: no siempre se corresponde con una verdadera unidad de contenido. Tomemos como ejemplo el «campo/contracampo»: éste consiste técnicamente en el acercamiento de dos encuadres, uno de los cuales muestra un sujeto de frente que habla y a su interlocutor de espaldas, mientras que en el otro el segundo sujeto está de frente y el primero de espaldas (o uno un sujeto que mira y el otro el objeto mirado). Pues bien, los dos encuadres se perciben generalmente como un bloque único: en resumen, los dos segmentos se captan en una dimensión unitaria, ya que su función contenutista termina por trascender las barreras físicas.

Por ello, los límites del encuadre, más que con la evidente variación del contenido representado, están relacionados con la presencia de un corte (que puede ser seco o mitigado por los artificios de puntuación ya mencionados), incluso aunque este mismo corte no llegue a constituir una unidad semántica en sí. Hecha esta precisión, puede ser interesante advertir que el episodio de Florencia en *Paisà* está compuesto de 134 encuadres, a mitad de camino entre el episodio del Delta (180 encuadres) y el de Roma (98 encuadres).

Las imágenes. El último paso en la descomposición de la linealidad es el que va del encuadre al *subencuadre* o *imágenes* (de las «líneas», podríamos decir, a los simples «enunciados»). De hecho, frecuentemente, el encuadre no se limita a representar situaciones simples y estáticas, sino que pone en escena una pluralidad de espacios y acciones, o una pluralidad de visiones y situaciones, que otorgan al todo una dimensión heterogénea y requieren una ulterior subdivisión en partes muy distintas.

Cada vez que el movimiento de la acción cambia la composición de los volúmenes y de las formas, cada vez que el «marco» de la imagen encuadra porciones de espacio posteriores, cada vez que se modifica el punto de vista que organiza la puesta en escena, nosotros, aunque nos quedemos en el interior del mismo encuadre, nos encontramos de hecho frente a «imágenes» distintas. Por ello, los componentes del encuadre no son los fotogramas, unidad constitutiva fundamental, pero de hecho imperceptible en su singularidad, sino aquellas porciones de la filmación que se presentan como uniformes con respecto al modo de representación: aquellos segmentos homogéneos por el punto de vista elegido, por la naturaleza y la forma del espacio representado, por la distancia de los objetos encuadrados, por el tiempo de la puesta en escena, que se constituyen como «imágenes del mundo» distintas.

En este sentido, sin aventurarnos en la descomposición imagen por imagen del episodio de Rossellini, podemos de todos modos advertir que la primera secuencia, la del hospital, presenta encuadres más estáticos y por ello con menores cambios de imagen, mientras que a medida que se avanza los encuadres aumentan en complejidad (aunque no siempre en longitud; el encuadre más largo es el del encuentro con el ex mayor: 1'30'') y como consecuencia pueden subdividirse posteriormente en más imágenes distintas.

Hemos visto que la descomposición de la linealidad, en definitiva, sirve para determinar la sucesión de los segmentos del texto fílmico: su dimensión, su articulación interna en porciones más pequeñas y su orden. De esta fase del análisis deriva el así llamado «guión *a posteriori*». Se trata de una forma de traducción del film que consiste en una descripción de su parte visual (casi siempre encuadre por encuadre) y en una transcripción de su parte sonora. Se realiza en la moviola, sobre una o más copias del film,[5] valiéndose en gran parte de las notaciones que ofrece la gramática tradicional: ésta brinda la posibilidad de fijar el texto del film, captado en su extensión lineal, y de conservar una huella indeleble. Con este método trabajaron todos los analistas del film hasta el inicio de los años ochenta.[6] Hoy, con la intro-

5. Es necesario recurrir a distintas copias de un film, y compararlas entre sí, cuando hay que reconstruir el texto en su integridad y en su exactitud filológica: es el caso también de *Paisà*, film del que aún no existe una verdadera edición crítica.

6. Un buen ejemplo de guión *a posteriori* es el reconstruido por Stefano Roncoroni a propósito de tres films de Rossellini, entre ellos *Paisà* (*La trilogia della guerra*, Bolonia, Capelli, 1972): la colección en la que apareció («Dal soggetto al film») incluye siempre los guiones provisionales, que el director

ducción del magnetoscopio, que conjuga las versátiles funciones de la moviola con una gran manejabilidad y economía, el instrumento de la transcripción gráfica ha perdido un poco de su utilidad, sustituido por un medio capaz de ofrecer un texto que se puede recorrer con la misma facilidad y que además está formado por imágenes. La transcripción, sin embargo, además de ser el método todavía hoy más seguido para difundir públicamente los análisis de films, sigue manteniendo para el analista la función insustituible de esquema de la linealidad del texto fílmico, de «índice general» del texto.

2.2.3. La descomposición del espesor o estratificación

La segunda forma de descomposición del texto fílmico, totalmente complementaria de la primera, es la que hemos llamado descomposición del espesor o *estratificación*. Consiste en quebrar la compacticidad del film y en examinar los diversos estratos que lo componen. Ya no se sigue la linealidad para determinar los segmentos adyacentes, sino que se opera transversalmente para diferenciar los componentes de los segmentos aislados.

En este sentido, siguiendo la metáfora de Eisenstein, podemos comparar el film con una partitura musical.[7] Descomponer linealmente, segmentar, es entonces como subdividir la escritura musical en porciones cada vez más pequeñas (movimientos, temas, frases, compases, intervalos...); descomponer el espesor, estratificar, es como analizar el juego sincrónico de las voces, el estructurarse de la «sinfonía», o seguir paralelamente un componente cada vez, un solo instrumento musical, cuyo papel puede analizarse en el segmento considerado, pero también en todo el arco de la composición.

---

puede variar en el curso de la filmación o del montaje. Guiones *a posteriori* muy cuidados son los que realiza la revista *Avant Scène Cinéma*. Pero hay que recordar también aquellos que publicó ediciones Il Poligono en la inmediata posguerra. Puede encontrarse un análisis y una discusión en torno a los guiones *a posteriori*, y más en general acerca de las transcripciones gráficas de films, en MARIE, 1975.

7. Véase EISENSTEIN, 1985 (1937), donde se retoma explícitamente la idea de horizontalidad y verticalidad de la partitura.

Una vez dividido el film en episodios, secuencias, encuadres e imágenes, se pasa entonces a seccionar estos segmentos, diferenciando sus distintos componentes internos (el espacio, el tiempo, la acción, los valores figurativos, el comentario musical, etc.) que serán analizados uno por uno tanto en su juego recíproco en el interior de un segmento dado («¿Qué relaciones existen entre la música y la ambientación escénica en la secuencia X?») como en la diversidad de formas y funciones que asumen luego a lo largo del film («¿Cómo cambia la música entre la secuencia X y la secuencia Y?»; «¿Qué distintas funciones desempeña en los dos fragmentos?»). Estos elementos son, pues, los diferentes componentes que, más allá del simple criterio de sucesión lineal, puntúan el film con espesamientos y rarefacciones, intervalos y discontinuidades, sugiriendo una trama transversal que resulta esencial para el tejido del film.

Pero, ¿cómo se opera esta segunda clase de descomposición? El procedimiento es bastante más complejo que el de la segmentación lineal (que consistía en una operación de sucesivos recortes) y se articula en estos dos estadios esenciales:

Identificación de una serie de elementos homogéneos: se identifican algunos factores que se repiten en el curso del texto y que se señalan mediante su pertenencia a una misma área o familia: lo que emerge entonces es una serie homogénea de elementos.

Esta serie puede estar formada por distintos componentes: estilísticos (el conjunto de ciertos tonos de la iluminación o de ciertos movimientos de cámara), temáticos (las diversas apariciones de un determinado lugar, la reiterada aparición de una cierta situación), narrativos (la repetición de una acción del protagonista o de una acción del antagonista), etc. Lo importante es que identifican un eje que recorre el film de modo transversal, sin vincularse en sentido estricto a la sucesión de las imágenes. Es una «línea de la partitura», ya presente ya ausente, ya dominante ya enrarecida, que actúa en la progresión del film, pero que no se sobrepone a ella; es una «línea de la partitura» caracterizada por ciertas presencias que la distinguen de otras «líneas» paralelas o entrecruzadas.[8]

A este propósito, en el episodio de Rossellini se puede, por ejemplo, diferenciar cuatro grandes series, cuatro grandes «líneas de partitura» sobre las cuales parece apoyarse y moverse nuestro ejemplo: el espacio, el tiempo, el papel de los personajes y el carácter de las acciones (también hay otras series, como los movimientos de cámara, pero no parecen tener la misma fuerza estructuradora).

Articulación de la serie: hay que ir más allá de la homogeneidad de la serie para captar la peculiaridad de los elementos y operar una distinción entre ellos. Conviene diferenciar:

a) las oposiciones de dos o más realizaciones: se descubrirán las ocurrencias contrarias de una figura estilística (por ejemplo, fundido vs. corte brusco), de un núcleo temático (noche vs. día, espacio *in* vs. espacio *off*, etc.), o de un nudo narrativo (ser bueno vs. ser malo, fumar vs. no fumar, etc.);

b) las variantes de una misma realización: se descubrirán las ocurrencias parecidas de una misma figura estilística (fundido encadenado vs. fundido en negro, etc.), de un mismo núcleo temático (mañana vs. tarde, interior luminoso vs. interior oscuro, etc.) o de un mismo nudo narrativo (fumar en pipa vs. fumar cigarrillos, etc.).

Oposiciones y variantes que permiten captar los distintos elementos que forman una serie: elementos homogéneos pero diferenciables entre sí.[9]

En este sentido, en nuestro ejemplo podemos articular la serie de los elementos espaciales en más parejas de realizaciones opuestas: sur vs. norte (la Roma liberada en contraste con la Florencia aún ocupada); orilla izquierda del Arno vs. orilla derecha (la parte de la ciudad liberada por los ingleses

8. Se trata de lo que Greimas llama una *isotopía*, o grupo de elementos redundantes: en la práctica, una serie de rasgos que se van repitiendo a lo largo de un discurso y que orientan el desciframiento: véase Greimas, 1966. La mayor parte de los análisis, incluso fílmicos, son análisis que trabajan sobre isotopías concretas (el ambiente, los personajes, los valores, el uso de adjetivos, etc.).

9. Una investigación más amplia debería distinguir entre contrarios (bueno/malo), contradictorios (bueno/no bueno) y complementarios (malo/no bueno). Véase Greimas, 1979.

contra la parte aún en manos de los alemanes y los fascistas); alto vs. bajo (en cuanto a lo primero, se piensa en los Uffizi o en los tejados, dimensiones de la observación y de la acción más seguras; en cuanto a lo segundo, en la calle, dimensión del temor y de la pasividad insegura). Entre estos extremos se sitúan algunos espacios de transición: entre Roma y Florencia, la Italia central sobrevolada por la voz del comentarista; entre las dos orillas del Arno, el río que atraviesan Massimo y Hariett al inicio de su viaje; entre lo alto y lo bajo, entre los tejados y la calle, el espacio intermedio de la escalera, lugar de la espera, del paso de la seguridad del observador al peligro del clandestino.

Del mismo modo, la serie del tiempo se despliega sobre una oposición entre el pasado, aferrado al puro y simple recuerdo (jamás se ve en pantalla, al contrario de lo que sucede en el episodio romano, en el que gracias a un *flash-back* podemos volver atrás), y el presente, vivido de una manera fáctica (todo se desarrolla en una especie de ardiente «ahora»). Entre los dos, encontramos nuevamente una dimensión de transición, un término intermedio que une el recuerdo y la acción: este término intermedio se traduce en espera y en deseo, y por ello en proyección hacia el futuro (tanto Hariett como Massimo tienen un recuerdo de Florencia, respectivamente Lupo y la familia, y llevan a cabo las acciones del presente para que ese recuerdo, por así decirlo, vuelva a ser real).

También la serie de los personajes se articula sobre la base de oposiciones muy precisas. Ante todo, tenemos a los ingleses en contra de los alemanes (los primeros liberadores, los segundos opresores; pero también los primeros dotados, por así decirlo, del don de la palabra, mientras que los segundos son una presencia amenazadora y a la vez muda; por lo demás, el eje de la lengua permite también la diferenciación de variantes: los ingleses se pueden subdividir posteriormente en los que hablan sólo inglés y los que hablan también italiano; obviamente, estos últimos asumen una función de mediación entre los dos mundos, como en el caso de Hariett). En segundo lugar, están los italianos, también ellos divididos en dos frentes: los fascistas por una parte y los partisanos por la otra (de nuevo, además del eje político, actúa aquí el eje de la lengua: los partisanos hablan y se comunican entre sí, mientras que los fascistas, como los alemanes, o son mudos o emiten sonidos indistintos; los partisanos, a su vez, vienen caracterizados como italianos genéricos, toscanos y florentinos; Massimo, además, es también anglófono, y por ello dotado de una posición intermedia). En tercer lugar tenemos personajes que viven su historia y personajes que comentan la historia de los demás (de nuevo, el eje de la lengua es determinante: los primeros exhiben una recitación heredada de la «naturaleza», como en el caso de Hariett; los segundos hablan con una «afectación» explícita, como la chica a la que Lupo ha hecho una fotografía o los dos oficiales ingleses sentados a la orilla del Arno o del mayor veterano de la primera guerra mundial).

La serie de los acontecimientos, a su vez, se despliega sobre tres oposiciones fundamentales: la de la acción y la inacción (los partisanos y los ingleses, e incluso los partisanos y el resto de la población); la de los acontecimientos casuales y las acciones intencionales (los encuentros que Massimo y Hariett tienen en su recorrido, y ese mismo recorrido, querido y conquistado); la de los gestos improductivos y los empeños productivos (la búsqueda de Massimo y Hariett, que aparentemente no lleva a ninguna parte, y la acción de Lupo, que conduce a la liberación efectiva de la ciudad); y la de las acciones cuya realización tiene un precio y las que no comportan costo alguno (los partisanos, y principalmente Lupo, pagan con la vida, mientras que decidirse simplemente por la supervivencia no supone ninguna pérdida).

Después de la diferenciación de los distintos ejes y la especificación de todos los elementos que los componen, con sus diferencias, deben reunirse las dos series de informaciones y reconstruir un diseño unitario del texto, captado en sus elementos constitutivos, en todos sus estratos.

Termina así la descomposición del texto fílmico y empieza una segunda operación, consecuencia natural de la primera: la recomposición.

2.3. La recomposición

2.3.1. Los cuatro pasos de la recomposición

La fase de la recomposición comporta una reagregación de los elementos diferenciados en la descomposición: después de los cortes y las separaciones es necesario volver a trazar la línea y poner a punto un «modelo» que, como conclusión del proceso analítico, reagregue en una estructura y en un andamiaje orgánicos los principales elementos reencontrados y descubra la lógica que los une.

Las operaciones que, en la secuencia lógica, comporta la fase de la recomposición son esencialmente cuatro: la *enumeración*, el *ordenamiento*, el *reagrupamiento* y la *modelización*. Veámoslo con más detalle.

2.3.2. La enumeración

En esta fase se tienen en cuenta todos los elementos identificados durante la descomposición, caracterizados a un tiempo por su pertenencia a un determinado segmento y por su pertenencia a un determinado eje. En resumen, es el momento del catálogo sistemático de las presencias del film.

2.3.3. El ordenamiento

En esta segunda fase de la recomposición (que junto con la primera constituirá el momento propedéutico, preventivo, la verdadera síntesis) se pone en evidencia el lugar que cada componente ocupa en el conjunto del film, ya sea respecto al desarrollo lineal del texto o respecto a su estructuración en profundidad. Es decir, se tiene presente cada elemento, atribuyéndolo por un lado a una determinada secuencia, encuadre, etc. (colocación en la linealidad) y por otro a un determinado nivel expresivo o serie homogénea (colocación en el espesor).

Lo que se está haciendo, en otros términos, no es simplemente la recensión de las presencias, sino más bien la asignación de una relación de orden a los distintos elementos que constituyen el texto. Cada uno de los elementos ya no actúa en solitario (como en el censo de la enumeración), sino que debe leerse como miembro integrante de un conjunto: tendremos, por ejemplo, a X en cuanto consecuencia de Y y antecedente de Z, o a X en cuanto opuesto de Y y complementario de Z, y así sucesivamente.

Volviendo a *Paisà* y al episodio de Florencia, vemos cómo el hospital de Hariett y la casa de Massimo se oponen explícitamente: ambos son edificios, pero uno está situado en el sur, en una zona liberada, y el otro en el norte, en un área aún en manos de los nazifascistas (eje espacial); uno es provisional, ligado a las exigencias de la guerra, mientras que el otro es estable, estuvo antes y estará después (eje temporal); uno está lleno de extranjeros, aunque sean «liberadores», mientras que el otro, aunque amenazado, representa el ámbito doméstico por excelencia (eje de los personajes); uno es un lugar público, en el que domina el deber, y el otro es un lugar privado en el que mandan los afectos (de nuevo, eje de los personajes); uno se recorre por su propio interior, mientras que el otro sólo se intuye de lejos (eje de la filmación); finalmente, uno señala el itinerario del episodio, y el otro señala su conclusión.

Con las primeras dos operaciones, como se ha visto, se recensionan los elementos significativos y se consideran los nexos que los ligan recíprocamente. El resultado es el descubrimiento de un verdadero sistema de relaciones: los elementos se reclaman el uno al otro en una especie de trama comprehensiva.

Construida una trama de este tipo, ya habremos completado la fase de inventario y organización, la propedéutica con respecto a la verdadera síntesis. Ahora pasaremos a trazar la línea.

2.3.4. El reagrupamiento

En esta fase se empieza a diferenciar el núcleo central del film: su sistema comprehensivo, su estructura total. Para llegar aquí necesitamos pasar a través de una síntesis y el reagrupamiento representa esta etapa. Consiste en ciertas operaciones concretas: ante todo, la unificación por equivalencia o por homología (de dos elementos que pueden superponerse se hace uno); después la sustitución por generalización (de dos elementos similares se extrae uno que los engloba) o la sustitución por inferencia (de dos elementos relacionados se extrae uno que deriva de ambos); y finalmente la jerarquización (de dos elementos de distinto rango se privilegia el de mayor alcance). En resumen, se cancela y se abstrae, se elimina y se amplía, para llegar de todas formas a una imagen restringida del texto.

En el episodio florentino de *Paisà* advertimos por ejemplo que el deseo de Hariett de ver a Lupo se superpone al deseo de Massimo de ver a su familia; por ello, las dos actitudes pueden unificarse. Por otra parte, este doble deseo se refiere a objetos una vez poseídos y ahora amenazados por la pérdida: por eso se pueden sustituir por la idea de una recuperación del pasado en el presente. Igualmente, el deseo de los dos protagonistas se muestra capaz de mover la acción, exactamente igual que el deseo de libertad de los partisanos conduce a la resistencia, mientras que la espera de los florentinos atrincherados en el palacio se revela puramente pasiva y privada de todo efecto operativo: así, por un lado, de nuevo unificamos y generalizamos dos recorridos paralelos, mientras que por el otro podemos inferir de las diversas situaciones una especie de encrucijada entre la elección intervencionista y la elección de la renuncia. Por lo demás, la espera incierta y afligida de los habitantes de la casa-fortaleza y la lucha que llevan a cabo los partisanos no son otra cosa que la expresión más evidente de dos posturas difusas: por ello podemos asumir los dos momentos como polos extremos de una escala de comportamiento, como elementos jerárquicamente superiores de una gama de posibilidades. Finalmente, también las oposiciones espaciales sur-norte e izquierda-derecha se difuminan en la oposición más amplia liberación-ocupación: de nuevo son posibles una unificación y una jerarquización que devuelven el episodio a la estructura de todos los demás que componen el film.

2.3.5. La modelización

El siguiente paso, y el final, es el que nos conduce a una representación capaz no sólo de sintetizar el fenómeno investigado, sino también de explicarlo.

Llamaremos a esta representación «modelo».

Un modelo es, pues, un esquema que, proporcionando una visión concentrada del objeto analizado, permite al mismo tiempo el descubrimiento de sus líneas de fuerza y de sus sistemas recurrentes. En otras palabras, se trata de una representación simplificada de un cierto campo de fenómenos que permite a la vez evidenciar sus concesiones recíprocas y sus tendencias inmanentes; en nuestro caso, se trata de la representación simplificada de un texto que permite situar en primer plano sus principios de construcción y sus principios de funcionamiento. Resulta evidente, de cuanto acabamos de decir, que un modelo se presenta como un instrumento de conocimiento: es algo que, sobre la base de un conjunto de datos, revela una regularidad y una sistematicidad de otra forma ocultas; es algo que, a partir de ocurrencias no siempre claras, muestra sus leyes constitutivas; es algo que proporciona una clave de lectura de una realidad a veces un poco oscura. En una palabra, el modelo es un dispositivo que permite descubrir la *inteligibilidad* del fenómeno investigado.

Todo ello nos sugiere también que un modelo es siempre en cierta forma un «alter ego» de cuanto se ha modelizado o, si se quiere, su reflejo puntual; sin embargo, mientras es indudable que conserva un fuerte grado de parentesco con el objeto inicial, es también cierto que constituye un objeto completamente nuevo en el que lo que cuenta es el descubrimiento y la formalización de las estructuras y los mecanismos más íntimos del objeto precedente. Situándose así como punto de llegada de un recorrido siempre circular (del texto como organismo unitario al texto como objeto recompuesto, pasando por su segmentación y su estratificación), el modelo juega a la vez con un reclamo y una distancia: deriva del texto analizado, pero al mismo tiempo se aleja de él e incluso lo traiciona; si se parece a él, es más «desde dentro» que «desde fuera».[10]

10. Para los problemas de una modelización consecuente con la práctica que hemos llamado de enumeración, de ordenación, etc., véase GREIMAS, 1966.

Entonces, ¿cuál puede ser, en el episodio de Rossellini, el modelo que lo racionaliza? ¿A través de qué esquema podemos comprender los principios que subyacen en nuestro ejemplo?

Son muchas las respuestas posibles: de todas formas, aquí no insistiremos en la búsqueda de la mejor solución, sino que nos concentraremos en las características formales que un modelo puede o debe tener, en los diferentes tipos de esquema que se pueden obtener.

Modelos figurativos y modelos abstractos. La primera gran elección que se impone al analista en la elaboración de un modelo es la de la forma figurativa y la forma abstracta.

El modelo figurativo es el que proporciona del texto analizado una especie de «imagen» total, capaz de concretar sistemas y estructuras. Puede tratarse de una situación canónica («el amor contrariado»), de una dimensión simbólica («los cuatro elementos»), de un reclamo iconológico («la línea recta y el círculo»), de un núcleo mitológico («vida y muerte»), etc.; lo importante es que la imagen propuesta constituya un verdadero retrato del texto en cuestión.[11]

El modelo abstracto, por el contrario, es el que se presenta como una fórmula desnuda, en toda su crudeza: así reduce las estructuras y las composiciones del texto analizado a un conjunto de relaciones puramente formales, expresables en un lenguaje, por así decirlo, logicomatemático.

En nuestro episodio podemos trazar también dos tipos distintos de modelo: un modelo figurativo (una «imagen») y un modelo abstracto (una «fórmula»).

El primero podría ser el de la «Pasión de Cristo». Lupo, el jefe de los partisanos, es como Jesús: es un innovador que a la vez divide y unifica; es un guía, cuyo comportamiento se plantea como ejemplo; y es un mártir, cuya muerte es la apertura de una nueva dimensión. Pero veámoslo mejor. En el eje de los acontecimientos, Lupo es alguien que entra en acción, frente a quienes bajan la cabeza o simplemente esperan; su acción es costosa por excelencia, puesto que debe pa-

11. Utilizamos intencionalmente las «figuras» que la crítica ha reconocido en los films de Rossellini: para una orientación sobre este autor, véase RONDOLINO, 1974 y RONDOLINO, 1989.

gar por ella con su vida; pero su comportamiento es también productivo, ya que conduce a un nuevo estado de cosas. En el eje de los personajes, Lupo es alguien que encarna un grupo completo; actúa como ejemplo y a la vez como guía, y de hecho le siguen en sus movimientos un puñado de fieles (los partisanos como apóstoles) y un aura de leyenda (la multitud que lo aclama y lo convierte en mito en el patio del Palacio Pitti); también es un signo de división, estímulo para la lucha y ocasión para el establecimiento de contrastes. En el eje del espacio, está a la vez perennemente presente y nunca a la vista: atraviesa la ciudad, está por todas partes, pero nadie puede verle excepto sus seguidores. En el eje del tiempo, finalmente, Lupo se opone al presente en nombre de una libertad que existió en el pasado, pero que ahora no puede expresarse; en este sentido, junto con una función divisoria, también desempeña un papel de mediador, en cuanto transforma lo que es un recuerdo (orden del pasado: la antigua alianza) en una esperanza (orden del futuro: la alianza renovada).

Hasta aquí el primer modelo (que puede encontrar su confirmación en algunas referencias a la iconografía religiosa: piénsese en la postura de Hariett con el partisano muerto en los brazos, que recuerda la de la Virgen con su hijo descendido de la cruz). Si lo hemos propuesto aquí es sólo para proporcionar un ejemplo de «imagen» sintetizada, obtenida utilizando las indicaciones descubiertas en la descomposición del film, y no para imponer una interpretación absoluta.

El segundo modelo, ya no figurado sino abstracto, apunta a evidenciar las relaciones entre los componentes. Pues bien, en este aspecto el episodio de *Paisà* puede reconducirse a una relación entre opuestos con la posibilidad de crear entre ellos una transición: en la práctica, la fórmula presentaría un polo A opuesto a un polo B, pero también una mediación entre ambos polos. Efectivamente, el episodio parece completamente construido sobre la existencia de yuxtaposiciones, de frentes, de disposiciones: norte contra sur, orilla derecha contra orilla izquierda, pasado contra presente, ingleses contra alemanes, naturaleza contra afectación, acontecimiento contra propósito, acción contra inacción, Cosmos contra Caos, etc.;

y al mismo tiempo los términos opuestos son de todos modos conjuntables, como bien demuestra la peripecia de los dos protagonistas, que pasan de una orilla a la otra, de una actitud a otra, de un tiempo a otro, etc.

Los dos modelos que hemos ejemplificado, respectivamente «la pasión de Cristo» y «la transición entre los opuestos», no tienen aquí, naturalmente, ninguna pretensión de ser completos ni definitivos: lo repetimos, son sólo dos esbozos que intentan ejemplificar dos tipos de caminos, utilizando ambos los datos obtenidos en la descomposición del texto.

Modelos estáticos y modelos dinámicos. Al lado de la elección entre un modelo «figurativo» y un modelo «abstracto», hay otra tan esencial como ella: la que se realiza entre un modelo «estático» y un modelo «dinámico».

El modelo estático se refiere a las relaciones entre los elementos del film, captando las relaciones recíprocas en una visión inmovilizada: el texto no se aprehende en su proceder, sino en su disposición completa, en sus articulaciones generales, en sus giros internos, etc. El resultado es una «instantánea» del objeto analizado. Desde este punto de vista, el modelo «Pasión de Cristo», además de ser un esquema «figurado», es también un esquema en buena parte «estático»: ello reconduce el todo a una situación única, a un solo acontecimiento, en el que la procesualidad no desempeña un papel privilegiado.[12]

El modelo «dinámico», por el contrario, ordena los elementos significativos en torno al avanzar mismo del texto: el esquema prevé el movimiento, la evolución, el devenir. El resultado es el de proporcionar un verdadero «diagrama» del objeto analizado. Como el otro modelo propuesto, el de la «transición entre dos opuestos», éste, además del carácter abstracto, revela una forma dinámica: la que sugiere que el film «primero» pone barreras, y «luego» las salta, materializando de este modo un proceso.

Hemos hablado de modelos abstractos o figurados y de modelos estáticos o dinámicos, y hemos propuesto dos ejem-

12. Naturalmente, también puede darse una interpretación dinámica de la Pasión: entonces será un lugar de paso, y no un acontecimiento, como la hemos considerado aquí.

plificaciones concretas: el modelo «Pasión de Cristo» y el modelo «transición entre dos opuestos». El primero puede definirse como «estático-figurado», y el segundo como «dinámico-abstracto».

Existen sin embargo, en este juego de las encrucijadas, dos tipologías que se pueden establecer: los modelos «dinamico-figurativos» y los modelos «estaticoabstractos», que afortunadamente nuestro episodio permite ejemplificar.

El primero está relacionado con la idea de que una de las posibles claves interpretativas del episodio sea la del «viaje iniciático». Hariett parece ser el sujeto principal de este rito: empieza como muchacha ingenua e impulsiva, aún ligada formalmente a su rol público, y al término del trayecto la reencontramos como mujer, como madre simbólica de todos los soldados italianos (es a ella a quien el joven moribundo dirige sus invocaciones: «*Mamma, mamma*»), totalmente conocedora de su rol público a través de la experiencia del privado.

Así, la clave del «viaje iniciático», bien mirado, acumula un indudable despojamiento (se trata de una imagen recurrente del mito y de la literatura) en la idea de una procesualidad, de un devenir (antes y después del viaje, al inicio y al final del texto), que, por lo tanto, se presenta como modelo «figurado» y «dinámico».

Más difícil es demostrar la existencia en la obra del modelo «estaticoabstracto». Intentemos, sin embargo, entrelazar los distintos elementos que hemos evidenciado, intentando construir un esquema que conecte las series opuestas (por ejemplo, norte-sur, derecha-izquierda, alto-bajo, pasado-presente...), no tanto para demostrar la importancia de la transición entre los contrarios, como para señalar todos los posibles nexos, directos o inversos, que relacionan tales polaridades. El resultado es un modelo reticular, en el que cada elemento reenvía a los demás reflejos prolongados: todo se relaciona con todo, y el conjunto «se sostiene», aunque sea a distancia. Ejemplifiquemos todo esto para que quede más claro.

En el episodio de *Paisà* existen cuatro grandes familias de elementos, relativas respectivamente a la historia de Italia, la historia de dos individuos, la forma que asumen las dos historias y el sentido de éstas: dichas familias, por un lado, reagrupan elementos pertenecientes a series distintas, y por otro se relacionan entre sí, a través de una telaraña de conexiones transversales.

La primera gran familia de elementos se refiere a la trama histórica de la colectividad. Las oposiciones que encontramos coaligadas son, por lo tanto, las existentes entre los ingleses y los alemanes, entre los fascistas y los partisanos (aliados respectivamente de los primeros y de los segundos), los extraños y los conocidos (los fascistas siempre son anónimos, los partisanos son amigos de Massimo), pero también entre sonido y palabra (los alemanes y los fascistas articulan sonidos sin forma, gruñidos incomprensibles o gritos, mientras que sólo a los ingleses y a los partisanos les es permitido hablar comprensiblemente), orilla derecha y orilla izquierda (la primera ocupada por los alemanes, la segunda liberada por los ingleses), etc. Las parejas, aunque pertenecen a series distintas (espacio, tiempo, personajes...), se relacionan entre sí evidenciando correspondencias subterráneas.

La segunda gran familia de elementos es la relativa a las peripecias individuales. Está marcada por una oposición fundamental, la de lo público y lo privado. Hariett, por ejemplo, se presenta desde el principio dividida entre un trabajo público (ser enfermera) y una vida privada (estar ligada al recuerdo de Lupo); este contraste entre dos roles femeninos está reforzado por otros, el del pasado y el presente, lo abierto y lo cerrado, lo activo y lo pasivo, el deseo y la espera, en los cuales los primeros elementos de la pareja se refieren a la dimensión privada (el pasado es el lugar de un recuerdo personal; en las zonas abiertas se buscan o se encuentran los amigos más queridos; la acción nace de una decisión individual; el deseo no es del todo confesable, etc.), mientras que los segundos se refieren a la esfera pública (en el presente prevalecen las acciones colectivas; los espacios cerrados, como el hospital o la casa-fortaleza, están llenos de gente; la pasividad nace del hecho de recibir órdenes de otros, mientras que las acciones se proyectan en solitario; el futuro lo programan los superiores, como deja bien claro el oficial médico diciendo a Hariett: «Espera, intentaré encontrar el modo de mandarte a Florencia»). Añadamos que bajo el rótulo de «público» podemos agrupar gran parte de cuanto se incluye en la primera familia de elementos, la dedicada a las peripecias de la colectividad, mientras que bajo el de «privado» se agrupan los hechos específicos de los personajes: ello confirma la correferencialidad de las distintas familias.

Una tercera familia de elementos, a su vez injertada en el juego de las dos primeras, es la relativa a las reflexiones sobre la ejecución de la historia. Las oposiciones que encontramos aquí son entre ficción y realidad, y entre afectación y naturaleza, y se aplican tanto a la representación de la vida de Florencia como a las peripecias específicas de los dos personajes, en una escala de gradaciones. En el nivel de la recitación tenemos por ejemplo la «falsedad» de la interpretación del mayor y de la niña de la fotografía (una ficción-ficción), y la «verdad» de la interpretación de Hariett y Massimo (una verdad-ficción). En el nivel de la temporalidad, tenemos las «recitaciones» que constituyen una especie de preservación del pasado (el mayor y la niña, que recitan «de memoria», son testimonios de historias conservadas: *«So dove cadone le pallottole, ho fatto la guerra, quella vera del '18!», «Lupo mi ha fatto un ritratto grande cosi!»)*; y también tenemos una «toma directa» de la realidad que se relaciona con la destrucción del presente (Hariett y Massimo son testigos de primera mano de la desaparición del pasado: Lupo y la casa paterna).

La cuarta familia de elementos, que reagrupa las notaciones relativas a la esencia de la peripecia representada, se injerta en las oposiciones de la tercera familia. El contraste aquí dominante es entre la vida y la muerte. Por un lado, aparece relacionado con las parejas ficción-realidad o preservación-destrucción, y aún más profundamente con las parejas público-privado y esclavitud-liberación. Por otro, el contraste se especifica como oposición entre acciones que no cuestan nada y acciones que se deben pagar, entre zonas de quietud y territorios en los que se desarrollan acontecimientos cruentos, etc.

Cuatro familias de elementos, por lo tanto, ligadas transversalmente por una telaraña de reenvíos, que forman una verdadera «red» y que nos parecen un ejemplo definitivo de modelo a un tiempo «estático» y «abstracto».

2.4. Criterios de validez del análisis

Hemos propuesto cuatro formas posibles de modelos, derivadas de la doble articulación de las representaciones en abstracto-figurado y en estaticodinámico.

Las formas propuestas han sido rellenadas con otros tantos esquemas:
— modelo estaticofigurado: «la Pasión de Cristo»;
— modelo estaticoabstracto: «la red de cuatro niveles»;
— modelo dinamicofigurado: «el viaje iniciático»;
— modelo dinamicoabstracto: «la transición entre dos opuestos».

Obviamente, se hubieran podido encontrar otros esquemas para «cubrir» esas casillas, pero lo que nosotros pretendíamos era sobre todo delinear un marco hacia el que pudieran reconducirse todas las posibles claves interpretativas, sin alterar la gran riqueza y variedad de esquemas que puede elaborar un analista. De hecho, en el análisis (y no nos cansaremos de repetirlo) el rigor de la metodología señala sólo un camino: cómo recorrerlo es una cuestión de elecciones personales.

Llegados a este punto, sin embargo, puede surgir una pregunta espontánea. Nos podemos interrogar sobre qué criterios intervienen en la elección de un modelo en lugar de otro, y más en general qué es lo que hace que un modelo resulte aceptable. Con esto planteamos el problema de la *validez* del análisis: problema delicado y a la vez crucial.

Ante todo, podemos decir que, para que pueda ser considerado válido, un análisis debe poseer al menos tres características. Primero debe tener *coherencia interna*, es decir, no contradecirse en modo alguno: de ahí la necesidad de trabajar sobre datos escogidos uniformemente o de avanzar de modo progresivo. Después debe poseer *fidelidad empírica*, esto es, conservar un enlace efectivo con el objeto investigado: de ahí la necesidad de realizar los balances con datos realmente procedentes de este último, sin quitar ni añadir ninguno que no sea justificado. Finalmente, debe poseer *relevancia cognoscitiva*, en otras palabras, decir algo tendencialmente nuevo: de ahí la necesidad de ir más allá de la evidencia y de diferenciar aspectos no familiares del fenómeno investigado.

Estas tres características ilustran condiciones de validez general que se aplican a todos los análisis, independientemente del resultado que se pretenda. Pero también existen criterios más particulares que justifican el camino que se quiere tomar, y por ello los tipos de modelos a los que se quiere llegar. De todas formas, a nosotros nos parece que de entre los numerosos parámetros de referencia que se han sucedido para guiar la práctica del análisis textual, cuatro asumen un relieve particular: la profundidad, la extensión, la economía y la elegancia.

La profundidad. Según este criterio, un análisis, para ser válido, debe también ser profundo: debe ser capaz, sondeando el texto, de captar su esencia más oculta, el núcleo secreto que a un tiempo resume el texto e ilumina su sentido. Este criterio presupone, evidentemente, una idea del texto como unidad compleja estructurada en varios niveles: de un nivel explícito, evidente, simplemente denotativo, a un corazón secreto que sintetiza y motiva todo su entorno. Una aproximación analítica incapaz de captar ese corazón será, consiguientemente, incompleta y superficial.

El límite de un criterio de referencia de este tipo viene representado por el riesgo de buscar un sentido profundo aunque no esté presente, y por lo tanto de «agarrarse», por así decirlo, a ciertos espejismos, guiados por una verdadera obsesión interpretativa.

La extensión. Según este criterio, un análisis, para ser válido, debe también tener en cuenta el mayor número de elementos posibles. La idea de texto que aparece tras este criterio es la de una trama de hilos que se extienden y se entralazan según un complejo diseño, y que, por lo tanto, no puede captarse mediante una aproximación en profundidad, sino más bien gracias a una amplia visión del horizonte. Frente a un texto concebido de este modo, no sirve una «prospección geológica», sino una vista «aérea», la única que nos permitirá seguir los hilos de la trama sin perder de vista el significado completo.

El límite de un criterio de este tipo parece consistir en el riesgo de perseguir una saturación y una densidad que nunca se podrán obtener, con el peligro añadido de perderse en los particulares, olvidándose de la salida.

La economía. Según este criterio, un análisis, para ser válido, debe apuntar también hacia una síntesis extrema: así, será tanto más eficaz cuanto más restringido sea. En este marco conceptual, el texto es contemplado como un dispositivo que puede expandirse o contraerse según las distintas situaciones de uso, sin por ello cambiar de naturaleza: si se debe captar en su totalidad, conviene reducirlo a sus términos mínimos. La reducción, bien mirado, no tiene por qué llegar necesariamente a un núcleo profundo: se trata simplemente de una proposición recapituladora, de una mirada que restituye sus aspectos macroscópicos.

El límite de este criterio parece evidente frente a textos que no presentan denominador común mínimo al que poderlos reducir, o cuya nota dominante sea más la diferencia que la repetición.

La elegancia. En la base de este último criterio existe una idea del texto como una especie de juego que reposa sobre el placer de la expresividad, y en el que el espectador y el analista están invitados a participar. En este sentido, el análisis está considerado como un empeño puramente personal, una especie de continuación del juego, relacionada totalmente con el íntimo placer del acto interpretativo y de la creatividad que expresa.

De este criterio, pues, corren el riesgo de quedar excluidas la valencia cognoscitiva (comprender el texto) y metacognoscitiva (comprender cómo se comprende) del análisis: éste es su límite más evidente.

Cada uno de estos cuatro criterios, que se han mezclado y sucedido en las distintas fases históricas de la práctica analítica del film, pone en juego un elemento clave del análisis: el criterio de profundidad pone en juego la «verdad»; el criterio de la extensión pone en juego el «radio de acción»; el criterio de la economía pone en juego la «funcionalidad»; mientras que el criterio de la elegancia pone en juego el «placer» de la escritura y la lectura de un texto.

Para decirlo con la ayuda de una imagen cotidiana, nos

parece que aquello que cuenta en un análisis «profundo» es el corazón del fruto o su hueso; en un análisis «extenso», el conjunto del fruto, su integridad; en un análisis «económico», el zumo del fruto, lo concentrado; y en un análisis «elegante», el aspecto meramente estético o directamente ornamental del fruto. Por ello, el analista que sigue el criterio de profundidad es como aquel que deshoja una alcachofa para llegar a su corazón; el analista ligado a la extensión es como aquel que, comiendo uva, sabe que cada grano deriva de un racimo articulado; el analista que sigue el criterio de la economía es como el que consume naranjas exprimidas o tomate concentrado; y finalmente, el analista amante de la elegancia es como aquel que, ante una bandeja de frutas, no osa extender la mano: «Comer algo de eso es un pecado: ¡es todo tan bonito!»

Nuestros propios cuatro modelos interpretativos, que han emergido a partir de *Paisà*, encajan en esa estructura. De hecho, aunque los cuatro modelos propuestos pueden, en principio, encontrar aplicaciones en el interior de los diferentes campos de acción trazados por los cuatro criterios de validez del análisis, creemos que el modelo figuradodinámico «viaje iniciático» responde al criterio de profundidad (el núcleo de verdad); que el modelo estaticoabstracto «de red» responde al criterio de extensión (lo completo); que el modelo dinamicoabstracto «transición entre los dos opuestos» responde al criterio de economía (el zumo de la síntesis); y que, finalmente, el modelo abstractofigurado «Pasión de Cristo» responde al criterio de elegancia (el placer de una visión y de una interpretación basadas en la idea de «jugar» con el texto).

En conclusión, definidos los criterios de validez del análisis y sus condiciones de funcionamiento, no nos queda más que recuperar el hilo del discurso completo desarrollado hasta aquí y realizar algunas breves anotaciones posteriores.

2.5. Instrucciones de uso

En este capítulo hemos diferenciado las etapas que cada analista fílmico debe recorrer frente a su objeto fílmico: ante todo la descomposición, en sus dos momentos, respectivamente la descomposición lineal y la descomposición del espesor; después la recomposición, en sus cuatro fases, respectivamente la enumeración, el ordenamiento, el reagrupamiento y la modelización. Sobre estas etapas habría que hacer ahora algunas observaciones.

En primer lugar, si acudimos a un análisis fílmico cualquiera realizado por algún estudioso, puede que no encontremos el recorrido aquí trazado en todas sus etapas. Un hecho de este tipo, hay que precisarlo, no significa que ese análisis no haya seguido una disciplina precisa, ni que el nuestro constituya un trayecto puramente teórico. Esto quiere decir simplemente que en la práctica del análisis ciertos pasos se efectúan sólo tácitamente: el recuento final los pone entre paréntesis o los engloba en fases vecinas. Es el caso, por ejemplo, de la estratificación, a menudo unida a la segmentación, o de la enumeración y del ordenamiento, que muchas veces se queda entre bambalinas, a modo de anotación personal, o incluso del reagrupamiento, que en ocasiones desaparece tras la modelización. Por lo demás, no hay otro remedio: un análisis que siguiera de modo explícito y completo absolutamente todos los pasos que hemos señalado, resultaría difícil de exponer. Por lo tanto, el itinerario que hemos señalado es correcto, y mentalmente presenta cada una de sus fases en continuidad: tanto es así que incluso el análisis más rápido, leído entre líneas, demuestra que todos los pasos han sido idealmente respetados. Esto puede resultar demasiado minucioso respecto a la práctica concreta: por ello, mientras se utilice como guía ideal, debe también abrirse a precisas economías internas.

Segunda advertencia, relacionada con esta idea de la economía interna. Si bien es verdad que la descomposición y la recomposición representan dos momentos sucesivos, también es cierto, sin embargo, que no se puede empezar a descomponer sin tener en mente una idea del modelo. Obviamente, no se trata de ir a la búsqueda de un modelo ya adquirido, sino, muy al contrario, de que la descomposición esté dirigida por una hipótesis guiada, capaz de simultanear el criterio emanado de la segmentación lineal y la estratificación del espesor. El analista, pues, descompone en busca de los constituyentes del film y recompone sobre la base de un modelo;

pero su acción es siempre a un tiempo «prospectiva» (tiene en mente un modelo mientras descompone) y «retrospectiva» (pone el modelo a prueba, reconsiderando los componentes).

Desde este punto de vista, la descomposición no es, de hecho, una operación «neutra» y, por así decirlo, servil con respecto a la recomposición (que sería «personal» y tendenciosa). Existe una relación de mutuo intercambio entre los dos momentos, de tal modo que los elementos fundamentales para el modelo son aquellos que resultan favorecidos por la descomposición. Un análisis bien conducido, por ello, deberá presentar un momento de descomposición (lineal y del espesor) que no resulte casual o autorreferente, sino ya en sintonía con el relieve que se quiera dar a ciertos elementos y, consiguientemente, un momento de recomposición que se apoye en un modelo en el fondo ya presente desde el principio, con el fin de guiar la selección y el ordenamiento. Todo ello basado en la exhaustividad metodológica y condimentado (y éste es un ingrediente importante) con una pizca de creatividad.

Tras estas breves recomendaciones, ya estamos preparados para dar un nuevo paso. Sin abandonar del todo el terreno de las grandes elecciones estratégicas que guían el análisis, nos adentramos específicamente en el campo de las aplicaciones prácticas de esas mismas elecciones.

Visitaremos así los territorios concretos sobre los que el análisis del film actúa en cuanto *texto*: los componentes cinematográficos, la representación, la narración y la comunicación, y dedicaremos a cada una de estas áreas de intervención uno de los capítulos que siguen.

3. El análisis de los componentes cinematográficos

3.1. La «lingüisticidad» del film

Aunque no todo el mundo lo da por descontado, existe un difuso y casi tradicional reconocimiento de la «lingüisticidad» del film.[1] Si, de hecho, un lenguaje, cualquiera que sea, consiste en un dispositivo que permite otorgar significado a objetos o textos, que permite expresar sentimientos o ideas, que permite comunicar informaciones, el cine aparece plenamente como un lenguaje. En otros términos, un film expresa, significa, comunica, y lo hace con medios que parecen satisfacer esas intenciones; por ello entra en la gran área de los lenguajes.

La aparición de la semiótica ha respaldado y perfeccionado a la vez estas convicciones, pero también ha sacado a la luz algunos problemas.[2] En efecto, el film, respecto a los otros lenguajes, parece poseer dos características muy precisas. Por un lado presenta signos, fórmulas, procedimientos, etc., bastante distintos entre sí, a menudo extraídos de otras áreas expresivas, y que se entrelazan, se alternan y se funden formando un flujo bastante complejo: por ello, más que un lenguaje parece un concentrado de diversas soluciones. Por otro lado no posee la compacticidad y sistematicidad que per-

1. El tradicional debate sobre la «lingüisticidad» de un film encuentra su mejor resumen en MITRY, 1963 y 1965.

2. Resulta fundamental en esta línea el trabajo de Christian Metz, que a mediados de los años sesenta reabrió el debate con su «Le cinéma: langue ou langage?», luego recogido en METZ, 1968. También fue Metz quien exploró las soluciones que nosotros vamos a exponer aquí, es decir, las que llevan a definir el «lenguaje cinematográfico» como conjunto de todos los códigos que se activan para construir un film: véase sobre todo METZ, 1971.

miten la aparición de reglas recurrentes y compartidas: por ello, más que un lenguaje parece un laboratorio siempre abierto. En resumen, el film se nos aparece como demasiado rico y a la vez demasiado vago como para ser efectivamente asimilable a los lenguajes naturales (el lenguaje humano), a los sistemas simbólicos (el lenguaje de las flores), a los dispositivos de señalización (el lenguaje de las abejas), etc. Si es un lenguaje, e indudablemente lo es, resulta también serlo un poco por exceso y un poco por defecto.

De esta dificultad, y de la necesidad de superarla, nacen distintas estrategias de análisis. De hecho, no existe una sola forma de afrontar tal riqueza y tal elasticidad, sino muchas, y cada una con sus propios objetivos e instrumentos. En concreto, tres parecen ser las principales modalidades de exploración: en primer lugar la «lingüisticidad» del film se reconduce hacia una serie de *materias de la expresión* o de *significantes*; después esta «lingüisticidad» se confronta con la existencia de una bien definida tipología de *signos*; y, en fin, esta «lingüisticidad» se relaciona con una rica variedad de *códigos* operantes en el flujo fílmico.

Así pues, tres caminos, cada uno de los cuales descubre categorías analíticas concretas. Sobre estos tres enfoques, y en particular sobre el último, vamos a hablar en este capítulo. Dada la amplitud y la variedad de la materia, nos serviremos de ejemplos extraídos de varios films, aunque mantendremos una referencia principal: *El conformista*, de Bernardo Bertolucci (Italia, 1970), texto ideal dada la riqueza de soluciones lingüísticas y expresivas adoptadas. Pero vayamos por partes.

3.2. Los significantes y las áreas expresivas

Como ya hemos apuntado, el primer modo de abordar y reordenar la heterogénea área expresiva del film consiste en distinguir los distintos *significantes* de que se sirve, es decir, los materiales sensibles con que se entretejen sus signos.

Ante todo, definamos dos grandes tipos de significantes: los *significantes visuales* y los *significantes sonoros*. Los primeros se refieren, evidentemente, a todo aquello relativo a la vista, y que por ello se basa en un juego de luces y sombras; a su vez pueden dividirse en dos categorías, las imágenes en movimiento y los signos escritos (relacionados no sólo con la «visión» en sentido estricto, sino también con la «lectura»). Los segundos se refieren a todo lo relativo al oído, y que por ello se basa en un juego de ondas acústicas: se subdividen a su vez en tres categorías, respectivamente las voces, los ruidos y la música.

Tenemos, pues, en total cinco tipos de significantes: *imágenes*, *signos escritos*, *voces*, *ruidos* y *música*; o, en otros términos, cinco «materias de la expresión» que constituyen la base misma del edificio del film.[3] En resumen, cinco tipos de ladrillos con los que se edifica la casa.

Cada uno de estos tipos de significantes, en sí mismo, da lugar a diferentes *áreas expresivas*: cada clase de ladrillo puede dar lugar a edificios distintos. Si tomamos como ejemplo los signos escritos, nos conducirán a las lenguas naturales y a los diversos modos de fijarlas sobre un soporte permanente. Si tomamos las voces, nos reenviarán por un lado, y de nuevo, a la lengua que hablamos, y por otro al canto. Si tomamos las imágenes, harán referencia a todos los artificios icónicos experimentados por la pintura, la fotografía, etc. Si tomamos la música, aludirá a la articulación de los instrumentos, notas, tonos, timbres, etc. Lo que queremos decir, en resumen, es que las «materias de expresión» son los puentes que permiten al film, por decirlo de algún modo, extenderse y aposentarse en toda una serie de territorios ajenos, pero dotados de una identidad propia. Sobre esta base el film «roba» lenguajes ya consolidados para mezclarlos, superponerlos y articularlos en una amalgama completamente original.

Naturalmente, queda abierta la cuestión de qué categorías es necesario usar para analizar cada una de estas «áreas expresivas», así como también la cuestión de qué categorías hay que activar para analizar los resultados que derivan de

3. La división en cinco materias de la expresión ya la avanzó METZ, 1971. Recordemos también que la copresencia de distintas materias expresivas es algo muy frecuente en arte: piénsese en los textos verbales de la pintura o, viceversa, en las imagénes de la literatura. A título indicativo, véase M. Butor, *Les mots dans la peinture*, Ginebra, Skira, 1969. El cine parece llevar esta situación a sus últimas consecuencias.

su combinación. Reencontraremos y afrontaremos más directamente estos problemas en los apartados dedicados a los códigos: por ahora contentémonos con haber señalado rápidamente un primer modo de reseñar los componentes básicos del film. Ello, lo repetiremos, consiste en diferenciar las distintas materias de la expresión, los diferentes significantes, y descubrir las áreas que éstos originan.

Pasemos ahora a la segunda forma de investigación: el análisis de los signos.

3.3. Los signos

Lo que descubre este segundo enfoque no son los soportes físicos de la significación, sino los modos en que se organizan. Por ello el centro de la atención debe estar dominado, no por los significados, sino por los tipos de relaciones entre significados y significantes, e incluso los tipos de relaciones entre significantes, significados y referentes: en una palabra, los tipos de *signos* que utiliza un film. Un signo, de hecho, debe su carácter a aquello que va más allá del material del que está hecho: una palabra será abstracta o concreta, no importa que se pronuncie o se escriba; o, por poner otro ejemplo, un retrato fiel puede obtenerse o bien a través de una fotografía, o bien a través de una descripción verbal. Lo que cuenta es la forma que asume la relación entre significante, significado y referente, más allá de la naturaleza del significante por sí solo. De ahí se sigue que hay una tipología de signos que atraviesa las distintas áreas expresivas, superando los tradicionales confines entre la dimensión visual y la dimensión sonora. El análisis «por signos», así, recombina y reestructura el cuadro presentado con anterioridad.

Una tipología que ha gozado de un cierto prestigio en el análisis fílmico es la de C. S. Peirce.[4] Prevé tres tipos fundamentales de signos (más una serie bastante amplia de variedades): los *índices*, los *iconos* y los *símbolos*.

4. PEIRCE, 1931. La tripartición índice, icono y símbolo fue aplicada al cine por WOLLEN, 1969 y BETTETINI, 1971.

El *índice* es un signo que testimonia la existencia de un objeto, con el que mantiene un íntimo nexo de implicación, sin llegar a describirlo. Un indicio, como la típica colilla de cigarrillo en el cenicero, nos dice que en la habitación ha estado alguien, pero en general, deducciones detectivescas aparte, no nos dice nada sobre cómo es esa persona. Del mismo modo actúan todos los síntomas de los estados de ánimo o de las patologías: el llanto alude a una alteración cualquiera, pero no nos dice nada sobre sus causas o su modalidad.

El *icono* es un signo que reproduce, por así decirlo, los contornos del objeto. En este caso, en consecuencia, no se dice nada sobre la existencia del objeto, pero se dice algo sobre su cualidad. Un cuadro o una fotografía de estudio, de hecho, comunican formas exteriores, apariencias, ricas en datos cualitativos, pero no implican la existencia real del objeto. Por ello, vienen a señalar el nexo existencial entre el signo y el objeto de referencia.

El *símbolo* es un signo convencional, y que por ello se basa en una correspondencia codificada, en una «ley». En este caso, no se dice nada de la existencia, ni tampoco de la cualidad del objeto: simplemente se lo designa sobre la base de una norma. La palabra misma es, para entendernos, un signo arbitrario: diciendo simplemente «árbol», no predico nada acerca de la existencia efectiva de un árbol en concreto, ni reclamo la específica cualidad de esta o aquella planta. Al mismo tiempo, sin embargo, y según una convención típica de la lengua española, transmito un significado muy preciso que las otras lenguas, según sus propias convenciones, transmiten con palabras diferentes.

Si nos fijamos bien, el cine posee la totalidad de estos tres tripos de signos. Esto es cierto, ante todo, de manera más bien intuitiva, a partir de una descomposición de los diversos lenguajes que el film reúne y conecta: las imágenes son inmediatamente iconos, mientras que la música y las palabras son símbolos y los ruidos índices.

Pero la copresencia en el film de iconos, índices y símbolos viene dada por otro tipo de consideraciones. Advirtamos que, en general, en el interior de cada lenguaje, encontramos valencias icónicas, indexicales y simbólicas. Las mismas lenguas naturales, por ejemplo, son predominantemente simbólicas (una palabra significa por convención, según hemos dicho): sin embargo, no faltan los iconos (las palabras onomatopéyicas) ni los índices (las interjecciones). Por otro lado, cada tipo «puro» se contamina con los demás: existen símbolos con rasgos icónicos (los emblemas), iconos con rasgos indexicales (las fotografías instantáneas), etc.

Pues bien: también las imágenes en movimiento presentan esas tres valencias, mezcladas en distintas combinaciones. Toda la secuencia del asesinato de Anna en *El conformista* puede ofrecernos claras ejemplificaciones a este respecto.

Los sicarios, que aparecen en la niebla del bosque, están sobre todo «representados»: lo que se quiere evidenciar no es tanto su ser «real», su «existir», como su ser «visible», su ser «figura gráfica» (y, ya sea por la sofisticación de la impostación fotográfica o por el hecho de que se les otorga un relieve completamente secundario en la dinámica de la acción, esto parece confirmar su valencia esencialmente icónica). Sucesivamente, la larga serie de campos/contracampos que alterna el rostro desesperado de Anna, que golpea la ventanilla del coche en el que está encerrado Marcello, y el rostro de este último, aparentemente impasible, parece añadir algo distinto a las simples intenciones representativas: de cualquier forma se ponen en juego no sólo los personajes (Anna y Marcello), sino también los dos actores (Dominique Sanda y Jean-Louis Trintignant) con su fisicidad, su intensidad interpretativa; con el resultado de alcanzar una verdad intrínseca a la situación (valencia indexical).[5] La figura del agente Manganiello (Gastone Moschin), finalmente, que asume una evidencia central en la conclusión de la secuencia, manifiesta una valencia fuertemente simbólica, ya que subraya un rol intensamente codificado: el del típico funcionario, el hombre de la falsa seguridad, en apariencia experto y decidido, acostumbrado a la acción, subordinado al deber, y en realidad lleno de prejuicios, de ansias y de dudas.

Si se quiere, aún puede rastrearse un último ejemplo de

5. Pensemos, siempre en este sentido, en lo que el propio Bertolucci hizo con Marlon Brando en *El último tango en París*: en cierto modo, también un documental sobre el actor.

coexistencia de más valencias sígnicas en el interior de un solo acontecimiento, volviendo a *Paisà*, en los oficiales ingleses que están en Florencia: indicios de una presencia no simulada («verdaderos» ingleses), iconos de los personajes (los trajes de los soldados) y símbolo de la indiferencia y de la distancia (emotiva, cultural y lingüística) de los aliados en los enfrentamientos de la ciudad.

Este es, pues, el segundo enfoque analítico del heterogéneo y variado territorio de los componentes cinematográficos: diferenciar tres formas de signos y encontrar sus respectivas presencias en el film. No queda más que pasar al tercer enfoque, sobre el cual vamos a hablar con más calma, no tanto porque sea intrínsecamente mejor que los otros, como porque supone algunas ventajas: ante todo permite ver, además de aquello que existe en un film, el conjunto de las posibilidades que encierra; luego permite valorar el sentido de la elección efectuada; y finalmente conduce a la captación de los efectos para el cine de la utilización de soluciones extraídas de otras áreas expresivas. En resumen, este tercer enfoque, «por códigos», es el que mejor permite encuadrar en el edificio fílmico el rol y la función de los distintos componentes cinematográficos.

3.4. Los códigos

3.4.1. La noción de código

Analizar los códigos cinematográficos plantea ante todo un problema terminológico, puesto que existen muchas definiciones posibles de «código».[6] Se puede entender como un dispositivo de correspondencia: es el caso del código Morse, que se limita a establecer la equivalencia entre una determinada letra del alfabeto y una secuencia de trazos largos o breves. O también se puede entender como un repertorio de se-

6. Sobre la noción de código, véanse sobre todo las contribuciones de Umberto Eco, sintetizadas en Eco, 1984. Para la noción de código en el cine, véase Metz, 1971 y Odin, 1972.

ñales dotado de sentido: es el caso del código marinero, que presenta una serie de banderas, o una serie de combinaciones de banderas, y fija el significado de cada una de ellas. En fin, se puede entender como un conjunto de leyes o de normas de comportamiento: es el caso del código jurídico e incluso del código caballeresco, que establecen cómo se debe actuar en esta o aquella situación.

De estas distintas acepciones podemos, sin embargo, extraer algunas indicaciones para nuestros propósitos: un examen atento de lo que se entiende por código muestra fácilmente cómo los tres caracteres que hemos diferenciado (el correlacional: el código como dispositivo de correspondencias; el acumulativo: el código como repertorio de señales y de sentidos; y el institucional: el código como corpus de leyes) operan estrechamente unidos. Dicho de otro modo, un *código* es siempre: a) un sistema de equivalencias, gracias al cual cada uno de los elementos del mensaje tiene un dato correspondiente (cada señal tiene un significado, etc.); b) un *stock* de posibilidades, gracias al cual las elecciones activadas llegan a referirse a un canon (las palabras pronunciadas reenvían a un vocabulario, etc.); c) un conjunto de comportamientos ratificados, gracias al cual remitente y destinatario tienen la seguridad de operar sobre un terreno común (ambos usan la misma lengua, etc.). Sólo por la presencia de estos tres aspectos, y por su presencia simultánea, puede funcionar verdaderamente un código: esto nos permite definir el área en el que se encuentra, describir las fórmulas usadas y referirlo a otras elecciones posibles.

Se podrá objetar en este punto que el cine no posee códigos con la fuerza de, por ejemplo, los de las lenguas naturales. En estas últimas una palabra tiene un significado fijo (el código como sistema de equivalencias), tiene un valor que la diferencia netamente de sus sinónimos y de sus contrarios (el código como *stock* de posibilidades), y, cada vez que se utiliza, todo el mundo está en condiciones de comprenderla (el código como conjunto de comportamientos ratificados). Una imagen, por el contrario (por tomar sólo uno de los componentes de un film), a menudo parece «querer decir» más cosas, ser intercambiable con otras y guardar en su interior ciertos interrogantes e incertidumbres.[7]

Esta «debilidad» de los códigos cinematográficos es probablemente un dato real: sin embargo, también en el cine existen conjuntos de posibilidades bien estructurados, en los cuales los elementos tienen valores recurrentes, y a los que se pueden hacer referencias comunes. En el interior de la aparente libertad expresiva, el estudioso puede fácilmente entrever principios de formalización.[8] En resumen, también el cine tiene códigos efectivos, quizás un poco más fluctuantes, pero que funcionan perfectamente. Y de ellos vamos a hablar ahora.

3.4.2. Códigos cinematográficos y códigos fílmicos

Hemos hablado de códigos, y no simplemente de un código. La razón es intuitiva: como sabemos, el cine es un lenguaje abigarrado que combina diversos tipos de significantes (imágenes, música, ruidos, palabras y textos) y diversos tipos de signos (índices, iconos y símbolos); por ello resulta improductivo inferir, de la simple coexistencia de estos componentes, una presunta unidad de código. Lo que debemos hacer es apretar la tecla de la multiplicidad de los elementos en juego, partir de la variedad de los medios expresivos de los que se sirve el film: así será más fácil ver a qué serie pertenecen los distintos componentes, y cómo cada uno de los films, asumiéndolos, los superpone y los engloba.

En resumen, el hecho de postular una pluralidad de códigos (existen diversas series distintas de componentes en ac-

7. Es lo que observaban los primeros semiólogos a propósito del film, en el que no encontraban las características de la lengua verbal: véase en particular el ya citado ensayo de Metz, «Cinéma: langue ou langage?» (1964, luego recogido en METZ, 1968). Para la dimensión «plural» de la imagen y el papel «restrictivo» del texto véanse también los ensayos de Barthes «El mensaje fotográfico» (1961) y «Retórica de la imagen» (1964) ahora en BARTHES, 1982, además de, naturalmente, el debate sobre el iconismo a partir de ECO, 1968.

8. La definición de código cinematográfico como «principio de formalización» pertenece a METZ, 1971.

ción) y al mismo tiempo una convergencia en el plano de la significación (el film hace actuar a los componentes según una estrategia comprehensiva) convierte lo complicado del lenguaje fílmico en algo mucho más «domable». De hecho, se puede seguir de una manera clara el proceder de un cierto código distintivo activado por la imagen, de un determinado código lingüístico presente en la banda sonora, de un determinado código de montaje, e incluso de un código narrativo concreto y quizá de un determinado código simbólico propio del sistema social y cultural en que nace la obra, etc. Y a la vez se puede reconocer cómo cada uno de estos códigos, interviniendo al lado y simultáneamente con los demás, contribuyen al resultado final.

Ahora, frente a la total apertura del film a las más variadas aportaciones, frente a esta especie de indiscriminada hospitalidad, puede surgir espontáneamente la idea de que todos los códigos que pueden encontrarse en el cine son, por eso mismo, «cinematográficos» y que por ello el lenguaje cinematográfico no tiene peculiaridad alguna.

En realidad existen, en la heterogeneidad de los componentes fílmicos, algunos que pertenecen estable y directamente al medio, y otros que proceden del exterior, de otros medios y de otros ámbitos expresivos. De ahí una primera gran distinción de base: aquella entre los códigos que son parte típica e integrante del lenguaje cinematográfico (los *códigos cinematográficos*, por supuesto), y los códigos que, aunque dotados de un rol determinante, no están de hecho relacionados con el cine en cuanto tal y pueden manifestarse también en su exterior (los *códigos fílmicos*, prestados, que se consideran realidad cinematográfica sólo en cuanto están presentes en esta o aquella película).[9] Un film nace del entrecruzamiento de unos y otros: es cine, si se puede decir así, en cuanto activa las posibilidades peculiares del medio; y sin embargo lleva en sí mismo algo de «no cinematográfico» (por ejemplo, un mensaje político, o un modo de caracterizar a

9. La distinción entre «códigos extracinematográficos», «códigos cinematográficos» y «códigos fílmicos» fue introducida por METZ, 1971. También en METZ, 1971 puede encontrarse la idea de que «específico» se refiere tanto a la pertenencia de un cierto rasgo al medio cinematográfico, como al modo en que cada film combina sus rasgos.

los personajes) que a la vez le otorga una sustancia precisa y que al final puede resultar completamente esencial.

La distinción, hay que precisarlo, intenta sólo poner un poco de orden en los componentes básicos de un film: no hay en ella nada de normativo. No se trata de resucitar la vieja discusión sobre lo «específico» cinematográfico: cada film se comporta como quiere y como lo cree necesario. En este sentido, la única verdadera particularidad sobre la que habría que insistir es la que está relacionada con el modo en que cada film mezcla sus componentes, *todos* sus componentes.

Si ahora vamos a partir de los códigos cinematográficos, no es tanto porque sean a la fuerza los más importantes de cada film (a menudo este último, como se ha dicho, se construye sobre un código ético, ideológico, etc.), como porque definen mejor el núcleo de procedimientos que caracterizan el medio en cuanto tal y la base sobre la que se apoyan los diversos préstamos (y hablaremos de «especificidad» en el sentido puramente descriptivo, para referirnos a códigos peculiares, así como hablaremos de «generalidad» para referirnos a códigos recurrentes de film en film, cualquiera que sea su procedencia). Después de esto, más allá de estos parámetros, pasaremos a aquellos códigos que forman las cinco series de hechos que existen en el interior de la materia expresiva del film sonoro, es decir, las imágenes, las huellas gráficas, el sonido verbal, el sonido musical y los ruidos, distribuyéndolos entre aquellos que se refieren a la banda visual (los dos primeros) y los que se refieren a la banda sonora (los tres últimos): en este apartado, haremos también referencia a aquellos códigos que podemos llamar relacionales, aquellos que relacionan entre sí los hechos pertenecientes a series distintas (se tratará en particular de analizar la relación entre lo visual y lo sonoro). Finalmente, examinaremos alguno de los códigos relacionados con los fenómenos de orden sintáctico, como la organización de la secuencia, el montaje, la puntuación, etc.

El recorrido que seguiremos aparece visualizado, a modo de mapa, en la siguiente tabla:

Códigos tecnológicos de base		
	1. Códigos del soporte	— sensibilidad — formato
	2. Códigos del deslizamiento	— cadencia — dirección
	3. Códigos de la pantalla	— superficie — luminosidad
Códigos visuales		
Iconicidad	1. Códigos de la denominación y del reconocimiento icónicos	
	2. Códigos de la transcripción icónica	— presentación — distorsión
	3. Códigos de la composición icónica	— figuración — plasticidad
	4. Códigos iconográficos	
	5. Códigos estilísticos	
Códigos visuales (cont.)		
Fotograficidad	1. Organización de la perspectiva	
	2. Márgenes del cuadro	
	3. Modos de la filmación	— escala campos y planos grados de angulación — grados de inclinación
	4. Formas de iluminación	
	5. Blanco y negro y color	
Movilidad	1. Tipos de movimiento de lo profílmico	
	2. Tipos de movimiento efectivo de la cámara	
	3. Tipos de movimiento aparente de la cámara	
Códigos gráficos		
	1. Formas de los títulos	
	2. Formas de lo didascálico	
	3. Formas de los subtítulos	
	4. Formas de los textos	

Códigos sonoros	
Naturaleza del sonido	1. Voces
	2. Ruidos
	3. Música
Colocación del sonido	4. *In/Off/Over*
Códigos sintácticos o del montaje	
	1. Asociaciones por identidad
	2. Asociaciones por analogía/contraste
	3. Asociaciones por proximidad
	4. Asociaciones transitividad
	5. Asociaciones por acercamiento

3.4.3. Códigos tecnológicos de base (o del medio en cuanto tal)

Probablemente sólo algunos de los rasgos que caracterizan al cine como «máquina» lo caracterizan también inmediatamente como «medio de expresión». Aquí partiremos, sin embargo, de estos rasgos, dado que son sobre todo ellos los que nos permiten evidenciar por una parte lo que es propio del cine con respecto a otros medios vecinos (por ejemplo la televisión), y por otra aquello que pone en común todos los posibles mensajes fílmicos; en otras palabras, por una parte la especificidad (en el sentido indicado más arriba) de ciertos códigos cinematográficos, y por otra su generalidad.

Los más evidentes de estos rasgos, y también los más cruciales, son los que están relacionados con algunos «códigos tecnológicos», y en particular con los códigos que determinan el tipo de conservación y de transmisión de la obra cinematográfica. Nos referimos a lo que caracteriza al cine como *medio* antes que como medio de *expresión*: los códigos en los que pensamos, de hecho, se refieren a la «descomposición física» del mensaje, es decir, por ejemplo, al soporte fílmico que primero recorre la cámara, registrando un juego de sombras, luces, colores, sonidos, etc., y luego el proyector, restituyendo ese juego sobre una pantalla (y no, como por ejemplo en la televisión, con ondas electromagnéticas o una cinta). Estos datos no son extraños a la dimensión lingüística del cine, porque, incidiendo sobre lo que se suele llamar la «definición» de una señal, intervienen sobre la calidad y la cantidad de información transmitida y también sobre la practicabilidad o no de ciertas soluciones expresivas.

Pasemos velozmente revista a las principales áreas de intervención de estos códigos tecnológicos.

1. *El soporte*. La primera área se refiere a los tipos de soporte utilizados. Una vez elegido el medio cinematográfico («el film»: término que en una sintomática ambigüedad indica tanto un mensaje audiovisual como el canal que lo transmite y lo conserva), nos encontramos ante muchas alternativas; por ejemplo, la *sensibilidad* de la película, que permitiendo tomas en distintas condiciones de luz produce sin embargo diferentes «granos» de la imagen (en *El conformista* la variedad de las soluciones luminotécnicas se debe al uso diferenciado de la sensibilidad de los soportes, y también a las correspondientes diferencias en las definiciones); o el *formato* de la película, que permitiendo una diferencia en los costes produce sin embargo distintos «rendimientos» de la imagen y una relación diferente con la realidad representada (con el super-8 no se puede conseguir el «esplendor» de los 35 y 70 mm y tampoco se pueden hacer panorámicas demasiado rápidas, pero al mismo tiempo se está más «cerca» de lo que se filma: no por casualidad el propio Bertolucci adoptará los 16 mm para un film «militante» como *La salute fa male*, mientras que para un «kolossal» espectacular como *El último emperador* emplea los 70 mm).

2. *El deslizamiento*. En segundo lugar podemos recordar los tipos de deslizamiento del soporte en la cámara y en el proyector: esto tiene que ver con los códigos que regulan el registro y la restitución del movimiento, dado que gracias a una serie de fotogramas diferentes podemos descomponer un gesto, y también gracias a su rápida sucesión podemos recomponerlo. Estos códigos determinan, por ejemplo, la *cadencia* del deslizamiento de la película (en los primeros años del cine la cadencia era de 18 fotogramas por segundo, lo cual permi-

tía ahorrar en la longitud de la película, pero a la vez comportaba una restitución imperfecta del movimiento; hoy, eliminado el «error», la cadencia es de 24 fotogramas por segundo), o la *dirección de la marcha* de la película (una inversión de la marcha entre la filmación y la proyección da como resultado una inversión análoga del movimiento reproducido), etc.

3. *La pantalla*. En tercer lugar tenemos una serie de alternativas referidas a la superficie iluminada de la pantalla. La primera de estas alternativas es el hecho de utilizar la pantalla como *superficie reflectante* o como *superficie transparente*: en los orígenes del cine también se había explorado la segunda hipótesis (el público se sentaba así al otro lado del espacio ocupado por el proyector); luego la solución se utilizó solamente en el trabajo del *set*, para recrear fondos detrás de los personajes, proyectando sobre un «transparente» imágenes prefilmadas. La segunda alternativa se refiere a la mayor o menor *luminosidad* de la pantalla: existen superficies fuertemente reflectantes, hechas de materiales especiales; pero también existen simples paredes blancas, que restituyen bastante mal la imagen que se proyecta sobre ellas. La tercera alternativa se refiere a la *amplitud* de la pantalla: existen superficies reducidas (pensamos en las pantallas de muchas salas de arte y ensayo o culturales, que proponen una experiencia de fruición bastante parecida a la «doméstica» de la televisión), pero también superficies bastante amplias, que hacen posible el máximo rendimiento de los componentes espectaculares del cine.

Podemos exponer aún otras áreas de influencia de los códigos tecnológicos de base (ante todo la concerniente a las condiciones de la fruición). Pero vamos a interrumpir aquí la reseña de este primer bloque de códigos: lo quc pretendíamos, sobre todo, era mostrar algunas de las elecciones que caracterizan, por así decirlo, únicamente al cine y a todos los films, y mostrar también cómo el descubrimiento de estos rasgos lingüísticos específicos y generales comportan el hecho de hablar de aspectos que son típicos también del cine como maquinaria.

Más adelante volveremos a encontrarnos con otros códigos tecnológicos, activos respecto de otra serie de elecciones; por ahora basta haber prestado atención al cine en cuanto medio, en cuanto dispositivo mecánico.

3.4.4. Códigos de la serie visual. Primer grupo: la iconicidad

Pasemos ahora a comentar una nueva serie de códigos que caracterizan a todos los films, pero no sólo al cine: se trata de códigos generales pero que, a diferencia de los examinados en el párrafo precedente, no son específicos, en cuanto están ampliamente compartidos por otros lenguajes como la fotografía o la pintura. Partiremos de aquel grupo de códigos que regulan la imagen en cuanto tal, es decir, sólo uno de los componentes que caracterizan al cine (junto a, conviene recordarlo, los textos, los ruidos grabados, la música y la palabra) y, sin embargo, el más típico.

1. *Códigos de la denominación y reconocimiento icónico.* Se trata de aquellos sistemas de correspondencia entre rasgos icónicos y rasgos semánticos de la lengua que permiten a los espectadores del film identificar las figuras que hay en la pantalla y definir aquello que representan. Obviamente, aquí no está en juego el simple hábito de poder llamar por su nombre a todo lo contenido en las imágenes: de una manera más radical, códigos como éstos aseguran la posibilidad de articular lo real en entidades diferentes, y así de aislar en el *continuum* de la realidad este o aquel objeto, dotado de una identidad y de un sentido propios.[10] Por poner un ejemplo, se trata de aquellos códigos que nos permiten, frente a un cuerpo humano, identificar y definir un dedo, una mano, un brazo y así sucesivamente; en resumen, aquellos códigos que nos permiten modular la experiencia directa que tenemos del mundo e interpretar aquello que vemos. Pertenecen al ámbito más amplio de una cultura (además de poseer algunos rasgos en cierto modo «universales»): y desempeñan un pa-

10. Encontramos aquí el problema del papel modelizador de la lengua: la lengua que cada hablante utiliza le proporciona a través del léxico una red de conceptos para reconocer los distintos objetos del mundo. Sobre esta hipótesis y sobre el debate a que ha dado lugar, véase por ejemplo RIGOTTI, 1979.

pel en el cine en la medida en que éste, como todo dispositivo fotográfico, tiende a reproducir en algunos de sus aspectos fundamentales nuestra propia aprehensión del mundo.

2. *Códigos de la transcripción icónica.* Son aquellos códigos que aseguran una correspondencia entre los rasgos semánticos (por ejemplo, la idea de «mano arrugada») y los artificios gráficos a través de los cuales se restituye el objeto con sus características (en una imagen en blanco y negro, el contorno que me sugiere la idea que tengo de una mano, y el claroscuro que me da la idea de la rugosidad). El efecto de estos códigos es a menudo el de dar una impresión de transparencia e inmediatez a las imágenes que los activan: éstas, sin embargo, son bastante convencionales, como lo demuestra la recurrencia de ciertos esquemas fijos (la forma-casa, cuadrada y con el techo agudo, con que se representan a menudo incluso las casas que no tienen esos contornos).[11]

En el área de los códigos de la transcripción icónica se incluyen aquellos que regulan la eventual *distorsión de la imagen*, es decir, aquellos que hacen que el objeto reproducido sea limpio y definido en sus contornos y a la vez incierto y desvaído (la utilización del llamado *flou*), que esté aplastado sobre el fondo y a la vez puesto exageradamente en relieve, que sea deforme y a la vez con forma, etc.

3. *Códigos de la composición icónica.* Son aquellos que organizan las relaciones entre los diversos elementos en el interior de la imagen, y que, como consecuencia, regulan la construcción del espacio visual. Operan esencialmente sobre la dislocación de las figuras, sobre la forma que éstas asumen, sobre la relevancia de cada una de ellas, etc.

Estos códigos se subdividen en varias familias. Los *códigos de la figuración* trabajan sobre todo en la manera en que se reagrupan los elementos y se disponen sobre la superficie

11. Sobre el problema de la convencionalidad de la transcripción icónica (y del desciframiento de las imágenes), véase el ya clásico GOMBRICH, 1960. Más recientemente está prevaleciendo la opinión de que, en la base de las convenciones, existe a menudo un fundamento fisiológico: véase por ejemplo PIERANTONI, 1986. El problema ha sido tratado también en el campo semiótico (iconismo), sobre todo en la primera mitad de los años setenta; para un resumen, véase CALABRESE, 1985: 120-140.

de la imagen, dando así lugar a una cierta distribución de los componentes. Lo que resulta importante aquí es el juego de los contornos, que construyen bien esquemas reconocibles, bien figuras interrumpidas, bien una amalgama indistinta, etc. Bertolucci, en *El conformista*, activa a menudo estos códigos. En algunas ocasiones, por ejemplo, intenta construir una figuración «fuerte», es decir, caracterizada por una disposición muy estructurada de los elementos, por una composición rigurosa (es, entre otros, el caso de la secuencia del encuentro entre Marcello y el jerarca fascista, en el descomunal salón del palacio ministerial). Por el contrario, en otras ocasiones intenta construir una figuración «dispersa»: por ejemplo, gracias al cambio de la iluminación en un mismo encuadre «cancela» con el vacío una parte de los bordes de los objetos, o bien funde los márgenes con el ambiente circundante (ambos procedimientos se encuentran en la secuencia del coloquio entre Marcello y el profesor Quadri, en la casa de este último en París), con el resultado de convertir en problemática la propia distribución de los objetos en campo.

Los *códigos de la plasticidad de la imagen* trabajan, por el contrario, sobre la capacidad de ciertos componentes para destacarse por encima de los demás e imponerse sobre el conjunto, asumiendo una relevancia específica. Lo que está aquí en juego son esencialmente las relaciones entre la «figura» y el «fondo»; algunos elementos atraen la atención del observador, y en cierto modo avanzan hacia él. A este propósito, tenemos que dar al menos dos indicaciones. En primer lugar existen procedimientos concretos para convertir un componente de la imagen en figura: son esenciales, por ejemplo, la posición ocupada en el cuadro (los elementos centrales son automáticamente privilegiados), la presencia de un movimiento opuesto a una inmovilidad (los elementos en movimiento asumen más fácilmente un cierto relieve con respecto a los inmóviles), una permanencia sobre la pantalla (los elementos que se detienen en el encuadre, o que vuelven de un encuadre a otro, se convierten más ágilmente en figura), la utilización de ciertos artificios retóricos (como el «iris», un círculo que además de cerrarse para señalar el paso de una escena a otra sirve también para conducirnos hacia éste o aquel particular oscureciendo el resto del cuadro), y así sucesivamente. De aquí la posibilidad de distinguir entre films «planos», que renuncian a oponer sistemáticamente figura y fondo, y films «profundos», que por el contrario exaltan la plasticidad de la imagen. En segundo lugar, cada componente puede ser tratado ya como figura, ya como fondo, pero puede ser tratado como tal sólo de un modo cada vez: o figura, o fondo. De ahí la posibilidad de fijarse en un elemento, darle un estatuto y conservárselo de una manera estable: en general, en los films corrientes, el protagonista se mantiene fijo en una posición de figura, mientras que el paisaje está en una posición de fondo.[12] Pero también existe la posibilidad de variar el estatuto de los elementos, haciéndoles ocupar por turno ahora una posición, ahora otra. En nuestro film, Bertolucci relativiza en diversas ocasiones figuras y fondos: por ejemplo, encuadra primero a Marcello y a Manganiello sentados en el coche, y luego hace retroceder el foco de la cámara convirtiendo en figura el limpiaparabrisas que se mueve lentamente y relegando al fondo a los dos personajes. De ahí nace una especie de acentuación y a la vez de relativización de la plasticidad de la imagen.

4. *Códigos iconográficos*. Son aquellos que regulan la construcción de las figuras definidas, pero fuertemente convencionalizadas y con un significado fijo. Consiguen, por ejemplo, que un personaje, por sus rasgos fisonómicos, su comportamiento, su vestimenta, etc., aparezca desde el principio como un «poli», y otro como el «héroe bueno», etc.[13] En cuanto a nuestro ejemplo, además del modo en que se describen los distintos personajes menores, especialmente los fascistas, reconocibles como tales a primera vista, son sobre todo

12. Aprovechando esto, en muchos films «de serie B» de los años cuarenta y cincuenta, se empleaba a menudo un mismo paisaje para representar lugares distintos en un solo film; la atención se focaliza de tal modo sobre las figuras (correspondientes a los personajes de la trama) que, aunque se perciban, tales incongruencias paisajísticas no perturban el relato. Bastante distinto sería el caso si estos paisajes se utilizaran como figuras y no como fondos: aquí los vínculos de coherencia deberían respetarse por completo, y cualquier infracción amenazaría la comprensibilidad de la trama narrada.

13. Para el concepto de iconografía, véase PANOFSKY, 1955. Para lo referente a la adaptación de la teoría de Panofsky al ámbito semiótico, véase Giuseppina Bonerba, «Presupposti semiotici nell'iconografia di Panofsky», en *Versus*, 33, 1982.

las dos mujeres, Anna (Dominique Sanda) y Giulia (Stefania Sandrelli), con sus características físicas y psicológicas tan contrapuestas, las que remiten a trasfondos culturalmente prefijados (la oposición entre la morena y la rubia, entre la mujer fatua y necia y la mujer inteligente e interesante, etc.).

5. *Códigos estilísticos*. Son aquellos códigos que asocian los rasgos que permiten la reconocibilidad de los objetos reproducidos con los que revelan la personalidad y la idiosincrasia de quien ha operado la reproducción. Naturalmente, podemos encontrarlos en activo en todos los «films de autor», reconocibles en una particular disposición de las cosas, la insistencia en algunos objetos típicos, la presencia de imágenes lujosas o desaliñadas, detalladas o aproximativas, etc.: de estos rasgos podremos extraer la «firma» o el «toque» de un determinado director y no de otro (el refinadísimo uso de la cámara y de la iluminación aparecen en este sentido como una de las constantes de Bertolucci). Pero, paradójicamente, estos códigos están en activo incluso en los «films medios», donde propician una especie de «no elección» sistemática entre las distintas posibilidades ofrecidas.

3.4.5. Códigos de la serie visual. Segundo grupo: la composición fotográfica

El cine no sólo copia la realidad, sino que también la reproduce fotográficamente: a los códigos de la analogía icónica hay que añadir por ello el nuevo grupo de los códigos que regulan la imagen en cuanto fruto de una duplicación mecánica, los códigos de la composición fotográfica. Como en el caso de la iconocidad, también estos códigos son generales, es decir, comunes a todos los films (salvo una categoría muy importante, los dibujos animados; pero como hemos hecho antes respecto del cine abstracto, también debemos decir ahora que existen muchos rasgos que asimilan los dibujos animados al cine «fotográfico», y que en relación con esto las diferencias adquieren un menor peso); respecto de la iconocidad estos códigos son más específicos, es decir, indican principalmente lo que es propio del lenguaje cinematográfico (lo distinguen, al menos en parte, del lenguaje de la pintura, conservando sólo el parentesco con el lenguaje de la fotografía fija).

En síntesis, podemos caracterizar los códigos de la composición fotográfica a través de cuatro clases de hechos: la perspectiva, el encuadre, la iluminación y el blanco y negro y el color.

1. *La perspectiva.* Muchas veces se ha advertido que la cámara retoma el modelo de funcionamiento de la «cámara oscura», heredando así los códigos de la *perspectiva* del siglo XV, organizada alrededor de un punto fijo central[14]. Las consecuencias son numerosas. Por ejemplo, los objetos reproducidos en un film tienden a desplegarse en el campo visual del espectador de un modo «natural», es decir, de un modo homogéneo respecto de los cánones normalmente activos en la visión de lo real; así, en ausencia de la tercera dimensión, la imagen tiende a distribuir el espacio de la forma más próxima a la que resulta de una percepción efectiva del mundo. Y aún más: la perspectiva ofrece líneas de fuga constantes y una articulación fija de la profundidad de campo: aunque los diversos objetos cambien de posición en el cuadro, o aunque el cuadro se mueva, las coordenadas permanecen iguales. Por ello, lo que la perspectiva logra es la naturaleza y la estabilidad de las estructuras visuales de referencia: sólo a partir de aquí el cine puede luego usar impunemente toda una serie de variantes y arriesgarse en cualquier infracción, por ejemplo yendo contra lo que es la orientación perceptiva habitual del espectador con imágenes distorsionadas o borrosas, o usando objetivos de distancia focal larga o el gran angular, que empequeñecen o dilatan el espacio según otras coordenadas perceptivas.

2. *El encuadre: los márgenes del cuadro.* Otra serie de códigos que contribuyen a definir la composición fotográfica está representada por los códigos del encuadre.

El primer dato sobre el que intervienen se refiere a los *már-*

14. Véanse por ejemplo las contribuciones recogidas en COMOLLI, 1982. En lo que concierne a las raíces filosóficas del sistema de la perspectiva renacentista, véase PANOFSKY, 1927.

genes del cuadro: filmar un objeto quiere decir ante todo delimitarlo en el interior de bordes precisos. Nos encontramos así con el problema del «formato» cinematográfico. Este es generalmente rectangular, con relaciones estándar entre altura y longitud: la relación 1:1,33 designa el formato clásico, la de 1:1,66 el panorámico, la de 1:1,85 el de vistavisión, la de 1:2,55 el de cinemascope y la de 1:4 el de cinerama. Existen también infracciones de la rectangularidad de la imagen, gracias al uso de «iris» o a la experimentación de las proyecciones múltiples.

Pero filmar un objeto quiere decir también destacarlo de su contexto, recortarlo del *continuum* del que forma parte; con la consecuencia, por un lado, de mostrar sólo una parte de lo real y, por otro, de obligar al mismo tiempo a suponer la existencia del resto. Nos encontramos aquí con el problema crucial de las relaciones existentes entre el espacio *in*, aquel que se ofrece abiertamente a la mirada, y el espacio *off*, el que se queda fuera de la imagen (por encima, por debajo, a un lado, más allá del horizonte o detrás), espacio no visto pero bien conocido;[15] y para comprender cuán estrechamente reguladas están estas relaciones basta pensar en ejemplos como la entrada y la salida de campo, que jamás se dejan abandonadas al azar (si un personaje sale por la derecha, entrará por el mismo lado si el encuadre sigue siendo el mismo, pero puede entrar por el lado opuesto si el encuadre representa un ambiente adyacente al precedente: si no fuese así, deberíamos suponer que el personaje ha pasado literalmente por detrás de nosotros).

El conformista, como por lo demás todos los films de Bertolucci, trabaja de un modo bastante preciso los márgenes del encuadre. Pensemos en cómo la imagen, que «pone marco» a una porción de lo real, alberga a menudo «marcos» más pequeños, como por ejemplo la vidriera del estudio de grabación, los espejitos y las ventanas del automóvil, las ventanas de la sala de baile, etc. El efecto es el de dinamizar el formato de la imagen, que en cierto modo se restringe o se amplía; pero también es el de mostrar la precariedad y a la

15. Para posteriores profundizaciones en las relaciones entre las dimensiones *in* y *off* de la imagen, véase el apartado 4.3.1. del capítulo siguiente.

vez la pluralidad de los «recortes» posibles, mostrando así abiertamente la operación de enmarcado.

3. *El encuadre: los modos de la filmación*. El segundo dato sobre el que intervienen los códigos del encuadre se refiere a los *modos de la filmación*: filmar un objeto significa también decidir desde qué punto mirarlo y hacerlo mirar (ya sea de frente, desde lo alto, desde abajo, de cerca, de lejos, etc.); y estas elecciones no están exentas de consecuencias, pues subrayan o añaden significados a los propios del objeto encuadrado. Entre estos códigos, en concreto, nos encontramos con la escala de los campos y de los planos, los grados de angulación y los grados de inclinación. Veámoslo con detalle.

La *escala de los campos y de los planos* asume como criterio clasificatorio la cantidad del espacio representado y la distancia de los objetos filmados (y consecuentemente la integridad de la acción y el grado de su reconocibilidad). Los datos normalmente codificados son los siguientes:

— *Campo larguísimo* (C.L.L.): una visión que abarca un ambiente entero, de modo bastante más amplio de cuanto los personajes y la acción que residen allí pueden exigir (tanto es así que estos últimos, en cierto modo se pierden);

— *Campo largo* (C.L.): una visión que abarca un ambiente completo, pero en la cual los personajes y la acción albergados resultan claramente reconocibles;

— *Campo medio* (C.M.): marco en el que la acción se sitúa en el centro de la atención, mientras que el ambiente queda relegado al papel de trasfondo;

— *Total* (TOT.): unidad ambigua que se sitúa entre el campo medio y la figura entera, superponiéndose ora a uno, ora a otro. Es un marco en el que la acción está filmada enteramente, independientemente de la relación que mantenga con el ambiente y de la distancia de los objetos representados. Es un poco más específico que el campo medio, concentrándose sobre la acción y omitiendo el ambiente.

— *Figura entera* (F.E.): encuadre del personaje de los pies a la cabeza;

— *Plano americano* (P.A.): encuadre del personaje de las rodillas para arriba;

— *Media figura* (M.F.): encuadre del personaje de la cintura para arriba;

— *Primer plano* (P.P.): encuadre cercano del personaje, concentrado sobre el rostro, con el contorno del cuello y de la espalda;

— *Primerísimo plano* (P.P.P.): encuadre muy cercano concentrado sobre la boca y los ojos;

— *Detalle* (Det.): acercamiento concreto a un objeto o un cuerpo.

Los *grados de angulación* prevén las siguientes posibilidades;

— *encuadre frontal*: es aquel que se obtiene situando la cámara a la misma altura del objeto filmado;

— *encuadre desde arriba* o *picado*: es aquel que se obtiene situando la cámara por encima del objeto filmado;

— *encuadre desde abajo* o *contrapicado*: es aquel que se obtiene emplazando la cámara por debajo del objeto filmado.

Los *grados de inclinación* son los siguientes:

— *inclinación normal*: es aquella que se obtiene cuando la base de la imagen es paralela al horizonte de la realidad encuadrada (o, más sencillamente, cuando el horizonte mantiene en la imagen su horizontalidad);

— *inclinación oblicua*: es aquella que se obtiene cuando la base de la imagen y el horizonte de la realidad encuadrada divergen, con este último «suspendido» hacia la derecha o hacia la izquierda. *El conformista* nos presenta un bello ejemplo de inclinación oblicua en la secuencia del primer encuentro entre Marcello y Manganiello, en el que la cámara que sigue a Marcello está muy inclinada hacia la izquierda, convirtiendo la línea de la acera casi en la diagonal del encuadre;

— *inclinación vertical*: es aquella que se obtiene cuando el plano de la imagen y el horizonte de la realidad encuadrada son perpendiculares, formando un ángulo de 90 grados.

Es evidente que esta clasificación interpreta y sintetiza arbitrariamente el conjunto de los posibles puntos de vista sobre el mundo. Pero esta reducción es para el analista el único modo de proceder en la práctica. Establecida como indiscutible la variedad irrepetible de cada imagen, es, sin embargo, siempre necesario hablar un lenguaje común.

El problema, más bien, es otro: la incidencia de cada una

de estas posibles elecciones sobre la imagen. Por ejemplo, la decisión de filmar a una persona o un objeto en picado (toma desde arriba) o en contrapicado (toma desde abajo) determina directamente toda una serie de connotaciones: el encuadre desde abajo, más o menos acentuado, puede contribuir a poner de relieve la majestuosidad de un personaje o su soberbia, según que la figura engrandecida manifieste sobre el espectador un «dominio» marcado positiva o negativamente; mientras que el encuadre desde arriba sitúa al personaje, por así decirlo, en manos del espectador, lo normaliza, o bien, si es muy acentuado, subraya su debilidad, su impotencia, e incluso su mezquindad o su timidez. Esto sucede aunque el tipo de angulación esté motivado narrativamente, es decir, relacionado con el hecho de que, enfrentándose dos personajes, uno arriba y otro abajo, cada uno de ellos sea filmado casi como lo vería el otro.

Esto significa que la elección de un encuadre angulado de una manera determinada, así como la de un campo o la de un plano, sobre las cuales podríamos haber realizado ejemplificaciones análogas, no es sólo una cuestión de *gramática*, sino también de *retórica*: los códigos no sirven sólo para constituir al film como objeto de lenguaje, sino también para definir su forma y sus efectos.

4. *La iluminación*. Las dos grandes posibilidades que se nos ofrecen son, por una parte, una luz que haga ver sin dejarse ver, y, por otra, una luz que no se limite a iluminar, sino que también se muestre en cuanto luz. El primer caso es evidentemente el de una iluminación, por así decirlo, neutra, atenta simplemente a hacer reconocibles los objetos encuadrados, y dirigida a obtener resultados genéricamente realistas: una iluminación que hoy triunfa, por ejemplo, en los films para la televisión. El segundo caso es, por el contrario, el de una iluminación subrayada, que puede llegar a alterar los contornos de los objetos encuadrados, y que puede conseguir resultados fuertemente antinaturalistas. Sin duda, en el interior de las dos áreas existe una cierta gradación: una iluminación neutra puede restituir un ambiente en su aspecto genérico, o puede construir diversos planos visuales, interviniendo a la vez directamente sobre la realidad; mientras

que la iluminación subrayada puede tender a efectos de simple difuminado o de simple claroscuro, o puede buscar efectos de contraste violento, asumiendo así una posición más radical.

En general, por todo ello, podemos aplicar a los códigos de la iluminación cinematográfica las subdivisiones existentes ya en la historia de las artes figurativas, y utilizar categorías generales como las de realismo, surrealismo, hiperrealismo, etc. Paralelamente, se puede prestar atención a ciertos tipos de efectos que parecen nacer, en cada forma icónica, de alguna modalidad de la iluminación: por ejemplo el onirismo, el sentido de la angustia, la ternura o la dureza de las imágenes, etc. (luces tenues y contornos poco subrayados frente a luces secas y contornos netos), etc. Se puede, sin embargo, encontrar también efectos típicamente cinematográficos: primero, y ante todo, el hecho de que una iluminación realista tiende a subrayar la cualidad del objeto representado, el contenido del encuadre, mientras que una iluminación antinaturalista crea un efecto de artificiosidad que da cuerpo a la imagen en sí.

En Bertolucci, dado el papel central que la iluminación desempeña en su cine, abundan los ejemplos. Aquí vamos a recordar uno, completamente extraordinario. En la secuencia inicial de *El conformista*, vemos primero a través de una ventana abierta un rótulo rojo de neón brillando en la noche, después aparece Marcello en la cama, con su rostro alternativamente iluminado y sumido en la oscuridad: tenemos, pues, aquí un acercamiento de una fuente de luz hacia el objeto sobre el que cae esa luz, y un juego de intermitencias que convierte en perceptible por sí misma la luz sobre el objeto. Tras un inserto, el encuadre permanece fijo sobre Marcello, y se pasa de la oscuridad de la noche a la luz natural más tenue y pálida del alba para llegar finalmente a los tonos más claros y límpidos de la luz matinal (continuando con el rojo de la luz intermitente que se va perdiendo poco a poco): varias horas se condensan así en pocos segundos, con una fuerte acentuación de los efectos «mágicos» y «ficcionales» de la iluminación. A esto podemos añadir que las distintas luces, alternándose sobre el rostro siempre idéntico a sí mismo de Marcello, contribuyen a manifestar la personalidad ambigua de un hombre oportunista, sin convicciones propias, que vive de las ideas de los demás y sigue siempre la dirección del viento, manteniéndose a flote entre todos los cambios y mutaciones.[16]

5. *El blanco y negro y el color.* La última serie de códigos que vamos a examinar brevemente aquí es la del blanco y negro y el color. Ante todo hay que decir que la elección entre ambas soluciones, que en los primeros tiempos del color era entre el hábito y la novedad espectacular, se ha convertido hoy, con la rareza que supone un film en blanco y negro, en una elección entre el preciosismo un poco «retro» y el hábito: se han invertido así los términos de la normalidad. Por lo demás, la relativa obviedad de los films en color hace que esta solución se contemple siempre como algo neutro, es decir, relacionada sencillamente con la naturaleza reproductiva del cine: los colores que posee un film son los colores del mundo. Hay que señalar como excepciones las experiencias que, por el contrario, trabajan este campo de manera sistemática y consciente, activando algunos códigos cromáticos que la mayoría de las veces se descuidan o emplean de una manera casual: la gama de las reacciones perceptivas (el verde que relaja, el azul que tranquiliza, el rojo que excita...); el juego de las tonalidades («calientes», «frías», pastel, etc.); las referencias ideológicas (el rojo como progreso, el negro como reacción...), y así sucesivamente. Pero más allá de estas correlaciones, a menudo bastante aproximativas, hay que recordar también los casos en que los colores son funcionales con respecto al relato, ofreciendo códigos suplementarios a los códigos de la narratividad: cada color se asocia entonces con un personaje o con un estado emotivo, proponiéndose como signo de reconocimiento de los distintos elementos de la historia;[17] eso cuando no interviene, gracias a los virados o a la alternancia entre color y blanco y negro, para distinguir entre sí situaciones narrativas que poseen es-

16. La intermitencia de la iluminación nos recuerda por otro lado la luz del proyector: estamos ante una especie de metáfora del propio cine.

17. Véase a este propósito el análisis de *Allonsanfan*, de los Taviani, realizado por Aristarco, 1977. Para una aproximación teórica al color cinematográfico (y a otras cosas), hay que recurrir siempre a S. M. Eisenstein.

para distinguir entre sí situaciones narrativas que poseen estatutos distintos (por ejemplo, la realidad opuesta al sueño, el presente opuesto al pasado...).

Son numerosísimos los ejemplos del uso expresivo del color en nuestro film: del encuadre fuertemente contrastado, hasta el punto de parecer blanco y negro, de la primera conversación entre Marcello y el profesor Quadri (teatro ideal de un enfrentamiento de ideologías), a la secuencia enteramente dedicada a un color dominante (el rojo para las primeras imágenes de Marcello, el azul para las compras de las dos mujeres, el negro para la secuencia final).

3.4.6. Códigos de la serie visual. Tercer grupo: la movilidad

Si existe un rasgo que caracteriza al lenguaje cinematográfico es su relación, no sólo con las imágenes, y no sólo con las imágenes cinematográficas, sino sobre todo con las imágenes fotográficas en movimiento. La movilidad que, sin lugar a dudas, está presente incluso cuando no vemos moverse nada sobre la pantalla, distingue de hecho al cine de todos los lenguajes de imágenes fijas (como por ejemplo la fotografía); en este sentido, los códigos que la regulan son más específicos que los pertenecientes al primer grupo (la instancia icónica) y al segundo (la instancia fotográfica), permaneciendo siempre generales, es decir, comunes a todos los films.

Dos tipos de hechos, en concreto, vienen incluidos en tales códigos: por una parte el movimiento *en* la imagen de la realidad filmada, y por otra, el movimiento, por así decirlo, *de* la imagen, o mejor, el movimiento del punto desde el que se filma la realidad. En otras palabras, el cine reproduce el movimiento, o bien registrando aquello que se mueve dentro del cuadro (hombres, animales, objetos, etc.), o bien moviendo el aparato de registro. Se suele designar estos dos movimientos respectivamente como *movimiento de lo «profílmico»* (es decir, de la realidad representada) y como *movimiento de la cámara*. A pesar de que existe, en ciertos casos, cierta ambigüedad respecto a cuál de los dos está en activo (es la clásica situación del viajero que no sabe si es su tren o el de al lado el que se está moviendo), y a pesar de que ciertos efectos pueden obtenerse indiferentemente empleando una u otra operación (el balanceo de una nave puede darse ya moviendo una maqueta en una piscina, ya moviendo la cámara que está filmando la maqueta parada), es útil sin embargo disponer de distintos tipos de posibilidades, tanto para poder recurrir a mecanismos psicológicos de reconocimiento no enteramente coincidentes, como para tener la oportunidad de utilizar mecanismos lingüísticos a menudo opuestos. Basta un ejemplo para aclarar lo que estamos diciendo: en el cine, observar desde un punto de vista fijo cualquier cosa que se mueva comporta inevitablemente un sentido de distanciamiento de lo real, una mirada objetiva y absoluta; mientras que adoptar un punto de vista móvil sobre los objetos, quizá para acompañar su movimiento, provoca siempre una sensación de intensa participación, y por ello una idea de subjetividad, de precariedad, de perfección de la mirada.

Centrémonos en este segundo caso. Dado que el movimiento de la cámara se realiza siempre respecto de cuerpos y cosas a los que nos acercamos, de los que nos alejamos o que se recorren lateralmente, su función básica viene a consistir en el descubrimiento de nuevas parcelas de realidad, en la mostración de la otra cara de los objetos, en una definición más perfecta de la situación. Ahora bien, quizá podría obtenerse el mismo resultado yuxtaponiendo mediante el montaje los dos aspectos que se desean evidenciar y eliminando el recorrido de la cámara; tanto es así que se ha hablado a menudo de «montaje interno» a propósito de estos movimientos de cámara, para indicar que no hacen otra cosa que relacionar entre sí los elementos pasando de uno a otro en el interior del encuadre, en lugar de alinearlos mediante una serie de cortes. Pero la equivalencia entre el verdadero montaje y el que se designa como «montaje interno» es en realidad completamente equivocada: es verdad que el film «avanza» igualmente, pero alinear las cosas en encuadres distintos quiere decir recurrir a operaciones mentales del tipo A+B=C (poco importa que luego sean conscientes o automáticas, o que produzcan constructos realistas o abstractos), mientras que relacionarlas en un mismo encuadre significa relacionarlas «en la realidad», proponerlas no como suma, sino como unidad. Esto comporta en la práctica un dato esencial: incluso en los casos más abstractos y simbólicos, el movimiento de cámara, gracias a su cohesión y a su concentración espacial y temporal, induce a un mayor sentido de la inmediatez y de la verdad, da siempre idea de una presencia real.[18]

A partir de aquí podemos precisar algunas posibles elecciones. La gramática cinematográfica tradicional ha elaborado una clasificación de los movimientos de cámara, en ciertos aspectos arbitraria, pero también de gran utilidad práctica. Los casos codificados son los siguientes:

— *panorámica*: la cámara se mueve sobre su propio eje en sentido vertical (y el «marco» de la imagen sube o baja, ganando espacio por encima o por debajo: *panorámica vertical*), en sentido horizontal (y el marco se mueve lateralmente, añadiendo fragmentos de espacio a derecha o a izquierda: *panorámica horizontal*), o en sentido oblicuo (y el marco atraviesa el espacio en sentido transversal: *panorámica oblicua*);

— *travelling*: la cámara se sitúa sobre un carrito que se desliza sobre unas vías para realizar movimientos fluidos en el plano frontal, para impulsarse en profundidad e incluso para moverse transversalmente por el decorado. Siendo el cambio de posición de la cámara por el espacio un hecho real (a diferencia de lo que sucede con el *zoom*, en el que el cambio es sólo aparente, puesto que es el producto de un puro juego de lentes), el movimiento puede confiarse no sólo a un carrito (el *travelling* propiamente dicho), sino también a una grúa fija (*grúa* en el sentido estricto) o móvil (la llamada *dolly*), que permite conjugar en un único gesto continuo los posibles movimientos sobre distintos planos (pensemos en la escena en que Marcello va a encontrarse con el político en el ministerio, en la que la cámara se alza mediante una *dolly* y sobrevuela el escritorio del secretario). La cámara puede también montarse sobre un automóvil, lo cual permite una mayor velocidad de desplazamiento (*camera-car*), o puede aplicarse al propio cuerpo del operador, en sus dos variantes del *travelling a mano* y de la *steady-cam*, la primera sensible

18. Para este punto, es naturalmente obligada la referencia al ensayo de Bazin sobre el «montaje prohibido»; véase BAZIN, 1958.

a los movimientos del modo de andar humano, y por ello de formidable efecto realista (es la solución que Bertolucci aplica en el encuadre de la fuga y el asesinato de Anna); la segunda, gracias a los soportes y amortiguadores hidráulicos, insensible a tales movimientos y capaz de conjuntar la agilidad y la versatilidad del medio humano con la fluidez típica de un carrito.

Luego es posible distinguir algunas intenciones que presiden el uso de movimientos de cámara: la simple «descripción» de un ambiente realizada pasando revista a los objetos y las personas, o la acentuación del carácter «subjetivo» de la mirada, identificando el movimiento de la cámara con el movimiento de un personaje, o la «musicalidad» de un gesto a través de recorridos armoniosos o ritmados, etc. (y cada tipo de movimiento asume como connotación estable uno u otro de estos efectos; por ejemplo, la panorámica es más a menudo descriptiva, mientras que el *travelling* es preferentemente subjetivo).

Finalmente es posible, como ya hemos apuntado, distinguir los verdaderos movimientos de cámara de algunos mecanismos ópticos que simulan su apariencia: hablamos en estos casos de *movimientos reales* de cámara y de *movimientos aparentes*. Pensamos en concreto en el *zoom,* con el cual se obtiene un acercamiento o un alejamiento de las cosas moviendo las lentes en el interior de la cámara y manteniendo ésta fija, pero provocando, al mismo tiempo, una alteración de la profundidad de campo (es el típico «achatamiento» que se consigue utilizando las lentes de distancia larga) que finaliza anulando el espacio en lugar de atravesarlo y deteriorándolo en lugar de analizarlo (es de hecho éste el efecto del vertiginoso *zoom* hacia adelante que Bertolucci utiliza en el encuadre en el que Marcello observa a escondidas las evoluciones del ministro con una mujer tendida en su mesa, y que nos conduce de un salto de la figura entera del ministro al plano general de su inmensa oficina).

Pero finalicemos aquí la reseña de los códigos que presiden la materia más importante de la expresión cinematográfica: las imágenes. Ante todo, hemos visto los códigos de la iconicidad, es decir, los que regulan la imagen en cuanto tal;

luego hemos visto los códigos de la composición fotográfica, los cuales regulan la imagen en cuanto fruto de una reproducción mecánica de la realidad; y finalmente hemos visto los códigos de la movilidad, es decir, los que regulan la imagen fílmica en cuanto imagen fotográfica en movimiento.[19] Pasemos ahora a echar un breve vistazo a los códigos que presiden la segunda gran materia de la expresión cinematográfica: los indicios gráficos.

3.4.7. Los indicios gráficos y sus códigos

Como hemos dicho, estos códigos regulan la materia de la expresión fílmica que va a constituir, junto con la imagen gráfica en movimiento, el componente visual del cine: hablamos de los «indicios gráficos», es decir, de todos los géneros de escritura que están presentes en un film.

Para poner un poco de orden, podemos subdividir los indicios gráficos en: didascálicos, subtítulos, títulos y textos.

Los didascálicos son aquellos indicios gráficos que sirven para integrar todo lo que presentan las imágenes (en el cine mudo, proporcionaban los diálogos que de otra manera no hubieran existido), para explicar el contenido de las imágenes (en el cine de los orígenes, subrayaban ciertas características de los personajes: «una chica dulce e ingenua», etc.), para pasar de una a otra imagen («Dos años después», «En ese mismo momento, en otro lugar de la ciudad») y así sucesivamente. Se encuentran entre una imagen y otra, pero también en las propias imágenes (pensemos en los largos textos que, sobre el fondo de un estilizado mapa, introducen los films históricos para ambientar la trama).

Los *subtítulos* son aquellos indicios gráficos que se encuentran sobreimpresos en la imagen, generalmente en la parte de abajo. Por lo general sirven para traducir películas en versión original.

19. La problemática que hemos abordado durante la reseña de los códigos de la serie visual ha encontrado un importante lugar de análisis en AUMONT, 1988.

Los *títulos* son aquellos indicios gráficos presentes al principio y al final del film, y que contienen bien informaciones sobre el aparato productivo (el *casting* y los créditos), bien instrucciones para la utilización del film («Cualquier referencia a hechos o personajes...», «Fin de la primera parte», «The end»).

Los *textos*, finalmente, son todos aquellos indicios gráficos que pertenecen a la «realidad», y que el film reproduce fotografiándolos. Pueden ser *diegéticos*, es decir, pertenecientes al plano de la historia (por ejemplo, el nombre de una tienda en un rótulo, el título de un libro en manos de un personaje, una noticia en el periódico, un cartel en la calle con el nombre de la ciudad, etc.), o bien *no diegéticos*, y por ello extraños al mundo narrado, aunque formando parte del mundo de quien narra (pensemos en los textos que introduce Godard en sus films, que pertenecen más al «hacerse» del film que a la trama narrada).[20] Un interesante ejemplo de texto, tratado de un modo un poco particular, se encuentra al inicio de nuestro film. A través de una ventana se ve un rótulo de neón, «LA VIE EST A NOUS», que aparentemente indica un restaurante que está al lado del hotel de Marcello (por lo que parece ser un texto diegético), mientras que en realidad constituye la cita de un film de Renoir (y por ello no es diegético): un encuadre sucesivo retoma sólo algunas letras del rótulo («ESTAN»), confundiendo posteriormente los dos planos («ESTAN» forma parte tanto del título del film de Renoir, como de un posible letrero de «RESTAURANT»); un encuadre posterior alberga un nuevo rótulo, «HOTEL D'ORSAI», que remite al precedente porque también es de neón, pero que se refiere al hotel de Marcello, y por ello nos sumerge definitivamente en la dimensión diegética.

Los indicios gráficos, en general, obligan a «leer» en el sentido más literal del término: según esto están estrechamente relacionados, antes que con los códigos de la imagen, con los códigos de la escritura y los códigos de la lengua en que se

20. Puede encontrarse una precisa distinción entre los diversos textos que acompañan al film en ODIN, 1980.

han compuesto. Pero junto a estos códigos de base, intervienen también principios de construcción más concretos.

Pensemos en los didascálicos que en los films mudos presentaban los diálogos entre los personajes o que aún hoy sirven para explicar ciertos pasajes narrativos («Diez años después», «Mientras tanto»): pues bien, su desciframiento comporta tanto el dominio de las reglas de una lengua escrita, como el dominio de las reglas de una narración. Esto resulta aún más claro cuando se piensa en sus equivalentes: un didascálico como «Diez años después» puede ser reemplazado, más que por textos de distinta grafía (con los que permaneceríamos en el ámbito de los códigos lingüísticos), sobre todo por algunos artificios típicos como un fundido encadenado o un calendario cuyas páginas van cayendo (y aquí ya no estaremos en el ámbito de los códigos lingüísticos, sino en el de los códigos narrativos).

Otros códigos más restringidos son los estilísticos y figurativos que intervienen a menudo en el tratamiento gráfico de los títulos: existen caracteres que por su forma remiten a la época en que está ambientada la historia del film (y los de los títulos de *El conformista* son de estilo «fascista»), o también caracteres que asumen el aspecto de partes del cuerpo u objetos, un signo que se lee como un nombre y se mira como una imagen.

Finalmente, recordemos los códigos connotativos: el tamaño variable de las letras, la posibilidad de animarlas y de hacerlas «actuar», o incluso simplemente el tipo de escritura empleado o la presencia de ornamentos y adornos, son cosas capaces de definir ciertos efectos particulares, de subrayar estados de ánimo o de crear atmósferas.

Los fenómenos relacionados con la forma y con la acción de los indicios gráficos, en resumen, se basan por una parte en un doble código de base, el de la lengua y el de la escritura, y por otra en códigos más especializados que actúan a partir de los precedentes, como los narrativos, estilísticos, connotativos, etc. Nace así un sistema de enlaces y superposiciones que puede convertir un simple texto de un film en el lugar de un complicado proceso de significación.

3.4.8. Códigos sonoros

Pasemos ahora de los componentes visuales a los sonoros.[21] Como sabemos, en un film éstos están constituidos por tres tipos de hechos: las voces, los ruidos y los sonidos musicales. La organización de tales hechos viene regulada por códigos bastante amplios, que en principio trascienden las fronteras del cine para caracterizar toda forma de expresión sonora: pensemos en el volumen, en la altura, en el ritmo, en el «color», en el timbre, etc. Sin embargo, es posible también reconocer algunos rasgos que intervienen con más regularidad y con mayor puntualidad para determinar el perfil de un film en cuanto tal; es decir: existen fenómenos que definen lo sonoro en su forma «cinematográfica». Nos referimos en concreto a aquellos códigos que presiden la interacción de lo sonoro con lo visual, regulando la *procedencia* de lo primero con respecto a lo segundo (derivación explícita de una fuente encuadrada, o bien derivación de una fuente que, aun estando presente en campo, no es visible por el momento, e incluso de una fuente no directamente identificable), y a algunos efectos relacionados con esta elección.

Retomando una esquematización recurrente,[22] digamos ante todo que el sonido cinematográfico puede ser *diegético*, si la fuente está presente en el espacio de la peripecia representada, o *no diegético*, si ese origen no tiene nada que ver con el espacio de la historia. Si es diegético, puede ser *on-screen* u *offscreen*, según la fuente se encuentre dentro o fuera de los límites del encuadre; y puede ser *interior* o *exterior*, según la fuente esté en el pensamiento de los personajes o tenga una realidad física objetiva. Todos los sonidos perte-

21. El componente sonoro del cine ha recibido recientemente mucha atención, como demuestran algunos números especiales de revistas como *Yale French Studies*, 60, 1980 (a cargo de R. Altman), *Iris*, 5, 1985 («La parole au cinéma»), *Hors cadre*, 3, 1985 («La vox off»), *Protée*, 2, 1985 («Son et narrations au cinéma»), etc. En este marco, hay que recordar también CHION, 1982 y CHION, 1984.

22. Esta esquematización ya aparece en BORDWELL/THOMPSON, 1979.

necientes a la categoría de lo no diegético y el sonido diegético interior también se denominan sonidos *over*, porque no provienen del espacio físico de la trama.[23]

Resumiendo, pues, podemos distinguir tres categorías de sonidos: el sonido *in* propiamente dicho (el sonido diegético exterior, cuya fuente está encuadrada), el sonido *off* propiamente dicho (el sonido diegético exterior, cuya fuente no está encuadrada) y el sonido *over* (el sonido diegético interior, ya *in* u *off*, y el sonido no diegético).

Hechas estas precisiones, veamos ahora los tres tipos de elementos que componen la materia sonora del film —las voces, los ruidos y los sonidos musicales— y analicémoslos a la luz de las categorías generales que acabamos de presentar.

Empecemos con la voz, con lo «hablado». El primer código que la rige es sin duda el de la lengua del hablante: reconocer si un personaje se expresa en italiano, en inglés, en alemán, etc., constituye el primer paso inevitable para cualquier comprensión posterior. Sin embargo, por su condición de preliminar, este dato muchas veces no se tiene en cuenta (salvo en el caso en el que un film juegue expresamente con el contraste entre lenguas, para señalar así las distintas nacionalidades de los protagonistas). Los códigos que determinan la forma fílmica de lo hablado son, pues, otros, y en concreto, como en el caso de los demás componentes sonoros, aquellos que presiden la interacción de lo sonoro con lo visual. Veámoslo con más detenimiento.

Empecemos por la *voz in*, es decir, la voz procedente de un hablante encuadrado. Aplazando por un instante la cuestión relativa a las distintas formas de registro (la toma directa, obtenida mediante la fijación contemporánea de sonido

23. Aquí son necesarias dos precisiones: ante todo, está claro que cuando se habla de sonido fuera campo no es el sonido en sí el que está «fuera», sino la figura visual de su fuente, que está situada fuera del campo visual de la pantalla. Como ya advertía Metz, un sonido es siempre *in*, porque de otro modo no existiría: es la imagen de su fuente la que puede ser *off*. En segundo lugar, y teniendo en cuenta que lo que hemos llamado sonido *off* y sonido *over* en francés se denominan respectivamente *hors-champ* y *hors-cadre* (fueracampo y fueracuadro), debemos advertir que a menudo la locución *off* se utiliza para definir globalmente todo lo que no es *in;* es una utilización extensiva que resulta impropia y que crea confusiones.

e imagen; o bien la postsincronización en estudio), vemos que una consecuencia inmediata de la opción por la voz en campo es la necesidad de hacer corresponder las palabras pronunciadas con el movimiento de los labios: problema bastante menos banal de lo que parece, puesto que incide inmediatamente en la credibilidad de aquello que está ante nosotros. Lo advertimos limpiamente en los films doblados: cambiando la lengua, además de cambiar el tono, o el ritmo de la voz (a menos que sea el propio actor quien se doble a sí mismo), nos arriesgamos siempre a una ligera pero sensible separación entre la palabra que se oye y la palabra que se ve pronunciar: a pesar de la costumbre (y de la habilidad tanto del doblador como del traductor, que a menudo altera los diálogos para acomodarlos a la forma fónica original), la falta de una perfecta correspondencia entre lo audible y lo visible determina siempre una cierta artificiosidad. La postsincronización, sin embargo, aunque presenta algunos peligros propios de una fusión perfecta entre la voz y los rostros, puede también permitir una disociación perfecta entre lo audible y lo visible, ya no simplemente fastidiosa, sino, por el contrario, significativa. De hecho, es evidente que la calidad de la voz permite bastante limpiamente, junto con la fisonomía, definir el estatuto de un personaje: así pues, una alteración (gracias a un trabajo de grabación en estudio) puede dar lugar a interesantes efectos de contraste (un hombre con voz de niño) o de redundancia (un asesino con voz metálica), etc. Por el contrario, la «toma directa» comporta casi siempre un efecto de verdad: no sólo porque nunca como en este caso las palabras se corresponden perfectamente con el movimiento de los labios (se han registrado conjuntamente), sino también y sobre todo porque el micrófono forma casi un solo objeto con la cámara, y un acercamiento o un alejamiento de esta última determina un acercamiento o alejamiento análogo de la voz; la perfecta comprensibilidad de lo que se dice está subordinada, pues, a la localización puntual de la fuente sonora, y es esta misma colocación espacial de la voz la que consigue que la imagen y el sonido estén fusionados indefectiblemente entre sí en la reproducción de una situación «real».

Pasando ahora a las voces generalmente llamadas de fueracampo, debemos, como hemos dicho, distinguir entre una *voz en off* (la que proviene de una fuente sonora excluida de la imagen de manera temporal, como en el caso del movimiento de cámara que eclipsa por un instante al hablante), y una *voz over* (la que proviene de una fuente excluida de manera radical, en cuanto perteneciente a otro orden de la realidad, como en el caso de la voz narradora). La distinción, por lo demás, no es siempre elemental: en los primeros encuadres de *El conformista* que muestran a Marcello en automóvil, aparece una voz de procedencia ambigua: no sabemos si es la de un desconocido que se encuentra junto a él, o si proviene de su propia memoria (la voz de un amigo que se dirige a él); debemos esperar un poco para comprender que la primera hipótesis es la correcta, y que la voz es la del agente Manganiello, que conduce el automóvil.

De todos modos, detengámonos un instante en la dimensión *over* de la voz, puesto que es el caso más complejo e interesante,. La voz fuera de campo, de hecho, puede desempeñar una función de unión temporal entre las distintas secuencias (y en este sentido sustituye a lo didascálico), o bien puede recopilar en una unidad superior secuencias autónomas (recoge los contenidos y los reconduce a un tema común); más a menudo, desempeña una función introductiva o de «enmarque», proporcionando a la narración datos indispensables para su comprensión y su avance. En cualquier caso, su manifestación representa siempre una intervención «fuerte», ya se trate de la voz desesperada o enfática del protagonista (por ejemplo, al principio de *Antes de la revolución*, de Bertolucci), de una voz anónima y puramente referencial (por ejemplo, los comentarios fuera de campo que acompañan *Paisà*, de Rossellini), de la propia voz de la historia (pensemos en las voces que, con tono cómplice, introducen al espectador en la trama de *La valigia dei sogni*, de Comencini), o de, finalmente, la propia voz del director que interviene en primera persona (un ejemplo definitivo: la voz de Orson Welles).

Pasemos ahora a los *ruidos*, con respecto a los cuales se pueden hacer consideraciones en el fondo análogas a las que hemos desarrollado para la voz. Es cierto que existe una diferencia básica entre ambos: mientras la voz lleva siempre consigo la complejidad de una lengua, el ruido remite por el contrario a un mundo más «natural», menos directamente capaz de «denominar» significados precisos. Pero, para quien mira, también aquí hay que proponer un corte «transversal» entre el sonido en campo (*in*), el sonido procedente de una fuente diegética no encuadrada (*off*) y el sonido procedente de un fuera de campo radical (*over*), que sirve para crear efectos más amplios que los proporcionados por la imagen. En el primer caso nos encontramos con un ruido que tiende a «espesar» la situación audiovisual, a hacerla más verosímil: en la práctica, a reproducir lo más fielmente posible lo que sería una situación «real». En el segundo caso se trata de un ruido que puede actuar como nexo entre distintas imágenes referentes a la misma realidad (el griterío de un mercado, el fragor de una batalla, etc.), o de un ruido que puede rellenar un poco artificiosamente una situación visual de por sí poco significativa (en muchos films de terror, o simplemente fantásticos, aparecen verdaderos muestrarios de susurros, golpes, crujidos, etc., de los que no se ve la fuente, pero que sirven para crear una atmósfera respecto de unas imágenes que no presentan «anormalidad» alguna). En el tercer caso, en fin, se trata de un ruido que puede asumir una función narrativa más abstracta, por ejemplo funcionando como corte entre una secuencia y otra (en este caso, por ejemplo, a menudo se sube el volumen del sonido, hasta que ocupa, por así decirlo, toda la escena).

Y por fin, la *música*. Su intervención en campo u *off* es mucho menos frecuente que en el caso de la palabra o el ruido (por ejemplo, músicos que tocan en escena, gramófonos que emiten melodías, etc.), mientras que es frecuentísima su utilización *over*, como acompañamiento de la escena, y también como momento que concluye *in crescendo* una secuencia y acentúa el corte con respecto a la secuencia siguiente.

Bertolucci, fiel a su propia riqueza expresiva, concede a menudo a la música un estatuto ambiguo. Pensemos, en lo referente a nuestro film, en la canción que canta el trío vocal «Las golondrinas»: empezamos a oírla con el rostro de Marcello en campo, por lo que podemos considerarla perfectamente musica *over* (es decir, como simple comentario musical); sin embargo, un corte nos reconduce al diálogo entre Marcello e Italo Montanari, con el trío cantando en escena, por lo que descubrimos que se trata de una música implicada en la acción, respectivamente *in* cuando las muchachas que cantan detrás de Marcello forman parte de un encuadre junto a él, y *off* cuando la oímos sin verla, pero sabiéndola presente.

De cualquier forma, a través de las tres dimensiones sonoras, la tipología de los empleos de la música es bastante amplia, yendo del naturalismo de una fuente que emite un programa casi casual (una radio funcionando en escena) hasta el falso realismo de un escenario de musical (la orquesta suena bien a la vista, los protagonistas empiezan a bailar, la orquesta desaparece...), del énfasis retórico en escenas llenas de dramatismo y sentimiento (despedidas, reconocimientos, dramas...) al acompañamiento discreto (escenas de transición, momentos narrativamente menos «fuertes»), del corte brusco (subida del nivel sonoro y brusca caída del mismo) a la unión entre secuencias adyacentes, etc.

Recopilemos ahora un poco cuanto hemos dicho. Hemos insistido en el hecho de que la dimensión sonora, ya se trate de la voz, de los ruidos o de la música, asume valencias «cinematográficas» esencialmente cuando entabla relaciones significativas con los componentes visuales del film, cuando interactúa con la imagen. En este sentido, entre sus múltiles funciones, hemos advertido su capacidad para cargar de sentido el contenido del encuadre, y sobre todo su facultad de unir los encuadres entre sí, o, por el contrario, de señalar su separación. Uniones y separaciones que nos conducen a la última etapa de este recorrido a través de los códigos cinematográficos: la relativa a los códigos sintácticos.

3.4.9. Códigos sintácticos

Un principio general del cine es el hecho de que las imágenes se suceden a lo largo de una continuidad, a través de una duración; mejor dicho, el hecho de que un film contempla no sólo fenómenos de iconicidad, de fotografía, de movimiento (véanse los apartados 3.4.3., 3.4.4. y 3.4.5.), sino también fenómenos de «puesta en serie», de «multiplicidad» de las imágenes. Vamos a hablar de todo ello aquí, después de haber examinado los componentes sonoros, porque esta multiplicidad de lo visual aparece regulada por la totalidad de los medios expresivos cinematográficos, y no sólo por lo que se presenta a la mirada: por ello, para definir una «sintaxis» del film nos hacen falta todos los componentes, no uno solo.

Ante todo, hay que definir el área de acción de los códigos sintácticos. Esencialmente, regulan la asociación de los signos y su organización en unidades progresivamente siempre más complejas: por ello, presiden la constitución de los nexos o, viceversa, la creación de vacíos e interrupciones, articulando los signos en una trama extendida entre los polos de la continuidad y los de la discontinuidad.

Ahora bien, estos códigos pueden activarse en dos niveles muy distintos: «dentro» de las imágenes y «entre» las imágenes. En el primer caso, actúan por simultaneidad, agregando y disponiendo elementos copresentes en el interior de la misma imagen (sean visuales o sonoros); en el segundo caso, por el contrario, actúan por progresión, asociando y organizando elementos que forman parte de imágenes distintas y por lo demás contiguas. En este apartado dejaremos a un lado la primera forma de asociación («dentro» de las imágenes), que de cualquier modo se puede reconducir a la temática de la «composición», y nos concentraremos en la segunda modalidad, más inmediatamente identificable con el problema de la puesta en serie, y tradicionalmente tratada bajo el rótulo de «montaje».

No es éste el lugar adecuado para comentar la extraordinaria riqueza de los «tipos de montaje» que el cine ha elaborado en el curso de su historia (y que los teóricos, a su vez, han reconocido y sistematizado).[24] Por el contrario, nos parece útil encuadrar el funcionamiento de los códigos sintácticos a partir de una esquemática tipología de las formas de

24. Entre los teóricos que han intentado establecer una clasificación de las formas del montaje, recordemos en particular a Pudovkin, Timosenko y Arnheim, cuyos modelos se presentan en ARNHEIM, 1932; y también a Eisenstein, que propone el núcleo de su reflexión fundamental sobre el montaje en EISENSTEIN, 1985 (1937). Más recientemente han intentado sintetizar estos conceptos teóricos como BURCH, 1969, BORDWELL/THOMPSON, 1979 y Marie («Montage», en AA.VV., 1975), entre otros.

asociación entre las imágenes. Veamos, pues, brevemente cuáles son los tipos de asociación dominantes.

1. *Asociación por identidad*. Este tipo de nexo se verifica cada vez que una imagen vuelve igual a sí misma, o cada vez que un mismo elemento retorna de imagen en imagen.

Dadas las dos imágenes contiguas A y B, se viene, pues, a instaurar una relación del tipo «A ≡ B».

Esta relación puede referirse tanto a elementos del contenido representado como a elementos del modo de representación. Un ejemplo del primer caso es el nexo de «correferencia»: se produce entre dos imágenes, A y B, que se refieren a un mismo objeto, aunque presentado de modo distinto (como cuando en el lenguaje verbal decimos, por ejemplo, «Julio Verne» o «el autor de *Viaje al centro de la Tierra*); o entre dos imágenes, A y B, que encuadran un mismo espacio, aun conteniendo objetos diferentes; y así sucesivamente. En cuanto al segundo caso, es decir, a la identidad en los modos de representación, pensemos en todos los casos en los que, en las dos imágenes A y B, se repiten idénticos esquemas visuales (dando así lugar al retorno de una misma estructura formal), o idénticas duraciones temporales (dando así lugar a la recursividad de escansiones regulares, típicas del «ritmo»), o idénticas gradaciones luminosas o cromáticas, etc.

2. *Asociación por analogía y asociación por contraste*. Estos tipos de nexo se verifican cada vez que en dos imágenes contiguas se repiten, respectivamente, elementos similares o más o menos equivalentes pero no idénticos, y elementos marcadamente diferenciados pero cuya misma diferencia deviene fuente de correlación. Entre las dos imágenes A y B viene, pues, a instaurarse una relación del tipo «A ↔ B» en el primer caso, y «A ↮ B» en el segundo. La complementariedad, y sobre todo la frecuente copresencia de estas dos formas de asociación, nos lleva a tratarlas aquí juntas: de hecho, no es raro encontrar elementos vecinos (dos personajes, por ejemplo), entre los cuales se hayan activado al mismo tiempo asociaciones por analogía (ambas mujeres, ambas jóvenes, ambas hermosas, ambas amantes del mismo hombre, etc.) y por contraste (la una buena y la otra pérfida, la una rubia y la otra morena).

De cualquier modo, el nexo analógico o de contraste puede

actuar en diferentes niveles y en diferentes grados de complejidad: para entendernos, se va del simple reclamo figurativo (el encuadre A presenta un elemento gráficamente similar al elemento presente en B: en nuestro film, es el caso de Ventimiglia, primero presentada como imagen, y luego «en vivo», desde el mismo punto de vista) a los casos más articulados de *montaje paralelo*, en los que los encuadres A y B presentan dos situaciones autónomas, que se justifican sobre la base de sus respectivos rasgos comunes (es el montaje en contrapunto: un hombre y una mujer que se aman y una pareja de pájaros, como en *Avaricia*, de Stroheim), o por el contrario de sus respectivos rasgos contrapuestos (es el montaje por contraste: la clásica oposición pobres/ricos). Las posibles variantes las proporcionan la presencia de dos situaciones contrarias que se desarrollan en una misma fase de la trama, o la presencia de dos situaciones análogas que se desarrollan en tiempos distintos (*El conformista* ofrece un claro ejemplo: es un mismo comportamiento, Marcello andando delante de un coche y luego deteniéndolo, que se representa en dos momentos diferentes de su vida, en el presente y cuando tenía doce años).

3. *Asociación por proximidad*. Este tipo de nexo se verifica cuando las imágenes A y B presentan elementos que se dan por contiguos.[25] Entre las dos imágenes A y B se viene, pues, a instaurar un nexo del tipo «A — B». Este nexo de proximidad es activo, como los precedentes, en distintos niveles: lo vemos en el caso del simple *campo/contracampo* (A: encuadre de alguien que habla; B: encuadre de alguien que escucha), y también en el caso más complejo del *montaje alternado* (el ejemplo más típico es el entrecruzamiento de encuadres entre perseguidores y perseguidos, o de la heroína en peligro y del héroe que corre para salvarla).

4. *Asociación por transitividad*. Este tipo de nexo se da cuando la situación presentada en el encuadre A encuentra su prolongación y su complemento en el encuadre B. El nexo que se instaura entre las dos imágenes será del tipo «A ⇒ B».

25. Contiguos, obviamente, más que en la realidad que el film capta (lo profílmico), en la realidad que el film construye y ofrece como suya (el «mundo posible» del film).

Puede existir, en este sentido, una transitividad de un momento a otro de la misma situación (por ejemplo, A: saca la pistola; B: dispara), o bien una transitividad de un elemento de una situación a un elemento de otra (como en otra variante del campo/contracampo, la proporcionada por A: alguien que mira; B: el objeto visto).[26]

Hasta aquí hemos visto los tipos de asociación posibles entre dos imágenes. Pero existe otra forma de nexo, que constituye la antítesis de la asociación, o por lo menos una asociación «neutralizada».

Es el caso del simple *acercamiento*, o bien de la mera yuxtaposición de dos imágenes que no presentan ningún elemento de *raccord*. La relación instaurada entre las imágenes será del tipo « A,B ». Los ejemplos más típicos de esta relación son los que se producen en la unión de la última imagen de una secuencia con la primera imagen de otra, siempre que evidentemente no estén presentes otros elementos de unión (el mismo personaje o los mismos ambientes).

Ahora bien, si se observan con atención, los distintos tipos de nexo que acabamos de comentar, pueden dar lugar a grandes modelos de «estructuras sintácticas», a «modos de construcción del discurso» recurrentes. Las distintas maneras en que se conectan entre sí las imágenes, en resumen, se reúnen en torno a algunas soluciones típicas que remiten, cada una de ellas, a una cierta idea de «montaje». Veamos ahora brevemente estas formas sintácticas básicas, con sus características específicas.

1. El *plano-secuencia*.[27] Consiste en una «toma en continuidad»: todos los distintos momentos que componen una secuencia son incluidos en un solo encuadre. Técnicamente, nos encontramos aquí con un complejo de elementos (por ejemplo, una serie de situaciones, cada una de las cuales constituye un núcleo preciso) que se nos proporcionan sin cortes, suspensiones ni manipulaciones: la cámara pasa de un elemento a otro de una manera seguida (gracias al movimiento,

26. La posibilidad de inscribir el campo/contracampo en dos categorías de nexos, nos hace comprender que algunas formas tradicionales del montaje necesitan para su constitución mas de una forma de asociación.

27. Para la noción de «plano-secuencia» véase BAZIN, 1958.

que la lleva de A a b), o espera a que la evolución de un elemento se cumpla por sí sola (gracias a la simple permanencia sobre una situación, que de A se convierte en B), etc. Aquí, pues, y en el nivel sintáctico, el énfasis se pone sobre el nexo asociativo entre los elementos encuadrados, y en particular sobre el nexo de «proximidad» (el hecho de que los elementos sean de algun modo contiguos es lo que permite que la cámara pueda abrazarlos en una mirada o un movimiento único). La configuración, sin embargo, emplea también otros tipos de nexo: si los distintos momentos del plano-secuencia son atravesados por un mismo movimiento o una misma acción, intervendrá también un nexo de «transitividad» (A se prolonga en B); si, por el contrario, no existe, por así decirlo, «testigo» alguno que pase de una imagen a la otra, tendremos un simple «acercamiento» (A y B conviven sin que entre ellos se establezca una verdadera relación). De todos modos, queda en pie el privilegio del nexo asociativo sobre el contrapositivo o el yuxtapositivo: el rol de la cámara es de hecho, principalmente, el de «mantener juntos» a los distintos elementos, ya sea con su movimiento o con su mirada en profundidad.

En *El conformista* existe un pequeño plano-secuencia, cuando la cámara «sigue la pista» de Marcello, que se prepara para salir porque Manganiello lo ha llamado por teléfono. Pero, en la filmografía de Bertolucci, los ejemplos más obvios de plano-secuencia se encuentran en *La estrategia de la araña* (Italia, 1970), en la que, en el interior de una estructura intensamente dominada por la ficción, la cámara y la continuidad de la estructura sintáctica manifiestan con insistencia el intento de captar, por así decirlo, el aliento de la realidad.

2. El *découpage.*[28] Consiste en la asociación de una serie de imágenes todas ellas diferentes a la misma situación, de la cual cada una de ellas subraya un aspecto: por ejemplo, para representar un encuentro, tendremos la media figura de un hombre que entra por una puerta y es recibido por una

28. Para la noción de «*découpage*» véase en particular M. Marie, «Découpage», en AA.VV., 1975, y más en general la contribución al pensamiento cinematográfico realizada por *Cahiers du Cinéma*.

criada, seguido de la media figura del hombre mirándose al espejo y tocándose el pelo, seguido del total de una mujer a cuyo encuentro va el hombre, seguido de un total de los dos juntos espiados por la criada detrás de la puerta, seguido de un primer plano del hombre, seguido de un primer plano de la mujer (es la secuencia del encuentro entre Marcello y Julia en la primera parte de *El conformista*). Aquí la cámara opera a través de segmentaciones y reuniones, de cortes y reasociaciones, con el fin de definir precisamente la situación, además del hecho de seguirla en su integridad.

El énfasis se pone, evidentemente, sobre los *elementos* asociados, mas que sobre el *nexo* que los une: las imágenes se asocian por su contenido, y no tanto sobre la base de una «coexistencia efectiva» de lo representado (en los primeros planos del hombre y de la mujer, no se dice que en ese momento sean vecinos, por así decirlo, en la realidad). Sin embargo, existen motivos para que se realice la asociación: en concreto, entran en juego nexos de «identidad» (una imagen retoma lo representado en la otra), de «transitividad» (una imagen completa lo representado por la otra) y de «proximidad» (una imagen presenta algo que está al lado de lo representado por la otra). El resultado es la formación de una unidad, que ya no reposa sobre la permanencia de la cámara, como en el plano-secuencia, sino en la capacidad de amalgamarse de los elementos. Pensemos, por lo demás, en el campo/contracampo, que es la realización más típica del *découpage*: tenemos el primer plano de alguien que habla, con quien escucha de espaldas; o tenemos el primer plano de alguien que mira, seguido del primer plano del objeto mirado, situado ante él; en ambos casos los contenidos de las dos imágenes están tan relacionados (por proximidad y transitividad) que el corte entre una imagen y la otra acaba siendo anulado. Aunque no todas las formas de *découpage* son tan «hiladas»: a menudo la fragmentación se hace notar, y la unidad del conjunto resulta un poco resquebrajada.

Es precisamente el caso de nuestro ejemplo. Tenemos encuadres breves, que a partir de fragmentos recomponen situaciones concretas: estos encuadres están relacionados entre sí por nexos fluidos, pero también quizá un poco sorprendentes, que hacen que la unidad de la situación reconstruida esté siempre a punto de fraccionarse y romperse. Por lo demás, esto coincide con el tema del film, con la (fatigosa) búsqueda de una identidad a partir de una conciencia desgarrada.

3. El *montaje* o *montaje-rey.*[29] Opera sobre la asociación de imágenes que no presentan un nexo directo entre sí, pero que lo alcanzan por el hecho de ser vecinas. Son las típicas operaciones propuestas por el cine soviético de la primera posguerra mundial: bueyes en el matadero al lado de obreros sobre los que se ejerce la represión política; el general Kerenski al lado de un pavo real (respectivamente en *La huelga* y *Octubre*, ambas de Eisenstein). No por casualidad hablamos de acercamiento: el énfasis se pone aquí, más que sobre el nexo entre los objetos o sobre los objetos relacionados, sobre la simple *posibilidad* de un nexo. Lo que resulta evidente, entonces, es el encuentro entre los elementos: pero también el nacimiento, a partir de su yuxtaposición, de un nuevo significado. La construcción sintáctica procede por medio de saltos, fricciones violentas, conflictos entre imágenes, en los que las relaciones más directamente reconocibles son las de analogía y contraste (cuando no se trata de un simple acercamiento).

El conformista no es del todo ajeno a estas soluciones sintácticas, aunque las utiliza en un marco narrativo muy sólido y verosímil: como se ha dicho, existen asociaciones tal vez intrépidas, detalles fuertemente connotativos interpuestos entre los encuadres de por sí «hilados», nexos evocativos, pequeños saltos, todo lo cual aproxima al film, por lo demás espesísimo, a un juego de fracturas y de descartes bastante visible en el plano del estilo (recordemos en este sentido otro film de Bertolucci: *Partner*, Italia, 1968).

Así pues, *plano-secuencia*, *découpage* y *montaje-rey.* El examen de estas formas organizadas de asociación nos ha abierto la última puerta en nuestro camino por los componentes cinematográficos: de hecho, entrevemos la posibilidad de que todas las elecciones ilustradas hasta aquí puedan de algún modo reconducirse a regímenes más globales, en torno

29. Para la noción de «montaje-rey» véase la teoría y la praxis eisensteinianas (EISENSTEIN, 1985), así como la elaboración teórica de J. Aumont y otros estudiosos franceses.

a los cuales se reúnan las grandes opciones lingüísticas y expresivas. Exploremos ahora este último territorio, introduciendo la noción de *escritura* e indagando las posibles y distintas determinaciones.

3.5. Los regímenes de escritura

Generalmente ningún film utiliza la totalidad de las formas y las modalidades expresivas que hemos descrito. O es mudo o es sonoro, o es en color o en blanco y negro, o recurre al plano-secuencia o utiliza el *découpage*, etc.; bien sea por razones históricas (antes de 1928, por ejemplo, no existía el sonido sincronizado), o bien por elecciones subjetivas destinadas a dar unidad y coherencia al texto. Cada film, por lo tanto, está caracterizado por la puesta en obra de sólo algunas de las categorías que hemos visto: algunas están trabajadas de modo asiduo y meticuloso, en otras se detienen *en passant* e incluso existen algunas que se decide ignorar. De ahí surge un sistema de elecciones coherente y motivado, articulado por condensaciones y rarefacciones en torno a algunas opciones, y que finaliza indicando la individualidad y la organicidad de un texto.

Ahora bien, en la definición de estos sistemas de opciones, dos pueden ser las alternativas problemáticas de fondo:

a) escoger, entre la gama de posibilidades, las intermedias, es decir, las más «normales» y «regulares» (por ejemplo, en la escala de los planos, las comprendidas entre el total y el primer plano), o bien insistir sobre las más extremas, «inusuales» y «fuertes» (campos larguísimos y detalles enormes). Se trata de la alternativa entre lo *neutro* y lo *marcado.*

b) escoger, entre la gama de posibilidades, un número limitado de opciones, basándose restrictivamente en ellas (volviendo al ejemplo anterior, usar siempre los planos «intermedios» entre el total y el primer plano, o siempre los planos «extremos», como el campo larguísimo o el detalle), o bien alinear soluciones de diversa naturaleza, mezclando elecciones «neutras» y elecciones «marcadas» (usar entonces el campo larguísimo junto con el total, o el primer plano junto con el detalle). O también relacionar entre sí las elecciones realizadas (utilizando transiciones entre el campo largo y el primer plano: ir, por ejemplo, de uno a otro pasando por una figura entera), o bien conservar las evidentes diferencias entre una elección y otra, explicitando los intervalos entre ambas (aproximar planos distintos, como la media figura y el primer plano, «saltando» de uno a otro). Lo que, en resumen, está aquí en juego es la alternativa entre lo *homogéneo* y lo *heterogéneo.*

Ahora bien, la orientación y el posicionamiento a lo largo de estas dos coordenadas es lo que define los grandes regímenes de *escritura* que el film puede adoptar. En concreto, de las tres formas principales de escritura, la escritura *clásica* se caracteriza por la presencia de elecciones lingüísticas neutras y homogéneas; la escritura *barroca*, por la presencia de elecciones homogéneas más marcadas; y la escritura *moderna*, por la presencia de elecciones heterogéneas que mezclan los elementos, sean neutros o marcados. Pero veamos mejor estos regímenes.

La *escritura clásica* (de la que nos ofrece numerosos ejemplos el cine americano de género de los años 30 y 40, y que puede reencontrarse hoy, en una versión banalizada, en la mayor parte de los telefilms) se define mediante elecciones situadas en la vertiente de la neutralidad y la homogeneidad: es decir, elecciones medias sobre las que se permanece con coherencia. De ahí surge una escritura que manifiesta un gran equilibrio expresivo, funcionalidad comunicativa e imperceptibilidad de la mediación lingüística.[30]

Para entender el sentido de esta neutralidad de las elecciones, pongamos algunos ejemplos. En el nivel de los códigos que regulan la escala de los planos, existe un predominio de los Totales y de las Figuras Enteras. Esta elección «media» (de la que se prescinde sólo de vez en cuando, recurriendo a alargamientos o restricciones siempre moderados y progresivos) permite tanto enfocar el elemento principal de una situación, como representar el contexto que lo alberga, en el cual, por otra parte, se encuentran elementos que antes o después también serán enfocados. De ahí la extrema facilidad de lectura que caracteriza a cada una de las imágenes (los ele-

30. Con respecto a la «escritura clásica» véanse RAY, 1985 y BORDWELL/STAIGER/THOMPSON, 1985.

mentos no están ni muy cercanos ni muy lejanos) y la disposición de cada imagen para relacionarse con la otra (los elementos que aparecen en segundo plano en una de ellas, serán focalizados en la siguiente).

De ahí, en el nivel de los códigos del montaje, la construcción de una estructura sintáctica que no permite errores en la orientación del espectador: en primer lugar se muestra por completo el espacio de la acción (es el llamado *establishing shot*), luego la acción y el espacio se fragmentan en más encuadres (los *breakdown shots*) y finalmente se muestra de nuevo todo el espacio representado en una visión unitaria (el *reestablishing shot*). El espectador, de este modo, sabe siempre lo que esta mirando y dónde se encuentra, como si percibiera una acción continua en un espacio fluido.

En cada encuadre, y ya en el nivel de los códigos de la composición icónica, prevalecen imágenes «centradas», es decir, imágenes que colocan el elemento principal en medio del encuadre (es la llamada técnica del *centering*). Esto, entre otras cosas, comporta tanto una limitación de las llamadas al fueracampo (lo importante es lo encuadrado), como una inmediata saturación de estas llamadas, cuando éstas se presentan (lo que no se ve ahora, se verá «bien» en el próximo encuadre).

Siempre para garantizar el equilibrio compositivo, se activa luego el llamado «sistema de los 180 grados»: procedimiento mediante el cual las tomas se efectúan siempre desde el mismo lugar de un eje imaginario situado entre la cámara y el escenario, con el fin de conservar en la imagen el mismo emplazamiento visual. De hecho, si no se atraviesa nunca este eje (evitando así aquello que se define como «suplantación de campo»), se obtienen al menos dos efectos: ante todo, parte del espacio representado, por ejemplo, en el encuadre A estará presente, aunque desde un ángulo distinto, en el encuadre B; y en segundo lugar, no se altera la colocación de los elementos en la pantalla, puesto que lo que en A se encuentra a la derecha, se encontrará también a la derecha en B, aunque filmado de modo distinto (mientras que si se suplanta el campo, lo que primero estaba a la derecha pasa a la izquierda y viceversa).

Esto nos conduce, volviendo a los códigos del montaje,

a aquella construcción fundamental que es el «campo/contracampo» (o *shot-reverse shot*). Esta consiste en alternar la imagen de un hablante con la de un oyente (que a su vez puede tomar la palabra), o la imagen de alguien que mira con la de lo que ve, conservando en cada imagen una llamada a lo que no está enfocado (por ejemplo, en el encuadre A la espalda de quien escucha, en el B la espalda de quien habla) y dejando a cada uno el lugar que ocupa en el encuadre (quien habla estará a la derecha sea en A o en B).

En el campo/contracampo, por otro lado, se activa un *raccord* de mirada (*eyeline match*): se pasa de un elemento al otro siguiendo la ojeada que el primero lanza al segundo (pues también en la conversación los dos sujetos se miran). Siempre en relación a los códigos sintácticos, advertimos también el llamado *raccord* de acción (*match on action*), que consiste en acercar dos momentos distintos de un mismo gesto: es el caso del hombre que en el encuadre A abre la puerta y en el encuadre B ya ha pasado mientras la puerta se está cerrando. Aquí se ha operado un pequeño corte, pero el proceder de la acción, la dirección que ha tomado, garantiza que la contracción no se advierta como empobrecimiento (y que a menudo ni siquiera se advierta). Finalmente, señalemos la utilización del *raccord* «engañoso» (*cheat cut*), vale decir, el subrayado de un nexo cualquiera entre un encuadre y otro, para hacer pasar casi inadvertidos todos los factores de discontinuidad que emergen del corte. Muchos son los posibles usos: en el ejemplo del hueso y de la astronave de Kubrick, se desvía la atención hacia el nexo figurativo para que el enorme salto temporal parezca menos brusco; la utilización de los signos de puntuación (por ejemplo, el fundido encadenado para introducir un *flash-back* o salir de él) sirve para preparar al espectador con respecto a la discontinuidad del corte que sigue; la misma práctica del montaje alternado (la alternancia, para entendernos, de perseguidores y perseguidos) esconde la dishomogeneidad espacial, instaurando un potente nexo de causa/efecto y de simultaneidad temporal entre los acontecimientos narrados. Lo que más llama la atención, en resumen, debe ser lo que asegure la linealidad y la continuidad de la representación.

De cualquier modo, todas estas soluciones activadas código por código coinciden en la definición de la dirección dominante en el régimen del clasicismo: la uniformidad de las elecciones o bien, en caso de que existan algunas heterogéneas, la instauración de una transición entre ellas; dicho de otro modo, la emergencia de la continuidad representada (que supone una dimensión, digámoslo así, «natural») y la imperceptibilidad de la mediación lingüística.

La *escritura barroca* se define mediante elecciones lingüisticoexpresivas caracterizadas por la marcación y la homegeneidad. De ahí que presente opciones extremas, radicales, sobre las que se trabaja insistentemente y con exclusividad: si se adopta una solución «no marcada» es sólo para que actúe como transición fugaz entre dos momentos marcados (es típico el uso de la figura entera como nexo entre el total y el primer plano, o la iluminación neutra como paso de la luminosidad poco constrastada al intenso claroscuro). De ello surge una escritura basada en la exploración de los extremismos y de la marginalidad, donde sin embargo la diversidad de las elecciones se «mantiene unida» por medio de la presencia de transiciones y puentes. En este sentido, pues, podemos hablar de «homogeneidad»: frente a opciones distintas y a menudo opuestas, se continúa siempre con las elecciones marcadas, y al mismo tiempo se evitan los saltos bruscos entre un extremo y otro.

En el nivel de los códigos de la transición icónica, por ejemplo, nos movemos a menudo entre la presentación naturalista, de sabor marcadamente documental, y la distorsión figurativa de las apariencias; entre la reconocibilidad de un objeto físicamente presente y la ocultación de otro. Welles, que es uno de los más significativos exponentes de este régimen, reuniendo en su *Ciudadano Kane* la secuencia intensamente onírica de la muerte de Kane (movimiento progresivo de la cámara, serie de fundidos encadenados, escenografía alucinante, perspectiva deformada por el gran angular, utilización sincopada del detalle y los efectos especiales de la bola con nieve) y la secuencia marcadamente realista del noticiario *News on the march*, pasando por el estilizado logotipo de este último, nos proporciona un claro ejemplo de transición entre opuestos.

En el nivel de los códigos de la perspectiva, se oscila con

desenvoltura entre las imágenes «planas», donde todo se desarrolla sin tener en cuenta la cámara, e imágenes «profundas», organizadas a lo largo de la línea de fuga de la perspectiva y que albergan una gran gama de objetos, acciones y movimientos, que animan la imagen recorriéndola transversalmente. Estamos pensando otra vez en el film de Welles, en el que a menudo estos extremos están copresentes en un mismo encuadre: el que habla está lejos, al fondo, mientras que el que escucha está en primer plano, en los márgenes del cuadro, situándose entre ambos el espacio del decorado en toda su plenitud.

En el nivel de los códigos de la iluminación, se superponen la oscuridad y las revelaciones luminosas, pasando por ocultamientos y pasajes difusos; en el nivel de los códigos del blanco y negro y del color, se va de imágenes grises a imágenes vivamente cromáticas, pasando por un progresivo enriquecimiento tonal del blanco y negro (pensemos en *La conjura de los boyardos*, de Eisenstein); en el nivel de los códigos de la movilidad, se oscila entre el estatismo y el dinamismo, incluso en el interior del mismo encuadre, como en la primera secuencia de *El conformista*, que empieza con la imagen fija de Marcello tendido en el lecho y se desarrolla a través de un verdadero «seguimiento» de sus desplazamientos por la habitación, pasando por el lento movimiento inicial de la cámara.

Lo que, en resumen, descubre el régimen de la escritura barroca es la extrema «marcación» de las soluciones adoptadas, y por ello, inevitablemente, su tal vez sorprendente copresencia, pero al mismo tiempo la intervención de una transición entre los extremos que convierte el conjunto en algo fluido y homogéneo. Así trabajaron Fuller y Ray, sintomáticamente definidos como «fogosos» por los críticos de *Cahiers du cinéma*. Así trabajaron De Santis y Leone, o Huston y Bresson, por mencionar realizadores muy distintos, es decir, aquel tipo de directores de la posguerra que tenían los ojos puestos en una tradición concreta para superponerle una fuerte marca «autoral». Y así, sobre todo, trabajó Welles, cuyas obras han evidenciado siempre la predilección por lo marginal en detrimento de lo medio, por la transgresión en contra de la integración, por el juego «trucado» en lugar del juego «pulido», en una especie de enfrentamiento directo con el clasicismo: tenemos así lo clásico «hipertrófico» de *Ciudadano Kane* (una sistemática «hinchazón» de las soluciones), lo clásico «enfático» de *El cuarto mandamiento* (soluciones extremas presentadas a través de pasajes intermedios y transiciones) y el «derrumbamiento» de lo clásico en *La dama de Shangai* (transgresión ahora ya abierta de las normas de la «buena conducta» representativa).

La *escritura moderna*,[31] finalmente, viene definida por las elecciones lingüísticas y expresivas caracterizadas por la dishomogeneidad y la heterogeneidad. Soluciones medias y soluciones marcadas se encuentran aquí mezcladas sin ningún diseño permanente o previsible. Y, sobre todo, entre unas y otras no interviene transición alguna, ningún elemento de paso que construya una estructura de algún modo fluida u homogénea. De ello surge una escritura reconocible por la presencia de saltos bruscos y la ausencia de nexos, que manifiesta en toda su evidencia la función de mediación lingüística. En oposición a la escritura «clásica» (también llamada «transparente» porque no se da a ver, presentando el objeto como si fuese independiente de los componentes lingüísticos que lo asumen), la escritura «moderna» (llamada «opaca») exagera la parcialidad de los propios puntos de vista, exalta las manipulaciones del montaje, se muestra desnuda en sus propias intervenciones, proponiéndose como filtro explícito de la realidad.

De hecho, la práctica clásica del *centering* se sustituye por el descentramiento de los objetos; la instauración del «sistema de los 180 grados» deja paso a la adopción de la «suplantación de campo»; una manera de encuadrar neutra, no marcada, desaparece en favor de angulaciones e inclinaciones muy apreciables, una modalidad de encuadre a menudo bastante drástica. El mismo Bertolucci nos proporciona un ejemplo al principio de la secuencia del encuentro entre Marcello y Manganiello, cuyo primer encuadre está inclinado unos 15 o 20 grados a la izquierda, transtornando así la perspectiva, la composición de los objetos y su propia reconocibilidad.

31. Acerca de la «escritura moderna», véanse METZ, 1968 («Le cinéma moderne et la narrative»), CHATEAU/JOST, 1979, DELEUZE, 1983 y DELEUZE, 1985.

En concreto, y en el nivel de los códigos sintácticos, a la imperceptibilidad del *découpage* clásico la escritura moderna opone dos procedimientos: una decidida fragmentación (por ejemplo, renuncia al *raccord* de mirada o de acción, para dejar cada encuadre aislado en sí mismo), o la exhibición de las conexiones (se exaspera la profundidad de campo, que une y entrelaza los planos de la imagen, o se insiste en los movimientos de cámara, gracias a los cuales se registra todo «de un tirón»). La mediación lingüística, por otra parte, se desnuda de manera casi descarada en la utilización del sonido no-sincronizado, en el que las imágenes y los sonidos siguen recorridos no homogéneos, derivando de ello una sensible intervención manipulativa (Godard hace un amplio uso de ello).

Así pues, dishomogeneidad y heterogeneidad; copresencia de opciones marcadas y no marcadas, sin pasos intermedios. Esto, naturalmente, no significa que falte una unidad de estilo: la misma desenvoltura y la riqueza de soluciones acaban constituyendo un trasfondo de referencias, evitando así el puro caos. El principio de orden, en resumen, existe, pero determinado de vez en cuando: de ahí la mayor complejidad que manifiesta esa escritura, y el mayor esfuerzo de lectura que requiere.

Es inútil decir que la caracterización que hemos realizado de las tres escrituras no tiene pretensión alguna ni de exhaustividad ni de erigirse en definitiva. Además, no supone ningún tipo de cronología (el cine no fue primero clásico, luego barroco y finalmente moderno): lo único que queríamos hacer era definir una amplísima tipología de «regímenes» lingüísticos, que sirviera de orientación con respecto al modo en que opera cada film. De todos modos, después de haber delianeado estos tres tipos ideales y de haber reconducido hacia ellos las distintas categorías descubiertas en el examen de los componentes cinematográficos, podemos ya inaugurar un nuevo recorrido. Afrontaremos ahora el texto fílmico, por así decirlo, desde otro ángulo: el de la representación.

4. El análisis de la representación

4.1. La representación

Pensando en el término «representación» nos vienen a la mente, de modo intuitivo, acciones como «hacer presente algo que está ausente», «sustituir», «reproducir», etc. En todos los casos, de cualquier modo, lo que primero se quiere sugerir es la activación de una función vicaria; *x* «está en lugar de» y, por ello *x* asimila a y, *x* hace las veces de y, etc. Ahora bien, si nos proponemos analizar una función de este tipo y los modos en que se declina en la imagen fílmica, nos plantearemos dos problemas concretos: por un lado, nos encontramos con la ambigüedad de la terminología y de los mismos conceptos generalmente utilizados; por otro lado, nos resulta difícil orientarnos con respecto a las distintas vías que la representación parece invocar durante su práctica. Centrémonos, pues, brevemente en estos dos problemas, aunque sea sólo para aclarar algunas opciones metodológicas y para trazar coordenadas de base.

En primer lugar, como hemos dicho, nos encontramos con una ambivalencia lexical. El término de representación, de hecho, viene a signficar, por un lado, la puesta en marcha de una reproducción, la predispoción de un relato, y por otro la reproducción y el relato mismos. En una palabra, con el mismo término se indica tanto la operación o el conjunto de operaciones a través de los cuales se opera una sustitución, como el resultado de esa misma operación.[1]

1. Esta oposición fue retomada a finales de los años sesenta por un grupo de teóricos obsesionados por la noción de *escritura* (que para ellos significaba la preeminencia de la acción representativa por encima del mero resultado). Véase las contribuciones de la revista *Tel quel*, por ejemplo las de

Ahora bien, la aproximación al film y a su análisis, que caracteriza nuestro trabajo, es explícitamente de carácter estructural y categorial, y no generativo o procedimental. Partimos, pues, del texto como objeto completo para investigar su composición, su arquitectura y su dinámica, y no para seguir las distintas etapas que ha atravesado, el trabajo que ha costado, el modo en que se ha venido formando, etc. Por lo tanto, aun aceptando la ambigüedad lexical, nuestra atención privilegiará el resultado por encima del proceso, la imagen obtenida por encima de los pasos dados para obtenerla. No hay que olvidar, sin embargo, que el conjunto de las operaciones constitutivas del texto fílmico no quedarán totalmente fuera de nuestra reflexión, aunque sólo sea por los trazos genéticos y las marcas productivas que aparecen inevitablemente en la superficie del objeto terminado.

En segundo lugar, como decíamos, advertimos que en la naturaleza misma de la representación («estar en lugar de»), y especialmente de la representación cinematográfica, residen las raíces de un doble y, en ciertos aspectos, contradictorio recorrido: por un lado hacia la representación fiel y la reconstrucción meticulosa del mundo, y por otro hacia la construcción de un mundo en sí mismo, situado a cierta distancia de su referente.

El hecho de representar, por lo tanto, procede tanto en la dirección de la «presencia» de la cosa, sobre la base de la evidencia y de la semejanza, como en la dirección de su «ausencia», sobre la base de la ilusoriedad y del espejismo de la imagen. En el primer caso, el resultado sería el garantizar la recuperabilidad de lo ausente, hasta el punto de hacerlo parecer presente («Las cosas están ahí, basta con filmarlas»); mientras que en el segundo caso sería el de subrayar la distancia que separa al sustituyente y a lo sustituido, creando una presencia que es más válida por sí misma que por aquello que debe reemplazar («Si se quiere obtener la realidad, hay que reconstruirla»). En resumen, el mundo siempre

---

Julia Kristeva. En cuanto al cine, resultan esenciales las reflexiones del grupo de *Cinéthique*, y en particular las de G. Leblanc (por ejemplo, «Direction», en el número 5) y J. P. Farges («Le processus de production de film», en el número 6).

plantea un problema a aquellos que, con el cine o con otros medios, pretenden representarlo: ¿traducirlo o traicionarlo? ¿Insistir en lo sustituido (el mundo real) o en el sustituyente (el mundo de la pantalla)? Este dilema se repropone una y otra vez frente a cada una de las imágenes, condicionando cualquier tipo de proceso analítico.[2]

Doble ambigüedad, pues (¿qué es la representación: el acto de reproducir o lo reproducido? ¿Aquello a lo que remite la reproducción o un sustituto convertido en autónomo?). Doble ambigüedad: de términos y de direcciones. Hemos hablado de ello aquí tanto para justificar algunas opciones de fondo, como para estar preparados cuando reencontremos estas ambivalencias en el curso de nuestro camino. En concreto, la primera ambigüedad (entre «proceso» y «resultado») emer-

2. Este dilema aparece perfectamente resumido en Metz, «Cinema: langue ou langage?», en METZ, 1968, respectivamente referido a Rossellini y a Eisenstein. De hecho, el cine parece atravesado por dos vocaciones, en algunos aspectos contradictorias: una vocación «reproductiva», que recurre a la fidelidad mimética y a la evidencia del material fotográfico, y una vocación, por decirlo de algún modo, «productiva», caracterizada por un nexo completamente accidental con el dato objetivo, y que encuentra su consumación en la manipulación de los datos originales, en su reelaboración creativa, en su reestructuración sistemática, en su mezcla. La cámara, en el primer caso, se sitúa como un dispositivo «neutro», tanto en el sentido ideológico como técnico, es decir, como algo capaz de restituir con objetividad y sin mediaciones el mundo representado; mientras que en el segundo caso se presenta como mecanismo «prepotente», dispuesto a imponer su propia visión del mundo (en sentido lateral: es decir, dispuesto a reducir la realidad a una imagen delimitada, plana, relacionada con la perspectiva central, etc.), y por eso estructuralmente incapaz de establecer una relación objetiva con las cosas. El resultado, lo repetimos, es en el primer caso el de garantizar la recuperabilidad de lo ausente, hasta el punto de hacerlo parecer presente («Las cosas están ahí; basta con filmarlas»), mientras que en el segundo es el de subrayar la distancia que separa a lo sustituyente de lo sustituido, produciendo una presencia que por sí misma vale más que aquello a lo que reemplaza («Si se quiere obtener la realidad, hay que reconstruirla»). Para esta oposición entre «producción» y «reproducción» véase BALÁZS, 1949; aunque también en los primeros años del siglo encontramos oposiciones conceptualmente similares (véase Hannon, *The Photodrama. Its place among the fine arts*, Ruskin Press, 1915, págs. 17-21, donde se habla de disposición «representativa» vs. «presentativa» del cine). Más allá del campo del cine, recordemos que el dilema connatural a toda representación (¿sustituido o sustituyente? ¿Ausencia de recuperación o presencia que habla de una pérdida irremediable?) es común a muchas áreas: véase la espléndida intervención sobre el teatro de Derrida (DERRIDA, 1967).

gerá ya en el próximo apartado, cuando hablemos de los «niveles» fundamentales sobre los que se articula la imagen fílmica, sobre todo en cuanto resultado último de un proceso de construcción; hablaremos de puesta en escena, de puesta en cuadro y de puesta en serie, incluyendo inevitablemente algunas «fases de elaboración» del film. La segunda ambigüedad (entre la «reproducción» y la «producción») volverá a aparecer en la definición del «tipo de mundo» al que el film da consistencia: un mundo que llamaremos «posible», porque asume en equilibrio los datos reales y la naturaleza fundamentalmente artificial de la reproducción; si se quiere, porque asume en equilibrio la reconstrucción de un antecedente y la construcción de la nada. Ambas ambigüedades, también, reaparecerán cuando hablemos de los dos parámetros que determinan y orientan el mundo posible (el espacio y el tiempo), y cuando examinemos los distintos «regímenes» en torno a los que giran las opciones cruciales de la representación en el cine. A estos argumentos dedicaremos los últimos tres últimos apartados de este capítulo.

Añadamos que la exposicion utilizará como ejemplos dos films de Hitchcock, *La ventana indiscreta* (*Rear Window*, USA, 1956) y *Vértigo: de entre los muertos* (*Vertigo*, USA, 1958), los cuales, incluso por las obsesiones que exponen como temas (respectivamente la mirada y el doble), nos parecen bastante aptos para sustentar nuestras observaciones. Ello no nos impedirá, por lo demás, recurrir también a otras obras célebres por motivos particulares; las soluciones lingüísticas y las opciones expresivas que analizaremos son, de hecho, tan numerosas y diversificadas que no pueden encontrarse en su totalidad en un único texto, por rico que sea.

Pero procedamos con orden e iniciemos el análisis de los niveles de la representación.

4.2. Los niveles de la representación

4.2.1. Los tres niveles de la representación

Frente a una imagen fílmica que se desliza velozmente ante nuestros ojos, siempre tenemos la sensación de que nos está descubriendo, aunque sea simultáneamente, tres grandes planos de funcionamiento. Ante todo, vemos y sentimos a alguien o algo: un escenario se despliega ante nuestros ojos y nuestros oídos; hay unos tipos que se debaten en la pantalla, dotados de rasgos somáticos propios, dedicados a realizar esta o aquella acción, vestidos de esta o aquella manera; hay objetos ocupando el espacio, etc. Es el nivel de los *contenidos* representados en la imagen.

En segundo lugar, lo que vemos y sentimos se nos aparece en una forma peculiar: el escenario está captado en su totalidad o sólo en algunos de sus detalles; se sigue a los individuos sistemáticamente o se les abandona de vez en cuando, moviéndose en la pantalla de cuerpo entero o en encuadres más cercanos; los objetos se relegan al fondo o se llevan al primer plano, etc. Es el nivel que podemos llamar de la *modalidad* de representaciones de la imagen.

Finalmente, lo que vemos y sentimos sigue a lo que hemos visto antes, y a la vez prepara lo que veremos y sentiremos a continuación: el escenario ya ha acogido otras situaciones, y presumiblemente acogerá otras, o quizá ha cambiado y advertimos que seguirá cambiando; los individuos prosiguen con sus acciones, o por el contrario inauguran nuevos comportamientos y nos obligan a imaginar qué van a hacer seguidamente; los objetos ya estaban allí, o bien alguien los ha introducido de la nada, por lo cual creemos que van a desempeñar alguna función... Es el nivel de los *nexos* que, en la representación cinematográfica, unen a una imagen con otra que la precede o que la sigue.

Estos tres niveles (que, repitámoslo, funcionan simultáneamente y que a la vez podemos percibir como distinguibles) remiten a otras tantas fases del trabajo cinematográfico. De hecho, el film que estamos viendo se ha venido formando a través de tres etapas fundamentales: tras un período de preparación, en el cual se han escrito el argumento y el guión, se ha reunido el capital, se han escogido los actores, etc., se pasa a preparar el escenario y a predisponer los acontecimientos que tendrán lugar después; luego se sitúa la cámara y se trazan los recorridos que deberá efectuar en su filmación de la realidad; y, finalmente, se montan los distintos encuadres organizándolos según un diseño preestablecido y completo. Se trata, en suma, de las tres fases clásicas de la preparación, la filmación y el montaje.

Pues bien, remitir los tres niveles de la imagen a las tres etapas de fabricación de un film es algo sin duda legítimo; como hemos dicho, representar significa también preparar una representación, darle cuerpo, sacarla a la luz. Sin embargo, si pensamos en cómo nace un film, es para saber cómo abordarlo en el momento en que se proyecta ante nuestros ojos, y no al contrario: la preparación del escenario nos interesará en relación a los contenidos de la imagen, la filmación en relación a la modalidad de presentación de esos contenidos y el montaje en relación a los nexos que se establecen entre las distintas imágenes, y no viceversa. Lo que aquí nos interesa es analizar un film, no reconstruir su génesis: por ello nos referiremos a las «etapas» de la elaboración productiva de las imágenes sólo para sacar a la luz los «aspectos» según los cuales se puede comprender el resultado final. Contemplaremos, pues, los tres niveles desde este punto de vista.

Así pues, recogiendo también las sugerencias procedentes de la teoría del cine,[3] podemos dar un nombre a cada uno de los tres niveles principales sobre los que se articula la imagen fílmica:

1. El nivel de la *puesta en escena*, que nace de una labor de *setting* y que se refiere a los contenidos de la imagen.
2. El nivel de la *puesta en cuadro*, que nace de la filmación *fotográfica* y que se refiere a la modalidad de asunción y presentación de los contenidos.
3. El nivel de la *puesta en serie*, que hunde sus raíces en el trabajo de montaje y que se refiere a las relaciones y los nexos que cada imagen establece con la que la precede o con la que le sigue.

Veamos con mayor detalle estos niveles.

4.2.2. La puesta en escena

La puesta en escena constituye el momento en el que se define el mundo que se debe representar, dotándole de todos

3. Véase por ejemplo Eisenstein, que distingue entre «puesta en escena» y «puesta en cuadro», distinción que también retoma AUMONT, 1989.

los elementos que necesita. Se trata, pues, de «preparar» y «aprestar» el universo reproducido en el film. Evidentemente, en el nivel de la puesta en escena el análisis debe enfrentarse al contenido de la imagen: objetos, personas, paisajes, gestos, palabras, situaciones, psicología, complicidad, reclamos, etc., son todos ellos elementos que dan consistencia y espesor al mundo representado en la pantalla.

Este mundo se presenta, naturalmente, como dotado de una gran riqueza y de una gran complejidad: incluso en el film más plano y esquemático asoman un gran número de datos. Será necesario, entonces, intentar poner un poco de orden entre ellos, reagrupándolos en torno a algunas categorías para reconocer mejor su funcionamiento. Comencemos observando su distinto grado de generalidad y funcionalidad.

Primero, los *informantes*. A esta categoría pertenecen los elementos que definen en su literalidad todo cuanto se pone en escena: son, por ejemplo, la edad, la constitución física, el carácter de un personaje; el género, la cualidad, la forma de una acción, etc. En *Vértigo* o en *La ventana indiscreta* es el censo de los protagonistas y de quienes les rodean; los datos geográficos relativos, respectivamente, a san Francisco y a Nueva York (más explícitos los primeros, bastante implícitos los segundos); los comportamientos manifestados; las intenciones expresadas, etc.. Estas unidades de contenido están naturalmente relacionadas con una serie de categorías homogéneas; el próximo capítulo, dedicado a la narración, proporcionará una esquematización en este sentido. Pero lo cierto es que todo esto nos ofrece las indicaciones de base para la comprensión del mundo puesto en escena.

Los *indicios*, por su parte, nos conducen hacia algo que permanece en parte implícito: los presupuestos de una acción, el lado oculto de un carácter, el significado de una atmósfera, etc. Respecto a los informantes, los indicios son evidentemente más difíciles de identificar, y sin embargo constituyen un equipaje esencial, puesto que nos permiten captar incluso la representación menos definida. En *La ventana indiscreta* constituyen un ejemplo de indicios, entre otros, la cámara fotográfica y las instantáneas encuadradas al principio del film, que nos informan acerca de la profesión de Jeff y, aún más profundamente, de su obsesión por observar; o bien las distintas acciones que Thorwald lleva a cabo en su apartamento, que se pueden interpretar ya como sospechosas, ya como normales. En *Vértigo* funcionan como posibles indicios todos los pequeños gestos que Scott utiliza inconscientemente con Midge y que indican que su relación con las mujeres no es precisamente fácil, o bien sus miradas fijas y nerviosas a través de la ventana, expresiones de su ansiedad o de su enervante espera, etc.[4]

Los *temas* nos llevan en parte a cambiar de terreno: de hecho, más que definir el mundo representado en su literalidad o indicar alguno de sus aspectos ocultos, sirven para definir el núcleo principal de la trama. Por ello ocupan una posición central: indican la unidad de contenido en torno a la cual se organiza el texto; en breve, aquello en torno a lo que gira el film, o lo que pone explícitamente en evidencia. La búsqueda y el desenmascaramiento de un asesino y la pérdida y el reencuentro de una mujer son, respectivamente, los temas de *La ventana indiscreta* y de *Vértigo*. O al menos lo son en un primer momento, puesto que, como sucede a menudo, siempre hay algo más tras las apariencias: el deseo de ver, encarnado en el voyeurismo de Jeff, y el no saber ver, encarnado en el vértigo de Scott: o incluso el hecho de mirar demasiado lejos sin ver lo que tenemos al lado, como en el caso de Jeff, o la ceguera que lleva a intuir aquello que puede parecer improbable, como en Scott. En ambos casos, la pasión por la mirada y por los objetos de la mirada.

Los *motivos*, finalmente, indican, por así decirlo, el espesor y las posibles directrices del mundo representado. En la práctica son unidades de contenido que se van repitiendo a lo largo de todo el texto: situaciones o presencias emblemáticas, repetidas, cuya función es la de sustanciar, aclarar y reforzar la trama principal, ya sea a través de una especie de subrayado, o a través de un juego de contrapuntos. En *La ventana indiscreta*, un ejemplo de motivo puede ser el «amor nupcial», repetido en distintas partes del film, y que interactúa dialécticamente con el tema principal, tanto en alternancia (las discusiones entre Jeff y Lisa sobre el matrimonio, o las diversas historias sentimentales de los vecinos de la casa, que constituyen pausas con respecto al suspense) como en super-

4. La categoría de los *informantes* y la de los *indicios* proceden de BARTHES, 1966.

posición, conjugándose con el núcleo de la historia (el símbolo de una unión interrumpida por la fuerza, el anillo de la señora Thorwald, constituye la prueba del homicidio; también, por el contrario, la intervención de Lisa en la solución del caso hace reflexionar a Jeff y ceder en sus resistencias al matrimonio). En *Vértigo* actúan como motivos el «maquillaje», que retoma los motivos más clásicos de la «máscara» y el «doble»; el «espionaje», físico y psicológico, que remite a los motivos más generales del «viaje» y la «búsqueda»; e incluso la «espiral» que encontramos representada en diversos lugares del film (en los títulos de crédito, en las alucinaciones producidas por el vértigo, en el bucle de Carlotta, etc.) y que constituye un poco la clave de todo el film: el retorno imperfecto, la presencia de lo parecido pero no idéntico...

De cualquier modo, no es fácil poner orden entre los elementos temáticos de un film. Los ejemplos que acabamos de exponer nos lo advierten: lo que es aparentamente el objeto del discurso puede revelarse un simple pretexto narrativo. En este sentido es necesario, más que diferenciar las distintas unidades de contenido, ver cómo se organizan en un sistema coherente que recorre todo el film: es la estructura temática total (hecha de temas, pero también de motivos que la refuerzan, o interactúan en ella de manera distinta, e incluso de indicios y de informantes, que definen las apariencias y los aspectos implícitos) que indica lo que está en el centro de la puesta en escena.

Naturalmente, los informantes, los indicios, los motivos y los temas no son las únicas categorías en torno a las que se reordenan los contenidos de un film. En el próximo capítulo veremos otras, más específicas de los mundos puestos en escena por los films narrativos. Pero lo que conviene recordar aquí es que los distintos elementos representados pueden ser diferentes entre sí incluso en lo referente a su pregnancia o su ejemplaridad. En otras palabras, una segunda manera de organizar los datos ofrecidos por el texto fílmico es la de comprobar hacia qué tipo de universo nos conducen: de hecho, esos datos, además del perfil del film en el que están colocados, nos pueden ayudar a reconstruir incluso el tipo de cultura a la que se refiere ese film; o nos pueden ayudar a reconstruir la obra del autor de la que el film es sólo una pieza; o, finalmente, nos pueden ayudar a reconstruir el «sentimiento» del cine al que este film contribuye.

En el primer caso, las unidades de contenido identificadas deberán poseer de todos modos el valor de *arquetipo*, es decir, hacer referencia a los grandes sistemas simbólicos que cada sociedad se construye para reconocerse y reencontrarse. Los temas de la felicidad alcanzada a un alto precio y de la culpa inevitablemente castigada, temas que atraviesan nuestros dos films hitchcockianos, constituyen un esquema recurrente de todo el cine hollywoodiense y de toda la cultura que nos propone (y no sólo él). Naturalmente, a veces sucede que ciertos arquetipos encuentran un particular espesor y asumen un valor concreto en ciertos contextos históricos: el motivo del umbral, también presente en nuestros films (la ventana, la cornisa, la línea que separa la respetabilidad de la culpa, el pasado del presente, la sensatez de la locura...), explota literalmente en el ámbito del expresionismo, donde se insiste casi programáticamente en la frontera entre lo exterior y lo interior (la puerta), entre lo alto y lo bajo (la escalera), entre el día y la noche (el ocaso y el alba), entre el hombre y la máquina (el golem o el robot), etc. Añadamos que otros ejemplos de arquetipos pueden ser los que están en la base, más que de una cultura, de un género literario: el nacimiento y el aprendizaje (típicos del romance), los enfrentamientos y las peleas amorosas (típicos de la comedia), el sacrificio y la muerte (típicos de la tragedia), la máscara y el escarnio del mundo (típicos de la sátira), el viaje y la búsqueda (típicos de la novela), etc.[5] Toca al analista, naturalmente, decidir sobre qué vertiente trabajar.

Pero todo cuanto se pone en escena puede ser ejemplar también de la obra del propio autor: nos tendremos que enfrentar entonces con *claves* y con *leitmotives*. El interés por la mirada que hemos descubierto en *La ventana indiscreta* y *Vértigo* se repite en casi todos los otros films de Hitchcock e ilustra de modo eficaz uno de sus puntos de referencia. La crítica se dedica a menudo a identificar estos núcleos recurrentes: cada director, de hecho (al menos en la medida en que se considera *autor*, es decir, responsable total de su obra)

5. Para más consideraciones sobre el arquetipo, véase FRYE, 1957 y 1963, y BATCHIN, 1975.

manifiesta inevitablemente motivos y temas en torno a los cuales gira consciente o inconscientemente.

Finalmente, todo cuanto se pone en escena puede ser revelador de las obsesiones que caracterizan al cine en cuanto tal: nos encontraremos entonces con lo que una reciente tendencia analítica ha convenido en llamar *figura*.[6] De nuevo, el tema de la mirada puede resultar un ejemplo eficaz; a ello podemos añadir motivos como el de la ventana, el doble, el maquillaje y el travestismo, etc., también ellos presentes en los dos films hitchcockianos y representantes de la idea de cómo las prácticas que están en la base de la construcción de un film pueden confesarse de modo explícito.

Hasta aquí el análisis del nivel de la puesta en escena. Nos hemos limitado a sugerir algunas categorías analíticas que nos permiten distinguir unidades de contenido según sus distintos grados de generalidad y funcionalidad (informantes, indicios, motivos y temas) y sus distintos grados de ejemplaridad y de pregnancia (arquetipos, claves o *leitmotives*, figuras cinematográficas). Queda claro que el analista puede escoger cualquiera de los planos de trabajo que le interesen, o aquellos planos y categorías que le puedan ser útiles: no nos cansaremos nunca de repetir que, en el interior de una disciplina, quien conduce el análisis debe actuar de modo personal y creativo.

Pero pasemos ahora al siguiente nivel: el de la puesta en cuadro.

4.2.3. La puesta en cuadro

La distinción entre puesta en escena y puesta en cuadro puede parecer artificiosa: así como un contenido no aparece sin una cierta modalidad mediante la que se expresa, tampoco puede darse una modalidad sin un contenido que la apoye. Por ello existe una interacción recíproca entre lo que da cuerpo al universo representado en el film (objetos, individuos, paisajes, comportamientos, situaciones, etc.) y la ma-

6. Esta acepción de «figura» está presente en KUNTZEL, 1972 y 1975, y en METZ, 1977; véase también ANDREW, 1976.

nera en que este universo se representa concretamente en la pantalla. Así, en el nivel de la puesta en escena ya aparecen algunos rasgos que son propios de la puesta en cuadro, y viceversa, la puesta en cuadro depende también de los elementos construidos con la puesta en escena.

Detengámonos un momento sobre esta determinación recíproca. El hecho de que algunos elementos del contenido puedan conducir a ciertas modalidades de filmación es algo bastante intuitivo: por lo general, los personajes principales gozan de un mayor número de encuadres cercanos; los objetos clave se sitúan en el centro de la imagen, para llamar más inmediatamente la atención, etc.

Menos intuitiva pero no menos sensible es la influencia que ciertas formas de filmación ejercen sobre la presencia y la distribución de los objetos y de los personajes sobre la escena: escoger un campo largo o un primer plano, un encuadre frontal o uno desde arriba, un objetivo no deformante o un gran angular, significa no sólo optar por una forma expresiva en detrimento de otra, sino también estar en condiciones de tratar con una cierta realidad y no con otra. Pongamos un ejemplo. Un primer plano rodado con un objetivo de distancia focal larga, como se sabe, recorta con nitidez el rostro sobre el fondo, desenfocando todo el ambiente circundante, mientras que si se rueda con un objetivo de distancia corta se mantiene enfocado todo el espacio contiguo: en ambos casos vemos una cara, pero en uno aislada del entorno y en otro incluida en el ambiente. Pues bien, en el primer caso resultará casi indiferente la disposición de los objetos situados alrededor del rostro, dado que permanecerán prácticamente invisibles, mientras que en el segundo caso esta disposición será fundamental, puesto que incidirá sobre la definición del espacio que rodea al rostro, observable en profundidad. De ahí que la elección de una cierta forma de puesta en cuadro determine una determinada forma de puesta en escena.

De ahí también la idea de que para obtener una determinada «representación sobre la pantalla» se puede (e incluso se debe) manipular los elementos de la realidad representada. Hasta el punto de que menudo se tiene la impresión de que conviene reconstruir ciertas situaciones de la vida más que retomarlas tal como son, porque no siempre así, captadas del natural, vienen restituidas con la fidelidad y la evidencia esperadas. De nuevo un ejemplo: pensemos en Hitchcock, que en *Encadenados* hizo construir un falso entarimado que se iba levantando progresivamente para permitir a Claude Rains, al menos en los planos cercanos, no parecer demasiado bajo con respecto a Ingrid Bergman; o más en general en todos los escenarios de las producciones en cinemascope, en los que las lámparas, los cuadros y todos los objetos pegados a las paredes son más bajos de lo normal, mientras que las mesas y las sillas están sobreelevadas, con el fin de permitir el respeto de las proporciones relativas.[7] Se manipulan los elementos del escenario, con el fin de que el mundo representado pueda aparecer sin alteraciones.[8] No es casualidad, por lo demás, que las clasificaciones tradicionales de la ambientación en exterior/interior, noche/día, artificial/natural, etc., se refieran a aquello que aparece en la imagen más que a lo que se filma específicamente. Las noches de los films americanos clásicos son a menudo días enmascarados con un filtro, los exteriores son a menudo fondos artificiales en movimiento, y así sucesivamente. El efecto final es el criterio por el que se guían tales distinciones, por encima del artificio con el que se realiza.

Pero después de haber recordado la existencia de interacciones entre el nivel de la puesta en escena y el de la puesta en cuadro, indaguemos mejor los rasgos específicos de esta última.

Como hemos dicho, se trata del plano en el que se explicitan las *modalidades* de la representación. Si la puesta en escena prepara un mundo, aunque sea mediante la particular restitución que puede otorgar el medio cinematográfico, la puesta en cuadro, por el contrario, define el tipo de mirada que se lanza sobre ese mundo, la manera en que es captado por la cámara. De este modo, al contenido se superpone una modalidad.

A este nivel, pues, pertenecen temas analíticos como la elección del punto de vista, la selección relativa a qué cosas hay que incluir en el interior de los bordes y qué hay que dejar fuera, la definición de los movimientos y de los recorri-

7. A este propósito, véase VILLAIN, 1985: 115 y 126.
8. Véase TRUFFAUT, 1966: 147.

dos de la cámara en el espacio, la determinación de la duración de los encuadres, etc. Hemos ya encontrado muchos de estos modelos pasando revista a códigos como la escala de los planos, los grados de inclinación y angulación, etc.; y encontraremos otros, por ejemplo, cuando en el capítulo sobre la comunicación examinemos los aspectos principales que puede manifestar el film. Aquí nos limitaremos a indicar un par de categorías bastante generales.

Diremos, por ejemplo, que la modalidad de la puesta en cuadro puede ser *dependiente* de los contenidos que se asuman o *independiente* de ellos: en el primer caso la imagen pondrá de relieve cuanto intente representar, sin referencia alguna a la acción misma de la representación; en el segundo caso, por el contrario, la imagen subrayará el acto de asunción de los contenidos, las decisiones (y, por qué no, la traición) con que se apropia de objetos, personas, ambientes, etc., con el resultado de sacar a la luz la propia naturaleza de las imágenes. La primera modalidad es la más utilizada en nuestros dos ejemplos, en los cuales los objetos y los personajes son filmados generalmente de un modo, por así decirlo, «neutro» o «natural», sin que su representación se exhiba por sí misma; sin embargo, estos mismos films presentan también una intervención de la segunda modalidad, como en las vertiginosas filmaciones desde arriba de *Vértigo* (el callejón en el que muere el colega de Scottie, la calle en la que vive Midge, la misión española en la que muere Madeleine) o como en los encuadres que simulan una mirada con prismáticos o con teleobjetivo en *La ventana indiscreta*. Recordemos que oposiciones como descriptivo/expresivo o referencial/metalingüístico, con las que nos encontraremos más adelante, entran de lleno en este problemático horizonte.

La modalidad puede ser, además, *estable* o *variable*: en el primer caso la asunción y presentación de los contenidos se define de una vez por todas y luego se mantiene constantemente (existe un cierto tipo de filmación que establece el tono de todo el film: por ejemplo, el total entremezclado con figuras enteras en *La ventana indiscreta* y la figura entera entremezclada con picados en *Vértigo*); en el segundo caso serán la variedad de las tomas y la heterogeneidad de las soluciones las que constituyan el motivo dominante. La uniformidad y la pluralidad de los puntos de vista que encontraremos más adelante, así como la idea de lo clásico y lo moderno que hemos explicado en el capítulo precedente, pertenecen a esta problemática.

Naturalmente, las categorías relativas a la modalidad podrían ser más numerosas y más detalladas: aquí nos hemos contentado sólo con dos parejas para indicar cuáles son los caminos que se pueden recorrer. De todos modos, la segunda de estas dos parejas, la de estabilidad/variabilidad, no se refiere a las imágenes por separado, sino a una sucesión de imágenes: esto nos conduce al último nivel de la representación.

4.2.4. La puesta en serie

Si en el nivel de la puesta en escena y de la puesta en cuadro nos hemos concentrado preferentemente en las imágenes por separado, en el nivel de la puesta en serie el análisis debe pasar a considerar más imágenes. Desde esta perspectiva, de hecho, cada imagen posee otra que la precede o que la sigue: forma parte de una sucesión y, al mismo tiempo, por así decirlo, recibe y deja una herencia, recoge y devuelve testigos.

«Poner en serie» significa, en sentido técnico, simplemente unir dos trozos de película, «montar»; sin embargo, no debemos olvidar que en el momento mismo en que se ensamblan físicamente dos imágenes, entre dos parámetros representativos, así como entre sus mundos representados, se instauran relaciones que se entrelazan y se multiplican por todo el film. Ya en el capítulo anterior hemos analizado los tipos de nexo que se pueden crear entre dos imágenes: se trataba de las asociaciones por identidad, por analogía o por constraste, por proximidad, por transitividad o por acercamiento. Ahora bien, estas formas de nexo definen, si se examinan atentamente, diferentes modalidades de disposición y de organización de los «fragmentos del mundo» que representan los encuadres por separado.

Cuando dominan las asociaciones por identidad (cuando una imagen está relacionada con otra, o bien porque es la misma imagen que se repite, o bien porque presenta un mismo elemento que se repite aunque de manera distinta), las asociaciones por proximidad (cuando una imagen está relacionada con otra por el hecho de representar elementos distintos formando parte de la misma situación) y las asociaciones por transistividad (cuando una imagen está relacionada con otra por el hecho de representar dos momentos de una misma acción), en la pantalla aparece un universo compacto, fluido, homogéneo y fácilmente reconocible. Es el universo de los films clásicos de Hollywood, en los cuales cada fragmento del mundo de integra perfectamente en el que le sigue.

Por el contrario, cuando dominan las asociaciones por analogía y por constraste (cuando una imagen está relacionada con otra por el hecho de representar respectivamente elementos similares, peró no idénticos, y elementos confrontables, pero no opuestos), estamos frente a universos agitados, heterogéneos, articulados, en los cuales, sin embargo, todo se mantiene «en pie», por lo cual es fácil orientarse y conducirse. Pensemos, con respecto a *La ventana indiscreta*, en la identificación entre el jardín del patio y la foto de ese mismo jardín realizada por Jeff; o, en *Vértigo*, las identificaciones entre el bucle de Carlotta y el bucle de Madeleine, las flores verdaderas y las flores pintadas, etc.: los fragmentos del mundo juegan, por así decirlo, al escondite unos con otros, antes de confluir en una unidad.

Finalmente, cuando domina la asociación neutralizada o acercamiento (cuando una imagen se relaciona con otra por el hecho de ser contigua a ella en la serie temporal), tenemos universos fragmentarios, inconexos, caóticos y dispersos, laberintos de acumulaciones, yuxtaposiciones y casualidades. Esto se encuentra en el cine moderno, en fenómenos como el *décadrage* o el falso *raccord*, que impiden a los fragmentos del mundo integrarse o reclamarse recíprocamente.

La mayor o menor condensación en torno a cada uno de estos tipos de nexo da lugar a diferentes tipos de organización de los fragmentos del mundo, completando así la operación ya activada en los dos niveles precedentes.

4.2.5. Centralidad del espacio-tiempo

Ya hemos analizado los tres niveles de la representación: la puesta en escena, la puesta en cuadro y la puesta en serie. Estos, como hemos visto, ponen respectivamente en juego la determinación de ciertos contenidos, la modalidad de presentación de estos contenidos y su articulación en el *continuum* del film.

Su análisis moviliza una serie de categorías que resumimos en la siguiente tabla:

Nivel	*Determinación del...*	*Categorías*
Puesta en escena	Contenido	Generalidad: Informantes Indicios Temas Motivos Ejemplaridad: Arquetipos Claves Figuras
Puesta en cuadro	Modalidad	Dependencia/Independencia Estabilidad/Variabilidad
Puesta en serie	Nexo	Nexo: Condensación Articulación No nexo: Fragmentación

Ahora bien, como hemos dicho, estas categorías se refieren todas ellas a una realidad particular. De hecho, remiten a una presencia unificadora, que se reencuentra transversalmente en todos los niveles: la presencia de un *mundo*. Un mundo que quizá use elementos tomados de la vida real, pero que acaba apropiándose de ellos, o que quizá se refiera a cosas que suceden efectivamente, pero que lo hace a partir de sus propios parámetros: en resumen, un mundo en equilibrio entre la recuperación de los datos efectivos y la construcción de una ficción, entre el reenvío a la dimensión empírica y la definición de una realidad propia: en suma, un mundo que *es* del texto, un *mundo posible.*[9] Es un mundo no genérico o indefinido, sino un mundo poblado como tal, un mundo

9. Para la noción de «mundo posible», véanse los dos números especiales de la revista *Versus*, respectivamente 17, 1977 y 19/20, 1978.

presentado como tal, un mundo articulado como tal: en una palabra, un *mundo representado.*

Como todos los mundos, también el de la pantalla está dotado de un espacio y de un tiempo, o mejor, de una dimensión espacio-temporal orgánica y unitaria, que define los caracteres y los coordina. Ahora bien, la misma presencia de este *cronotopo*[10] unifica los tres niveles de la representación, pues la «permanencia» de un espacio-tiempo constituye el elemento conectivo entre ellos (un «mismo mundo» está hecho presente en los tres niveles de la imagen). Pero, a la vez, la progresiva «elaboración» de este mismo espacio-tiempo, con casos de refuerzo, distorsión, etc., subraya el paso de un nivel a otro (ese «mismo mundo» es objeto de un tratamiento distinto según los distintos niveles: la puesta en cuadro puede trastornar la coordinación de la puesta en escena y, del mismo modo, la puesta en serie puede instaurar referencias propias, ya sean espaciales o temporales).

Nuestro próximo paso será, pues, estudiar cómo se articulan, se presentan y juegan entre sí el espacio y el tiempo del mundo de la pantalla. Un paso tan fundamental como complejo, puesto que en una investigación como ésta deberemos pasar por los tres niveles de la representación, como si dijéramos, transversalmente.

4.3. El espacio cinematográfico

4.3.1. Los tres ejes del espacio

Existe en realidad más de una vía para afrontar el espacio y los problemas que comporta con respecto a la representación. En coherencia con el carácter que le hemos otorgado a todo el capítulo, vamos a ocuparnos aquí del espacio «del

10. Para la noción de *cronotopo,* véase BATCHIN, 1975. Las teorías cinematográficas han dedicado una atención constante al espacio-tiempo del film: véase una antología de intervenciones, de los primeros teóricos a nuestros días, en GRASSI (comp.), 1987. Un cuadro que tiene en cuenta tanto los desplazamientos teóricos más recientes como las categorías analíticas más utilizadas es el propuesto por CARLUCCIO, 1988.

film» (el espacio construido y presentado en la pantalla).[11] Esta focalización de intereses nos permitirá una mayor especificidad de intervención y a partir de ella la síntesis de las categorías interpretativas más estrictamente adecuadas para nuestras exigencias analíticas.

Desde este punto de vista, tres parecen ser los ejes principales en torno a los cuales se organiza el espacio fílmico:

1. El primer eje, definido por la oposición *in/off*, pone en juego el hecho de estar presente en el interior de los bordes del cuadro, frente al hecho de estar cortado fuera de ese recinto.

2. El segundo eje, definido por la oposición *estático/dinámico*, pone en juego el hecho de estar inmóvil o inmutable, frente al hecho de estar en movimiento o en evolución.

3. El tercer eje, finalmente, definido por la oposición *orgánico/disorgánico*, pone en juego el hecho de ser conexo y unitario, frente al hecho de estar desconectado y disperso.

El examen de estas coordenadas de referencia y de las relaciones que necesariamente deben instaurarse entre ellas constituirá el trazado de nuestro itinerario.

4.3.2. Los bordes de la imagen: campo y fueracampo

Es inevitable que la imagen cinematográfica (como, por lo demás, la pictórica y la fotográfica) comporte la inclusión de una porción limitada de espacio y, como consecuencia, la exclusión de todo cuanto florece en los bordes del encuadre. Sin embargo, lo que se queda más allá de los márgenes, según las situaciones, puede manifestarse con naturalezas distintas y desempeñando papeles diferentes.

11. Dejemos, pues, como trasfondo el espacio «de la vida real»: o mejor, entendámoslo solamente como una referencia construida por el propio film. Repetimos: el mundo del que hablamos es siempre sólo un *mundo posible*, es decir, un estado de cosas tal como viene presentado por un texto, o una serie de acontecimientos tal como la reconstruye un texto, etc. Pero en cuanto mundo posible, se limitará a tener en cuenta lo que él mismo propone como *real*. Para estas definiciones de «mundo posible», véase VAINA (comp.), 1977. En cuanto al espacio en el cine, además de los textos que citaremos, véase AUMONT, 1980, por la problematización que efectúa de las nociones.

En concreto, parece que la dimensión *off* puede investigarse según dos vertientes muy distintas: la de su *colocación* y la de su *determinabilidad*.

Acerca de la colocación, advirtamos que la cámara, encuadrando una porción de espacio, esconde al mismo tiempo otras seis, relacionadas con la primera en términos de adyacencia y de contigüidad: cuatro corresponden a lo que está más allá de los bordes del encuadre, a la derecha, a la izquierda, por encima y por debajo de la imagen; una relativa a lo que se encuentra detrás de la escenografía o detrás de un elemento situado en el campo visual; y por fin, la última corresponde a lo que se sitúa a espaldas de la cámara (esta última desempeña la doble y paradójica función de acoger tanto aquello que para la diégesis puede suceder «detrás» del punto de vista, como el propio aparato representativo). En otros términos, podemos decir que con un campo (*in*) están necesariamente relacionados seis segmentos del fueracampo (*off*), cada uno de ellos con una posición concreta.[12]

Por el contrario, y en lo que se refiere a la determinabilidad, nos parece productivo distinguir tres condiciones de existencia del espacio *off*: el espacio *no percibido*, es decir, el espacio que está fuera de los bordes del cuadro y que, sin ser nunca evocado, no presenta motivo alguno para su reclamación; el espacio *imaginable*, es decir, el espacio que, a pesar de estar más allá de los confines de lo visible, es evocado o recuperado, en su propia ausencia, por cualquier elemento de la representación (un primer plano presupone el resto del cuerpo, aunque no lo muestre; el espacio ciego entre las dos ventanas de *La ventana indiscreta* puede advertirse perfectamente en la esencialidad de las acciones que tienen lugar en él; etc.); y, finalmente, el espacio *definido*, vale decir, aquel espacio que, invisible por el momento, ya ha sido mostrado antes o está a punto de ser mostrado.[13] Esta última determinación del espacio *off*, por otro lado, da cuenta también de las estrechas conexiones existentes entre los niveles de la re-

12. A este propósito, véase BURCH, 1969: 23-37.

13. Esta triple distinción desarrolla la diferenciación que establece BURCH, 1968: 28, entre fueracampo «real» (si se sabe que existe porque se ha visto o se está a punto de verlo) y fueracampo «imaginario» (si se sabe que existe pero nunca se ve).

presentación, conjugando la selección de lo visible, típica de la puesta en cuadro, con el juego de devoluciones y reenvíos, expectativas y recuperaciones, típico de la puesta en serie.

De todos modos, más allá de la colocación y de la determinabilidad, lo que se encuentra fuera del campo visual posee una existencia bastante particular: «empuja» en los márgenes del cuadro, hasta el punto de casi resquebrajarlo. Pensemos en el nerviosismo de James Stewart en *La ventana indiscreta*, cuando sus vecinos desaparecen del encuadre de la ventana para ir a hacer sus cosas a otro sitio, fuera del alcance de su mirada. En estos casos, la realidad excluida de la imagen insiste con obstinación, evidenciando los límites de la mirada de la cámara y por ello la consiguiente parcialidad de su elección. Dándole la vuelta ahora a la usual metáfora que considera los márgenes del cuadro tan naturales e indoloros como las orillas que delimitan y comprenden un río, debemos evidenciar la función opresiva de los bordes: a la violencia del río que se desborda por encima del dique, contraponemos la violencia de los diques, que constriñen, a su vez, al río. Como escribe Godard: «Todas las imágenes de los encuadres nacen iguales y libres: el film no es más que la historia de su opresión».[14]

La dimensión del fueracampo, sin embargo, no se define únicamente por lo que queda excluido de la visión: también es el reino del sonido, elemento indomable, imposible de sofocar entre los límites espaciales.

Ya hemos sugerido en el capítulo anterior que el sonido posee tres dimensiones clave: la dimensión *in* (que corresponde en sentido estricto el sonido diegético exterior cuya fuente está encuadrada), la dimensión *off* (que comprende en sentido estricto el sonido diegético exterior cuya fuente no está encuadrada), y finalmente la dimensión *over* (que comprende el sonido diegético interior, ya sea *in* u *off*, y el sonido no diegético). Pues bien, los dos últimos casos nos sugieren una interesante observación. En los sonidos *off* y *over* no hay nada que no podamos oír: simplemente, no vemos la fuente sono-

14. J. L. Godard, *Introduction a une veritable histoire du cinéma,* París, Albatros, 1980 (trad. cast.: *Introducción a una verdadera historia del cine*, Madrid, Alphaville, 1980).

ra, o no la inscribimos en el universo narrado. En este sentido, el sonido *off* y el *over* ponen en juego una riqueza perceptiva en la cual no parece poder haber ninguna imagen detrás: el ojo no llega allí donde sí puede hacerlo el oído. Por lo demás, todo esto muestra una correspondencia con los respectivos aparatos de registro: la cámara recorta porciones muy delimitadas del mundo, mientras que el micrófono capta todo aquello que puede hacerse oír en ese mundo: los dos modos de acción no tienen la misma amplitud.[15] De esta asimetría hace entonces una especie de «apertura»: el espacio habitado por el sonido es más amplio de lo que parece, puesto que se puede oír concretamente (y no sólo imaginar) una voz, un ruido o una música que lo habitan. De ahí la distancia de la fuente sonora (perceptible en cuanto fuente, pero no identificable en sus contornos visibles), y de ahí el desbordamiento de los márgenes de la imagen.

El sonido, por otra parte, además de contribuir a la «apertura» del espacio fuera de la escena, desempeña también un importante papel en la «determinación suplementaria» del espacio en escena (*onscreen*). En este sentido, no sólo adquiere relieve la dislocación de la fuente sonora, sino también la modalidad de la expresión acústica: el timbre, por ejemplo, puede sugerir con ecos, reverberaciones u oclusiones, espacios ya vacíos y resonantes, ya llenos y absorbentes. Por lo demás, el sonido puede también contribuir a hacer más fluido el espacio, superponiendo a la inevitable discontinuidad del montaje su continuidad de acción: es el caso de los comentarios musicales, de las voces en *off*, pero también de la descripción acústica de un ambiente a través de ruidos (por ejemplo, el griterío de la gente en un mercado o el fragor de una batalla).

En síntesis, hemos visto cómo el fueracampo puede observarse desde dos perspectivas: su «colocación» (a la derecha, a la izquierda, arriba, abajo, detrás y más allá, respecto a los bordes del cuadro) y su «determinabilidad» (fueracampo no percibido, fueracampo imaginable y fueracampo defi-

15. Caso aparte son, obviamente, los micrófonos direccionales, que tienden a «encuadrar» la fuente sonora, aislándola del resto del ambiente. Sobre este tema véase VILLAIN, 1985: 97. Un film que sabe tematizar las relaciones entre los registros del sonido y la fuente sonora es obviamente *Impacto*, de Brian De Palma.

nido). Luego nos hemos centrado en el sonido, que por sus características huye de los límites de la imagen, y en su doble función: la apertura al espacio no visible y la posterior determinación del espacio en escena.

Demos ahora un paso adelante e introduzcamos una nueva variable: el movimiento. Nos ocuparemos así de la movilidad, por decirlo de algún modo, de los bordes y en el interior de los bordes de la imagen.

4.3.3. El espacio y el movimiento

La estructuración del espacio cinematográfico a través de la dialéctica entre campo y fueracampo no se resuelve, obviamente, en la simple determinación del cuadro, sino que incluye a todo el encuadre, entendido como unidad fílmica que va de un corte a otro del montaje. De hecho, cuando el cuadro se anima, cuando algo empieza a moverse entre sus límites, el espacio comienza a modelarse y a presentarse no ya como un conjunto estático, sino como una unidad plástica.

Hablando de espacio fílmico ya hemos visto como éste, en el fondo, se revela en toda su insistencia cuando existe un trayecto (de un personaje o de una mirada) que va a finalizar fuera de los bordes de lo visible. Pero también la organización del propio espacio *onscreen* depende intensamente del movimiento: el punto de vista cambia continuamente, el escenario se transforma, los objetos y las personas se disponen de modo siempre distinto, las luces y las sombras se componen de diferente manera. Así pues, movimiento de los objetos y movimiento de la cámara, movimiento en el interior de los bordes y movimiento de los bordes: para pasar de un espacio inmóvil y cerrado a un espacio abierto y recorrible.

La cámara, aun limitándose a descomponer el movimiento y a registrar simples gestos, actúa en la práctica como un mecanismo capaz de registrar la continuidad dinámica de lo real y además de manipular sus apariencias, acelerando o desacelerando el flujo. En la pantalla, pues, vemos un universo en movimiento: aquellas que en realidad son posiciones estáticas toman vida en el acto de la proyección y trazan una línea tensa que nosotros percibimos como movimiento real.

Aquí, pues, reencontramos la oposición estático/dinámico en la misma raíz del mecanismo cinematográfico.[16]

Para definir la articulación del espacio fílmico a lo largo del eje estatismo/dinamismo nos centraremos en cuatro situaciones diferentes que nos parecen constituir verdaderos puntos nucleares: el espacio estático fijo, el espacio estático móvil, el espacio dinámico descriptivo y el espacio dinámico expresivo.

1. El *espacio estático fijo* es aquel que nos ofrecen los encuadres bloqueados de ambientes inmóviles. Su punto extremo lo constituye el *frame-stop*, es decir, el bloqueo de la imagen en fotografía, aunque dotada de una duración peculiar.

2. El *espacio estático móvil* viene definido, por el contrario, por el estatismo de la cámara y el movimiento de las figuras dentro de los bordes fijos de la imagen. Tendremos, por ejemplo, un personaje que atraviesa el campo de derecha a izquierda, un objeto que cae de arriba a abajo, una luz que se apaga de improviso ocultando a la vista parte del ambiente: el espacio se anima, se modifica, se enriquece o empobrece de objetos, se agita o se detiene. Queda, pues, un espacio-contenedor, vivo en su interior, pero limitado por los inevitables márgenes, móvil y mudable porque hospeda figuras y formas móviles y mudables, pero no porque esté dotado de dinamismo y fluidez. Es el espacio del cine de los orígenes, cuando la cámara se fijaba desde el principio y de una vez por todas y el movimiento registrado corría enteramente a car-

16. Históricamente, el cine nació como dispositivo para fijar el movimiento (pensemos en los fusiles fotográficos de Marey). Y, en efecto, lo que hace la cámara es captar 24 imágenes por segundo y registrarlas en un soporte fotográfico. El cerebro humano, sin embargo, frente a la sucesión de estas posturas estáticas, recibe una especie de ilusión de continuidad, y no tanto por la llamada persistencia retiniana, fenómeno hoy en día bastante cuestionado, como por una especie de disposición mental, el fenomeno «phi», que nos conduce por un lado a borrar y por otro a integrar las lagunas perceptivas, obteniendo de hecho un *continuum* visible. Ya en 1916, Hugo Munsterberg advertía: «No es necesario ir más allá de los detalles para demostrar que el movimiento aparente no es sólo el simple resultado de la persistencia de la imagen, o que va más allá de la pura percepción de las fases sucesivas del movimiento. En estos casos el movimiento no se ve desde el exterior, sino que lo añadimos mediante nuestros procesos mentales a las imágenes fijas» (H. Munsterberg, *Film. A. Psychological Study*, 1916).

go de los actores y de la velocidad de la manivela. Hoy también pueden registrarse ejemplos frecuentísimos de encuadres fijos, pero la posibilidad del montaje (juntar un campo con su contracampo, coordinar varios puntos de vista estáticos en una única visión global y organizada) ha eliminado la frustación del espacio-contenedor y ha convertido el estatismo de la cámara en una de las muchas posibilidades que se le ofrecen a la organización espacial.

3. El *espacio dinámico descriptivo* se define mediante el movimiento de la cámara en relación directa con el de la figura. En otras palabras, la cámara se mueve para representar mejor el movimiento ajeno: gira sobre el eje vertical y el cuadro se dispone lateralmente añadiendo porciones de espacio a izquierda o derecha (panorámica horizontal), o se inclina sobre el eje horizontal y el cuadro baja o sube ganando espacio por encima o por debajo (panorámica vertical); va encima de un carrito para efectuar movimientos fluidos sobre el plano frontal o para impulsarse en profundidad sobre el sagital; sube mediante una *dolly* o una grúa que le permiten conjugar en un único gesto continuo los diversos movimientos posibles sobre distintos planos; finalmente, puede ser adaptada, por medio de soportes y amortiguadores hidráulicos, al cuerpo del operador y moverse así con la fluidez del carrito y la agilidad y la versatilidad del hombre (la *steadycam*). Así puede seguirse al personaje por todas partes —si se desplaza de un lado a otro, si se va hacia el fondo, si galopa velozmente, si sube rápidamente las escaleras o corre sobre la nieve—, y puede seguírselo «desde el exterior» (cámara objetiva) o «desde el interior» (cámara subjetiva, muy eficaz en el desplazamiento en profundidad). Sin llegar a estos complejos movimientos, la práctica del *reframing* (traducible como «reencuadramiento»: se trata de modificar un poco el encuadre, corrigiéndolo casi imperceptiblemente, para seguir pequeños desplazamientos del personaje), la práctica del *reframing*, como decíamos, nos advierte de cuán atenta y primorosa puede ser la cámara enfrentada al movimiento de la figura en el interior del encuadre. El espacio es el de los personajes y los objetos, y la cámara lo corta a la medida de éstos: acción productiva, pero siempre, de alguna forma, subordinada.

4. El *espacio dinámico expresivo,* finalmente, se define mediante el movimiento de la cámara en relación dialéctica y creativa con el de la figura. En otras palabras, es la cámara, y no el personaje con su desplazamiento o el eje de su mirada, quien decide lo que se debe ver: retrocede a partir de un detalle y encuadra, ampliando su campo de acción, objetos imprevistos; recorre el espacio mediante lentos *travellings* mostrándonos poco a poco lo que podría darnos en su totalidad y de una sola mirada; o incluso exhibe con complacencia su papel demiúrgico y subraya la estrecha dependencia entre el ver y el saber del espectador y lo que ella misma decide que hay que ver o que saber. Esta capacidad para ir más allá del movimiento estrictamente descriptivo confiere a algunos movimientos de cámara un carácter didascálico, de comentario, de clave de lectura de todo el film. Vayamos un momento mas allá de nuestros dos ejemplos. El movimiento en profundidad que abre y cierra *Psicosis*, de Hitchcock, marca el trayecto mismo del film: un viaje a las profundidades del alma (en concreto la de Norman, con quien finaliza el film), un recorrido por el ambiguo espacio de su mente, oscilante entre la inconsciencia y la locura homicida, antes que por el espacio también doble del motel y de la casa. El *travelling* hacia adelante que abre *Ciudadano Kane*, de Orson Welles, y el *travelling* hacia atrás que lo cierra, revelan en cambio la impenetrabilidad sustancial de una memoria que es el verdadero lugar de acción de la trama, de un espacio psicológico que, como el físico de Xanadu, es un repertorio de muchos fragmentos, por lo demás inútiles, en medio de los cuales el único elemento significativo acaba por perderse. Y, para finalizar, el movimiento hacia adelante de la *dolly* en *Inocencia y juventud*, que acaba descubriendo el rostro del asesino y su tic nervioso, aclara de una vez por todas las reglas del juego hitchcockiano, cuyos hilos están siempre en manos de la cámara y nunca de los personajes, condenados a moverse ciegamente en una realidad en la que sólo el ojo del cine sabe orientarse y ver.

4.3.4. Organicidad e inorganicidad del espacio fílmico

El espacio fílmico, además de estar más o menos netamente delimitado y ser más o menos dinámico, se nos aparece también más o menos conexo y unitario. Estos últimos rasgos poseen un eje común que los atraviesa: el máximo grado de conexión y de unidad corresponde a un espacio «orgánico», mientras que el grado mínimo corresponde a una ruptura de la organicidad. Veamos, pues, brevemente estas articulaciones específicas, ya sea para construir otras categorías útiles para el análisis, ya para plantear rápidamente algunos problemas de fondo.

1. *Espacio plano/espacio profundo.* El espacio puede aparecer o bien como una superficie sobre la que se distribuyen uniformemente las figuras, vertical u horizontalmente, o bien como un volumen en el que estas mismas figuras se disponen en profundidad.

Ahora bien, es cierto que también pueden instaurarse situaciones de inorganicidad en los espacios planos (como veremos en breve), del mismo modo que la profundidad de campo puede ser una invitación a la dishomogeneidad. De hecho, si por una parte ésta unifica los distintos elementos otorgándoles un lugar común en el que situarse e interactuar (es el caso de las «visiones de conjunto», que evitan la separación ficticia entre personajes y ambiente), por otra parte más a menudo fragmenta, divide y multiplica la zona representada. Así pues, la «visión de conjunto» (muchas veces gracias a los efectos de iluminación) produce una imagen compuesta, discontinua, llena de escondrijos y rincones, de zonas de sombra y de enmascaramientos internos.[17] Como prueba de todo esto, advirtamos cómo en *Vértigo* la profundidad de campo no une nunca dos espacios extremos, el primer plano y el fondo, sino que los separa drásticamente con un vacío imposible de llenar, que significa tanto incomprensión y distancia (pensemos en Scottie y Madeleine en la pinacoteca, él cerca de la cámara, ella al fondo de la sala, junto al retrato de Carlotta) como equivocación y engaño (después de la tra-

17. Véase a este propósito COMOLLI, 1980.

gedia de Madeleine, todas las mujeres rubias y elegantes que Scottie ve de lejos le parecen la mujer que perdió).

2. *Espacio unitario/espacio fragmentado.* Un espacio puede, o bien presentar un alto grado de acceso, lo cual lleva a las distintas presencias a ajustarse entre sí, o bien presentar una serie de barreras internas que en realidad constituyen un conglomerado de lugares distintos. Un ejemplo de situaciones colocadas en la misma imagen pero distintas entre sí nos lo proporciona aquel encuadre de *Vértigo* en cuya parte derecha aparece Scottie espiando en la puerta de la floristería, mientras que en la izquierda aparece Madeleine reflejada en el espejo situado detrás de la misma puerta (pensemos también, cambiando de ejemplo, en las vidrieras de *Playtime*, de Jacques Tati, que multiplican la acción sobre las superficies reflectantes). Otro ejemplo de fragmentación son los marcos recortados en el espacio mayor del cuadro (piénsese, esta vez, en las ventanas de la casa que observa James Stewart en *La ventana indiscreta*, cada una de ellas marco de una escena en sí misma, pieza de un variadísimo mosaico).

3. *Espacio centrado/espacio excéntrico* y *espacio cerrado/espacio abierto.* Existen algunas modalidades aparte de puesta en cuadro que hacen que la imagen pierda su carácter de sistema «bien» organizado, en favor de equilibrios inestables y de una especie de tensión «mas allá de sí misma». En concreto, dos son las formas esenciales de perversión del cuadro, definidas teóricamente como *décadrages:*[18] el cuadro *arbitrario*, es decir, el que procede de un punto de vista no justificado, y el cuadro *nómada*, o bien el cuadro que, aun remitiendo intensamente a un contracampo que lo integre, se mantiene inseguro, aislado del conjunto. Ambas formas de *décadrage* rompen la continuidad espacial, la primera anteponiendo a la fluidez y a lo natural la ruptura de un punto de vista anómalo y artificioso, la segunda llenando el espacio encuadrado de una tensión destinada a forzar los bordes, y que sin embargo terminará insatisfecha, encerrando de este modo lo visible y lo accesible entre diques insalvables.

En este sentido, las dos modalidades de *décadrage* establecen dos articulaciones posteriores que el espacio asume res-

18. Véase el concepto de *décadrage* en BONITZER, 1985.

pecto del eje orgánico/inorgánico: el cuadro arbitrario, jugando con la legitimidad del punto de vista, opone el espacio *centrado* al espacio *excéntrico*; el cuadro nómada, por el contrario, jugando con el nexo entre los fragmentos del espacio encuadrado, opone el *cerrado* al *abierto*. En ambos casos, de cualquier modo, advertimos que el cuadro ya no es el receptáculo en el que converge y se organiza todo aquello que debe someterse a la atención, sino que se convierte en una especie de mascarilla, de porción cerrada de lo visible que revela una mínima parte de la realidad para esconder todo lo demás. La «ventana» cinematográfica ya no se hace cargo de la función, típica por otra parte de la ventana pictórica, de polarizar el espacio hacia el interior, sino que remite a lo externo, se vuelve centrífuga; interrumpe la continuidad y la accesibilidad del trayecto óptico, para remitir a la necesidad de un nuevo recorrido, esta vez mental, que integre las ausencias y supere las frustraciones.

Pues bien, cuanto se ha dicho hasta aquí se refiere esencialmente al nivel de la puesta en escena y de la puesta en cuadro. Sin embargo, la articulación del espacio en orgánico/inorgánico, aun naciendo del interior del encuadre, está destinada a atravesar los confines y a desarrollarse de lleno en el terreno de las relaciones que los distintos encuadres establecen entre sí. En el nivel de la puesta en serie, pues, encontraremos el cumplimiento de esta articulación dialéctica, en todas las declinaciones que hemos visto (que, debemos decirlo, son sólo algunas de entre las más significativas): plano/profundo, unitario/fragmentado, centrado/excéntrico y cerrado/abierto. Aproximando dos encuadres, de hecho, se pueden encontrar las coordenadas ambientales de cada uno de ellos, se conjugan los dos distintos espacios de la acción.

Así pues, hemos ya observado qué perfiles de los posibles mundos puede describir el film, analizando los tipos de nexo que caracterizan la puesta en serie. Volviendo a lo que hemos dicho anteriormente, añadamos sólo que la preponderancia de nexos por identidad, por proximidad y por transitividad, dan por lo demás origen a una dimensión espacial compacta, homogénea y accesible con total fluidez; que la preponderancia de nexos por analogía y por contraste definen a su vez un espacio heterogéneo, articulado, compuesto de partes autónomas aunque conexas; y que, finalmente, la preponderancia de los nexos neutralizados y por lo tanto de simples aproximaciones da lugar a un espacio fragmentario, disperso, inconexo y quizá caótico, donde la acumulación y la yuxtaposición dominan sobre la organización.[19]

4.3.5. Perfiles del espacio

Con esta breve nota sobre las diversas modalidades de articular las superficies y los ambientes, a caballo y a través de los nexos que comporta la puesta en serie, cerramos esta rápida investigación sobre el espacio y sobre la representación que de él se da en el cine. Hemos analizado los tres ejes a través de los cuales se organiza el espacio fílmico: el eje *in/off*, que pone en juego el hecho de estar en el interior de los bordes del cuadro, en contraposición al hecho de aparecer cortado fuera; el eje *estático/dinámico*, que pone en juego el hecho de estar inmóvil e inmutable, en contraposición al hecho de estar en movimiento y en evolución; y, finalmente, el eje *orgánico/inorgánico*, que pone en juego el hecho de ser conexo y coordinado, en contraposición al hecho de ser inconexo y disperso.

La siguiente tabla resume nuestro recorrido.

Ejes de organización	*Categorías analíticas*
in/off	— *in* — *off* no percibido — *off* imaginable — *off* definido
estático/dinámico	— estático fijo — estático móvil — dinámico descriptivo — dinámico expresivo
orgánico/inorgánico	— plano/profundo — unitario/fragmentado — centrado/excéntrico — cerrado/abierto

19. Estas reflexiones se basan, aunque bastante libremente, en la clasificación de los *raccords* espaciales establecida por Burch, que incluye: el *raccord* de continuidad, el *raccord* de discontinuidad próximo y el *raccord* de discontinuidad radical. Véase BURCH, 1969: 11-23.

Nuestro recorrido, sin embargo, no termina aquí. De hecho, no se da ningún espacio sin que aparezca un tiempo relativo que guíe la exploración, así como, paralelamente, no se da ningun tiempo sin un espacio que actúe como soporte suyo. Así pues, el paso de la investigación del espacio a la del tiempo y su representación cinematográfica será lógicamente nuestra próxima etapa.

4.4. El tiempo cinematográfico

4.4.1. Colocación y devenir

Hablando de tiempo nos podemos referir a dos realidades bastante distintas: por un lado, existe un tiempo-colocación, es decir, un tiempo que se resuelve en la determinación puntual de la datación de un acontecimiento; por otro, hay un tiempo-devenir, que por el contrario se propone peculiarmente como flujo constante, irreductible a los instantes que lo constituyen. Si el primero es el tiempo del «Se desarrolla en...», el segundo es el tiempo de «Se desarrolla por...», o más sencillamente de «Se desarrolla...». Este último es el tiempo que nos interesa más: no tanto simple emergencia cronológica como imparable fluir, en el que los acontecimientos, tomados en su conjunto, se disponen según un orden, se muestran abiertamente a través de una duración, se presentan según una frecuencia.

Serán, pues, el orden, la duración y la frecuencia los temas de las próximas páginas.[20] Inevitablemente, cuanto diremos pertenecerá al terreno puro y simple de la representación y se referirá a lo más característico del análisis de la narración: no por casualidad se califica a esta última como «arte del tiempo». Pero, después de todo, si se piensa que el relato no es otra cosa que una representación de acontecimientos, acciones, personajes y ambientes, a través de enunciados

20. Para el análisis de las categorías temporales de orden, duración y frecuencia, véanse GENETTE, 1976, CHATMAN, 1978, BORDWELL, 1985 y CARLUCCIO, 1988. Para el tiempo véase también fundamentalmente Ricoeur, 1983, 1984 y 1985. Para una problematización del concepto de tiempo en el cine, véase BETTETINI, 1979.

que se disponen a lo largo de ejes o coordenadas, resultará completamente justificada la ósmosis entre los dos campos de investigación.

4.4.2. El orden

El orden define el esquema de disposición de los acontecimientos en el flujo temporal, sus relaciones de sucesión. Según estas relaciones, podemos distinguir, en un primer nivel, cuatro formas de la temporalidad: el tiempo circular, el tiempo cíclico, el tiempo líneal y el tiempo anacrónico.

1. El *tiempo circular* está determinado por una sucesión de acontecimientos ordenados de tal modo que el punto de llegada de la serie resulte ser siempre idéntico al de origen. Es el caso de films como *El crepúsculo de los dioses*, de Billy Wilder, que se abre con el cadáver de un hombre flotando en una piscina y se cierra (después de un largo *flashback* dedicado a recuperar la razón de esa muerte) con el propio acto homicida.

2. El *tiempo cíclico*, por el contrario, está determinado por una sucesión de acontecimientos ordenados de tal modo que el punto de llegada de la serie resulte ser análogo al de origen, aunque no idéntico. Es, en el fondo, el caso de *La ventana indiscreta*, que se abre con James Stewart en una silla de ruedas con una pierna rota, y se cierra, tras concluir su trayecto, con el propio Stewart en silla de ruedas y las dos piernas escayoladas. También *Vértigo* presenta en ciertos aspectos esta estructura «en serpentina» o «en espiral», en la que a la realización de un giro completo corresponde un salto de nivel: la segunda relación entre James Stewart y Kim Novak sigue las huellas de la primera, cuando ella era Madeleine y no Judy Barton, y termina del mismo modo (la muerte de la mujer). La misma espiral que ilustra los títulos de crédito es la que preside esta estructura. Resulta claro que entre las volutas de la espiral puede existir, en cada caso, una distancia variable: en *La ventana indiscreta* el intervalo temporal entre el principio del film y las dos piernas escayoladas del protagonista es de algunos días, mientras que, por ejemplo, en *2001: una odisea del espacio*, de Kubrick, el intervalo

entre «el alba del hombre», con que se abre la espiral de la historia del *homo sapiens*, y el nacimiento del «feto astral», con que se cierra esa misma espiral y se abre otra nueva, abarca centenares de miles de años. Esta variabilidad da cuenta de las infinitas posibilidades de solución según las que se puede presentar el tiempo cíclico.

3. El *tiempo lineal* está determinado por una sucesión de acontecimientos ordenada de tal modo que el punto de llegada de la serie sea siempre distinto del de partida. En el interior de esta forma podemos distinguir otras figuraciones temporales: el tiempo lineal, de hecho, puede ser vectorial o no vectorial.

Es *vectorial* cuando sigue un orden continuo u homogéneo. En este sentido, puede existir entonces una vectorialidad *progresiva*, si la sucesión procede hacia adelante, orientada, por así decirlo, de un instante t hacia un instante t + 1 (es el caso más frecuente, presente en casi todos los films); o bien una vectorialidad *inversa*, si la sucesión procede hacia atrás, orientada esta vez de un instante t a un instante t — 1 (es el clásico caso de las retroproyecciones, en las que un vaso roto puede volver a recomponerse). Una situación anómala, a mitad de camino entre estas dos, nos la proporcionan los *palíndromos*, es decir, aquellos textos que, aunque lanzados hacia atrás, parecen caminar hacia adelante (un ejemplo de palíndromo cinematográfico es *Le couple*, de Raúl Ruiz, Francia, 1981, un cortometraje rodado de tal modo que puede proyectarse tanto en sentido progresivo como en sentido inverso, narrando en el primer caso la historia de un despertar, y en el segundo la historia de un homicidio).

El tiempo *no vectorial*, por el contrario, está caracterizado por un orden dishomogéneo, fracturado, privado de soluciones de continuidad. En concreto, estas rupturas pueden manifestarse como recuperaciones del pasado (y entonces tendremos un *flashback*, en su utilización más tradicional, fenómeno parangonable a la analepsis literaria), o bien como anticipaciones del futuro (y entonces tendremos, consecuentemente, un *flashforward*, parangonable a la prolepsis literaria). Films como *Ciudadano Kane*, de Orson Welles, o como *Le jour se lève*, de Marcel Carné, donde muchas veces se pasa de un tiempo t — 1 a un tiempo t + 1, y viceversa, sin que el punto de referencia desempeñe una función real de apoyo, son un claro ejemplo de estos procedimientos.

4. En ciertos casos, según este juego de reenvíos, anticipaciones y recuperaciones, se puede perder por completo el hilo del orden: la representación se organiza entonces en una secuencia completamente *anacrónica*, privada por ello de relaciones «crono-lógicas» definidas. Por lo tanto, ya no existe un orden, sino un verdadero «desorden». Un caso interesante de anacronía, originada en una intensa acumulación de rupturas, es el de *Atraco perfecto* de Kubrick. El film cuenta la preparación y ejecución de un golpe, el cual viene expuesto con una serie de anacronías retrospectivas presentadas por una voz *over*: el relato se inicia en orden progresivo y la voz narradora precisa la hora, el día y el mes de ese momento inaugural («A las 3,45 de aquel sábado por la tarde de la última semana de septiembre...»), para después invertir el orden y volver atrás («Una hora antes de aquel mismo sábado por la tarde, en otra parte de la ciudad...»); luego, en la tercera secuencia, se procede hacia adelante («A las 7 de aquella misma tarde de septiembre...»), lo cual representa una anticipación con respecto a la cuarta secuencia («Media hora antes entretanto, alrededor de las 6,30...») y a la vez un presupuesto de la quinta («A las 7,15...»). Está claro que este diseño temporal no es casual o caótico: de hecho, responde a una compleja trama arquitectónica, pero, sin embargo, en este laberinto se acaba por perder el punto de referencia y el sentido del orden.

En definitiva, para resumir brevemente cuanto hemos dicho, se pueden distinguir, según el orden de la sucesión, un tiempo circular, en el que el punto de llegada coincide con el de origen, un tiempo cíclico, en el que el punto de llegada es análogo, pero no coincidente, al de partida, y un tiempo lineal, en el que el punto de llegada es distinto del de origen. Este último, como hemos visto, puede ser a su vez vectorial, si el orden es homogéneo y continuo (ya sea progresivo o inverso), o bien no vectorial, si el orden es dishomogéneo y discontinuo (interrumpido por la anticipación o por la vuelta atrás). Finalmente, hemos señalado el caso de un orden pervertido de tal modo en su sucesión que acaba resultando inextricable, una estructura temporal paradójicamente «no cronológica».

4.4.3. La duración

La duración define la extensión sensible del tiempo representado. En este terreno es ante todo necesario establecer una distinción neta entre la *duración real*, es decir, la extensión efectiva del tiempo, y la *duración aparente*, es decir, la sensación perceptiva de esa extensión. De hecho, esta sensación diverge a menudo del dato efectivo (algunos encuadres parecen más largos o más breves de lo que son en realidad), dependiendo todo ello del contenido presentado y de las modalidades de representación activadas.

En particular, con respecto a la duración real, un encuadre parecerá tanto más largo cuanto más restringido sea el cuadro (una toma muy cercana, un detalle) y uniforme y estático el contenido (un escorzo, un ángulo, un objeto inmóvil); y, por el contrario, parecerá tanto más breve cuanto más amplio sea el cuadro (tomas a distancia, totales) y complejo y dinámico el contenido (un paisaje muy variado, un escenario de gran riqueza, una acción agitada). Un simple primer plano de cinco segundos, en suma, «durará» más que un total, por otra parte largo, muy movido y repleto de personajes; esto sucede porque la mirada emplea menos tiempo en explorarlo y recorrerlo por completo. Desde este punto de vista, la representación fílmica parece operar en dos frentes: por un lado, debe encontrar una duración adecuada para la legibilidad de cada encuadre; y por otro puede jugar con los grados de dificultad o de facilidad de lectura, presentando ciertos encuadres, o bien demasiado cortos como para ser leídos «confortablemente» (lo cual provoca frustración), o bien demasiado largos, con lo que pueden ser leídos y releídos hasta la náusea (lo cual provoca aburrimiento).[21]

Naturalmente, además de la puesta en escena (el contenido) y de la puesta en cuadro (la modalidad de filmación), también la puesta en serie interviene para definir la sensación de la duración. Pensemos, por poner un ejemplo, en un procedimiento utilizado en la práctica del montaje: la inserción, entre dos encuadres que se refieren al mismo lugar, de un encuadre relativo a un lugar distinto, para representar el espacio de tiempo transcurrido entre los dos primeros. Cuanto

21. Véase BURCH, 1979: 56-57.

más el inserto represente objetos estáticos y se ambiente en lugares lejanos, tanto mayor parecerá el intervalo temporal. Y si, por ejemplo, entre dos encuadres que representan dos momentos de una misma situación, encontramos insertado otro que representa una acción frenética, tendremos la impresión de que entre los dos primeros encuadres habrán transcurrido como máximo algunos minutos; consecuentemente, si entre estos dos encuadres encontramos inserto uno que represente una extensión inmóvil o paisajes exóticos (aunque sean en movimiento), tendremos la impresión de que entre ellos ha transcurrido mucho tiempo. En definitiva, pues, la duración temporal aparente de un intervalo entre dos escenas parece ser, por un lado, directamente proporcional a la distancia espacial de la escena que se interpone entre las dos, y por otro lado, inversamente proporcional al dinamismo de la escena interpuesta.[22]

De cualquier modo, y más allá de estas y de las muchas anotaciones empíricas que se podrían realizar sobre las «reglas del juego» de la representación, nos basta con haber recordado el distinto peso que en ella tienen la duración real y la duración aparente.

Y puesto que esta última es la que, en definitiva, dicta las condiciones, vamos a centrarnos un poco en ella. Pasemos, pues, a analizar finalmente la forma que asume la temporalidad cinematográfica en relación a la norma de la duración.

Ante todo, hay que distinguir una duración *normal* de una duración *anormal*.

El primer caso se da cuando la extensión temporal de la representación de un acontecimiento coincide aproximadamente con la duración real de ese mismo acontecimiento. O mejor, con la duración «supuestamente real» de ese acontecimiento: lo que, de hecho, esta aquí en juego, repitámoslo,

22. Por ello el espacio cercano y familiar, así como el movimiento, poseen en cierto modo una dimensión habitual e inmediatamente reconocible que da la impresión del transcurrir de un tiempo real y mensurable. Por el contrario, los paisajes estáticos (el mar, los montes) o los remotos y desconocidos están relacionados con la idea de una temporalidad indefinida, no cuantificable o estimable, a causa de su lejanía de la experiencia cotidiana. Estas observaciones sobre la determinación recíproca del espacio y del tiempo cinematográfico pueden encontrarse en BALÁSZ, 1949: 138 y 167.

es un *mundo posible*, con parámetros propios, pero también con la capacidad de remitir a los de la realidad.

En este sentido, son dos las formas de representación temporal utilizadas por el cine: el plano-secuencia y la escena.

1. El *plano-secuencia*, como ya sabemos, es una toma en continuidad de un acontecimiento: en una solución de este tipo, pues, la misma continuidad espacial garantiza la coincidencia de la temporalidad representada con la (supuestamente) real. Un ejemplo de plano-secuencia en la filmografía hitchcockiana (ejemplo anómalo, en muchos aspectos) es *La soga* (*The rope*, USA, 1948), film enteramente constituido por un único encuadre. En este sentido, definimos como *natural absoluta* la duración puesta en juego por el plano-secuencia.[23]

2. La *escena*, por el contrario, es un conjunto de encuadres concebidos y montados con el fin de obtener una artifiosa relación entre el tiempo de la representación y el de lo representado, y, por lo tanto, un «efecto» de continuidad temporal. Es el caso de la última parte de *Solo ante el peligro*, de Fred Zinnemann, cuya media hora final empieza a las 11,40 de la historia y termina a las 12,10, totalmente de acuerdo con el desarrollo narrativo. En la escena, a diferencia del plano-secuencia, no se opera, pues, una toma en continuidad, no existiendo por ello el apoyo de la homogeneidad espacial; es todo fruto de una sabia labor de montaje, a través de la cual se opera primero una descomposición y luego una recomposición del tiempo, manipulando sus nexos internos con el fin de lograr una presentación lo más realista posible. La duración que resulta de ello puede así definirse como *natural relativa*.

23. En realidad, existen también planos-secuencia construidos sobre una temporalidad, por decirlo de algún modo, paradójica: es el caso de ciertos planos-secuencia de Angelopoulos, que aparentemente respetan la duración de los acontecimientos, pero que nos aproximan a ellos a partir de una colocación temporal distinta, siendo la duración que proponen la de una suma heterogénea de momentos, y no la de un solo momento. Para la posibilidad de alteración de lo «real» operada en el plano-secuencia, piénsese en *Vértigo* y en el largo encuadre del beso entre Scottie y Judy, en el que irrumpe de improviso otro espacio (la habitación del hotel se convierte en la cochera de los carruajes) y otro tiempo (el del recuerdo del primer beso entre ambos).

Pasemos ahora a lo que hemos definido como duración *anormal*. Se da cuando la amplitud temporal de la representación del acontecimiento no coincide con la del propio acontecimiento.

En este sentido, podemos diferenciar dos modalidades generales de intervención: la *contracción* y la *dilatación*.

En el primer caso puede existir una contracción mensurable (la *recapitulación*) o bien una contracción no mensurable (la *elipsis*); en el segundo caso, por el contrario, tenemos una dilatación por expansión (la *extensión*), o bien una dilatación por suspensión (la *pausa*).

Veamos con más detalle las cuatro configuraciones.

1. El primer caso que debemos considerar es el de la *recapitulación*. Pueden distinguirse, a este propósito, la recapitulación *ordinaria*, a cargo de los procedimientos normales de montaje que operan elipsis de mínima incidencia, y la recapitulación *marcada*, activada por procedimientos de abreviación temporal con una sensible intervención en el flujo cronológico. Esta última, si se quiere, es la verdadera recapitulación, ya que opera una «condensación» de los acontecimientos (mientras que la ordinaria, si se salta algunas porciones del flujo, lo hace sin evidenciar nunca los saltos como tales: resulta evidente a este propósito la secuencia de la persecución de Madeleine por parte de Scott en *Vértigo*, así como la de la noche en que el protagonista de *La ventana indiscreta* se adormila espiando a Thorwald, comprimidas en el tiempo gracias a la utilización, respectivamente, de fundidos encadenados y de fundidos en negro). Entre las soluciones más tradicionales que caracterizan la recapitulación marcada recordemos los calendarios que van deshojándose velozmente, las agujas del reloj que se mueven a una velocidad acelerada, el recurso a lo didascálico o a la voz de un narrador que nos advierte del salto, etc. Otras veces pueden funcionar indicaciones de otro tipo, como cambios bruscos en la ambientación (con el paso, por ejemplo, del día a la noche, o del invierno a la primavera). Finalmente recordemos también las llamadas «secuencias de episodios», en las que una serie de encuadres rápidos, separados como mucho por fundidos encadenados o vertiginosas panorámicas, muestran aspectos seleccionados de una determinada sucesión tempo-

ral (pensemos en el montaje de los carteles expuestos en distintas ciudades para resumir la fulgurante ascensión de una estrella del espectáculo o la meteórica carrera de un púgil o, más específicamente, la secuencia de *Vértigo* en la que, con unas pocas y significativas imágenes relacionadas entre sí, se sugiere un largo proceso de *make up* al que se somete Judy Barton para complacer a Scottie.)

2. Pasemos a la *elipsis*. Esta actúa mediante un corte limpio cuando, sin solución de continuidad alguna, el relato pasa de una determinada situación espaciotemporal a otra, omitiendo completamente la porción de tiempo comprendida entre las dos. La elipsis, pues, opera en un nivel de profunda discontinuidad del tejido fílmico, más allá de la superficialidad de los saltos mínimos de montaje típicos del resumen ordinario, o incluso de las más sensibles omisiones del resumen marcado. Por lo demás, esta profundidad en la intervención, además de señalar de modo preciso el ritmo de la representación, ejerce numerosos efectos sobre la dinámica perceptiva y cognitiva del espectador. Pensemos en aquella secuencia de *Vértigo* en la que Madeleine se despierta en casa de Scottie, después de que éste, tras salvarla de las aguas de la bahía, la ha secado y acostado. Si bien la secuencia proporciona los suficientes elementos como para pensar que Scottie ha debido desnudar a la muchacha para hacer todo eso, esta parte de la historia no se muestra de una manera obvia. Y no sólo por pudor, sino también, y sobre todo, para envolver al espectador en el intrigante juego de deducciones, omisiones y complicidad entre el hombre y la mujer, ambos sabiendo todo lo que ha sucedido y a la vez disimulando que lo saben. En este caso, pues, la elipsis niega al espectador un saber cierto para permitirle que investigue a través de las miradas y los movimientos de los personajes. Otro caso es el ya citado de *2001: una odisea del espacio*, donde a la imagen del hueso que lanza al aire el simio le sigue la imagen de una astronave de forma alargada (en forma «de hueso», por supuesto). El *raccord*, que juega sobre un doble motivo, el figurativo (la forma del objeto) y el direccional (ambos objetos van de arriba abajo), constituye un puente tendido sobre miles de años, convirtiendo todo este tiempo en implícito. También aquí la elipsis invita al espectador a llenar un vacío mediante la interpreta-

ción, aunque implicando una dinámica cognitiva muy distinta con respecto al ejemplo anterior.[24]

3. En lo que se refiere a la *pausa*, advirtamos sólo que se manifiesta cada vez que se detiene el flujo temporal. El caso más evidente es el «fotograma fijo», en el cual el curso de la acción se detiene de una manera explícita y artificiosa, mientras continúa el tiempo de la proyección. Es una solución poco usada en el interior de los films narrativos tradicionales, pero puede encontrarse con más frecuencia al final de ciertos films, poco antes de que empiecen a desfilar los títulos de crédito.

4. Finalmente, hablemos un poco de la *extensión,* que se da cuando el tiempo de la representación ostenta una duración mayor con respecto al tiempo real (o «supuestamente real») del acontecimiento representado. Las soluciones extensivas son muchas: ante todo recordemos el «ralentí» (efecto espectacularmente opuesto al del relato por aceleración); en segundo lugar, la interpolación de insertos distintos (pensemos en *Octubre*, de Eisenstein, donde las imágenes del pavo mecánico se alternan con las de Kerenski para simbolizar su vanidad, con lo cual se expande enormemente la acción de bajar las escaleras por parte del personaje). Luego está la llamada «vuelta atrás», que se obtiene cuando, por ejemplo, el encuadre A muestra a un personaje que abre una puerta y traspasa el umbral, mientras que el encuadre B retoma la acción en el momento en que se abre la puerta, repitiendo el movimiento de modo voluntariamente artificial. La propia dilatación obsesiva de algunos elementos descriptivos, como por ejemplo el hecho de concentrarse en algunos elementos de la acción, constituyen modalidades posteriores de extender el tiempo de la representación (la descarga de *flashes* de *La ventana indiscreta* gracias a la cual el inmovilizado protagonista se defiende de la agresión del asesino, nos parece ralentizar excesivamente la acción de este último, produciendo un indudable efecto de dilatación). Finalmente, adviértase que la representación sucesiva de acontecimientos simultáneos a través del montaje «alternado» (el hecho de pasar sin solu-

24. Para la elipsis como forma de lo implícito fílmico, véase CASETTI, 1981.

ción de continuidad, para entendernos, de los perseguidores a los perseguidos) produce una extensión de la duración del acontecimiento representado.

Terminemos aquí el examen de la duración temporal. Hemos indicado ante todo una difracción entre la duración real y la duración aparente. Luego nos hemos centrado en esta última, distinguiendo una duración normal (coincidente con la de lo representado, y explícita en la forma de la escena y del plano-secuencia) de una duración anormal (no coincidente con la de lo representado, y manifiesta de maneras distintas en la modalidad del resumen, de la elipsis, de la pausa y de la extensión). Pasemos ahora a la última coordenada de referencia con respecto a la temporalidad de la representación: la frecuencia.

4.4.4. La frecuencia

Partamos de un dato evidente: un film puede representar una sola vez lo que ha sucedido una sola vez, n veces lo que ha sucedido n veces, n veces lo que ha sucedido una sola vez, y una vez lo que ha sucedido n veces (lo que ha sucedido, o mejor, lo que el film dice que ha sucedido). De estas cuatro combinaciones emergen las cuatro formas que puede asumir la frecuencia temporal de la representación: simple, múltiple, repetitiva, iterativa o frecuentativa.

1 y 2. Los dos primeros casos aparecen con mucha asiduidad: cualquier film, de hecho, puede representar una sola vez lo que ha sucedido una sola vez (frecuencia simple), o muchas veces lo que ha sucedido muchas veces (frecuencia múltiple: piénsese en la ya citada descarga de *flashes* de *La ventana indiscreta*). Estamos, pues, en el ámbito de la normalidad.

3. La *frecuencia repetitiva* es, por el contrario, una peculiaridad específica de algunos films: recordemos *Octubre* de Eisenstein (URSS, 1928), donde la apertura del puente mecánico aparece filmada varias veces desde angulaciones distintas; o *Rashomon*, de Kurosawa (Japón, 1950), donde un mismo acontecimiento se representa distintas veces desde di-

ferentes puntos de vista (en otros tantos *flashbacks*); o *Las girls*, de Cukor (USA, 1957), donde un mismo hecho se cuenta varias veces (esta vez con un efecto paródico)[25]. La representación vuelve (con variantes narrativas o estilísticas) sobre un mismo acontecimiento para dilatar artificiosamente su duración.

4. El último caso, la *frecuencia iterativa*, es bastante más complejo. De hecho, si el lenguaje verbal posee fórmulas apropiadas para expresar la iteratividad de una acción («Todos los días de la semana me levanto a las siete»), resulta problemático encontrar en cine fórmulas frecuentativas concretas. Ciertamente, la «secuencia por episodios» puede acercarse a esta intencionalidad (la superposición de los carteles de un combate de boxeo produce un efecto de iteratividad del acontecimiento), al igual que la secuencia de *Vértigo* en la que James Stewart espía a Madeleine en el cementerio, en la pinacoteca y en la bahía, podría expresarse así: «Todos los días Madeleine realiza estas acciones». Pero, no obstante, nos parece que el cine no ha encontrado todavía verdaderas soluciones frecuentativas específicas.

4.4.5. Los perfiles del tiempo

Resumamos un poco todo cuanto hemos dicho globalmente sobre la temporalidad de la representación. Ante todo, hemos distinguido un tiempo-colocación de un tiempo-devenir, y nos hemos propuesto investigar este último, privilegiando un tiempo entendido como desplazamiento y flujo antes que como simple contenedor. Luego hemos visto que, en ese flujo, los acontecimientos singulares representados se disponen según un orden (circular, cíclico, lineal, anacrónico), se presentan a través de una duración (normal o anormal) y finalmente según una frecuencia (simple, múltiple, repetitiva e iterativa).

25. En ciertos aspectos, un caso similar es el que se presenta en *Vértigo*, donde la muerte de la amada sucede dos veces. Sin duda, se trata más propiamente de una frecuencia múltiple: una vez muere la verdadera Madeleine y otra Judy Barton, que era la intérprete de Madeleine. Sin embargo, un poco metafóricamente, podemos decir que desde el punto de vista de Scottie se repite la «misma» suerte.

La siguiente tabla resume los puntos a los que hemos pasado revista.

Tiempo como colocación «Se desarrolla en...» — época — año — período	Tiempo como devenir «Se desarrolla por...» — orden — duración — frecuencia

Tiempo como devenir		
Ejes de organización		*Categorías analíticas*
Orden		— circular — cíclico — lineal — acrónico
Duración (aparente)	normal	— natural absoluta — natural relativa
	anormal	— resumen — elipsis — extensión — pausa
Frecuencia		— simple — múltiple — repetitiva — iterativa/frecuentativa

Al centrarnos con un poco más de detalle en el orden, la duración y la frecuencia, quizá nos encontremos corriendo por la frontera que separa la representación de la narración. Y esta inevitable ósmosis, que se ha venido imponiendo poco a poco, nos conducirá en el próximo capítulo a traspasar con más decisión esta línea de demarcación para ocuparnos más particularmente de la narración. Pero primero afrontemos un último tema, el de los grandes «regímenes» que puede adoptar la representación.

4.5. Los regímenes de la representación

4.5.1. Para resumir

Al abordar la representación, hemos analizado cómo el film construye un mundo y cómo lo «trata».

Desde el principio hemos distinguido tres niveles en los que puede rastrearse la representación (niveles que también se pueden llamar etapas productivas): respectivamente, la puesta en escena, con su presentación de contenidos; la puesta en cuadro, con su activación de modalidades de asunción y restitución de estos mismos contenidos; y la puesta en serie, con su activación de la asociación entre las imágenes. Aquello que atraviesa los tres niveles, repitámoslo, es un «mundo», con sus dos parámetros fundamentales, el espacio y el tiempo.

Del primero hemos descubierto tres grandes ejes de organización: la dimensión *in* u *off* (espacio *in*, *off* no percibido, *off* imaginable, *off* definido); la dimensión estática o dinámica (espacio estático fijo, estático movil, dinámico descriptivo, dinámico expresivo); y la dimensión orgánica o inorgánica (espacio plano/profundo, unitario/fragmentado, centrado/excéntrico, cerrado/abierto).

A propósito del tiempo (entendido como devenir, más que como colocación) hemos descubierto tres grandes componentes: el orden (tiempo circular, cíclico, lineal, acrónico); la duración (normal, a su vez divisible en natural absoluta y natural relativa, y anormal, que a su vez da lugar al resumen, a la elipsis, a la extensión y a la pausa); y finalmente la frecuencia (simple, múltiple, repetitiva, iterativa/frecuentativa).

Veamos ahora cómo este conjunto de posibilidades puede organizarse en un film u otro.

4.5.2. Regímenes y prácticas de la representación

En la conclusión del capítulo dedicado a los componentes cinematográficos advertíamos que, generalmente, ningún film utiliza todas las formas y modalidades representativas que habíamos descrito. Cada film, por lo tanto, según decíamos, se caracteriza por la operativización de sólo algunas de las categorías examinadas: en algunos operan de modo asiduo y meticuloso, en otros únicamente *en passant*, y en otros en absoluto. De ahí deriva un sistema de opciones coherente y motivado, articulado mediante espesamientos y rarefacciones, que acaba marcando la individualidad y la organicidad de cada texto, y que hemos llamado *régimen*. Hablando de los regímenes relativos a la utilización de los componentes lingüísticos, hemos introducido la noción de *escritura*; en lo que concierne a este capítulo, nos parece que los espesamientos y las rarefacciones con respecto a las opciones de la representación pueden ordenarse en torno a la idea de *analogía*. Como ya sabemos, de hecho, el film presenta un universo propio, al que hemos llamado un «mundo posible». Pero este mundo posible no está exento de relaciones con el «mundo real»: no sólo porque a menudo se construye a través de fragmentos de la vida concreta, con sus objetos, sus cuerpos, sus ambientes, etc., sino también porque puede continuar haciendo referencia a esa vida concreta, presentando su propio universo como más cercano o más lejano de la «realidad». En otras palabras: un film sobre la Italia de hoy estará siempre relacionado con lo que sucede efectivamente, por un lado porque utilizará siempre actores y escenarios concretos, y por otro porque podrá presentarse como un relato fiel o deformado de los acontecimientos (en el primer caso aproximando su propio mundo posible al mundo al que se refiere como real; en el segundo alejándolo). Pues bien, el juego de elaboraciones y remisiones, de recreaciones y representaciones, que la imagen fílmica conduce sin descanso, tiene en su propio centro la decisión de oprimir más el pedal de la semejanza o el de la diferencia: todo el mecanismo de la representación gira en torno a la opción entre una intencionalidad analógica fuerte (el mundo posible como copia del mundo real) y una débil (el mundo posible totalmente alejado del mundo real).

Tres son, pues, en este sentido, las grandes formas, o regímenes, de la representación en el cine, que esquemáticamente podemos denominar así: la analogía absoluta, la analogía construida y la analogía negada.

1. En lo que se refiere a la *analogía absoluta*, se opera al abrigo de la realidad, limitando al máximo los artificios

y las manipulaciones técnicas. Desde este punto de vista, la realidad no debe asumirse o presentarse a placer, sino que debe ser profundamente respetada, aunque se sujete a las exigencias organizativas de la representación. Los objetos puestos en escena, por ello, estarán caracterizados por una gran evidencia y fisicidad; las formas de la puesta en cuadro estarán enfocadas hacia la reconocibilidad de la realidad filmada; y la puesta en serie de las imágenes, finalmente, más que con la aproximación de los fragmentos utilizados como piezas de un artificioso *puzzle*, jugará con la posibilidad de construir encuadres largos y complejos, en los que la cámara podrá captar flagrantemente lo real, envolviéndolo con sus movimientos y aprehendiendo la duración, el latido de su pulso.

2. En lo que se refiere a la *analogía negada*, por el contrario, se opera desde una cierta distancia respecto de la realidad, no sólo omitiendo, sino incluso evitando cualquier tipo de relación con ella. Se trata, pues, de una actuación fuertemente manipuladora, completamente libre de intencionalidad descriptiva, encauzada hacia una expresividad de tipo connotativo (comunicación de conceptos abstractos, lenguaje simbólico, etc.). Los objetos puestos en escena no son válidos por sí mismos, sino por el sentido que les confiere la operación representativa; la puesta en cuadro cortará, seccionará, encerrará, aislará los elementos de la realidad para extraer de ellos un material expresivo nuevo, muy distinto del referente concreto; y los nexos entre las imágenes, finalmente, crearán censuras imprevistas o puentes atrevidísimos, con el fin de reestructurar completamente los datos.

3. En cuanto al régimen de la *analogía construida*, se sitúa en ciertos aspectos a mitad de camino entre los dos polos ya analizados: aquí, de hecho, si se actúa con una cierta distancia respecto de la realidad, es sólo para volver finalmente a ella. La falsificación de las apariencias puestas en escena, su composición creativa en el interior del cuadro, la selección de los fragmentos del mundo y su manipulación en serie, son instrumentos utilizados para construir un «sentido de la realidad» y para dar lugar a «otra» realidad, menos prolija, y visualmente más eficaz e interesante, del mundo habitual. Es el resultado de la tendencia del cine hacia la creación, y no

hacia la reproducción; hacia la falsificación y no hacia el registro; hacia la ilusión y no hacia la restitución.

Los regímenes vistos hasta ahora, como es obvio, atraviesan por completo los tres niveles de la representación: puesta en escena, puesta en cuadro y puesta en serie, lo cual confirman las pocas notas que ya hemos avanzado. Sin embargo, su modo de añadir sistemáticamente técnicas y prácticas en torno de algunas opciones de fondo, resulta más evidente y fácil de comprender en el nivel de la puesta en serie, en virtud de la complejidad y de la riqueza de implicaciones que tal nivel comporta, asumiendo por sí mismo los términos puestos en juego por los otros dos. Completemos por lo tanto nuestro análisis de los regímenes de la representación investigando las conexiones y la complicidad entre las tres «formas de la asociación» que hemos introducido hablando del montaje y de la puesta en serie, es decir, el plano-secuencia, el *découpage* y el montaje-rey. En concreto, como veremos con mayor detalle, el plano-secuencia se referirá a la forma de la analogía absoluta, el *découpage* a la forma de la analogía construida y el montaje-rey al régimen de la analogía negada. Observemos más de cerca estas correspondencias.

La ideología del plano-secuencia encuentra su formulación más radical en la célebre tesis de André Bazin[26], según la cual cuando lo esencial de un acontecimiento depende de la presencia simultánea de dos o más factores de la acción, cualquier solución de continuidad que rompa esta simultaneidad debe ser despreciada. Más concretamente, pues, se proclama la intangibilidad de lo real con respecto a cualquier operación manipuladora o falsificadora, y se afirma que la fascinación del cine reside exclusivamente en su capacidad de mostrar en sus imágenes el latido de la realidad. En esta ideología de fondo pueden situarse dos prácticas distintas: la de la *representación en profundidad* y la del *plano-secuencia móvil*.

En el primer caso (pensemos en Welles), la toma depende enteramente del eje de fuga de la perspectiva: la cámara está fija, pero el objetivo de distancia corta le permite enfocar una amplia porción del campo (con singulares efectos figurativos

26. Véase «Montage interdit», en Bazin, 1958.

de deformación y alteración de las proporciones), y así los actores pueden actuar en continuidad, revelando desplazamientos y vacíos espaciales, así como pausas temporales, difícilmente aprehensibles en el frenético régimen del *découpage*. Se trata siempre de una porción de lo real captada por entero en sus dimensiones espaciales y temporales.

El plano-secuencia móvil, por el contrario, es una toma en continuidad que a la utilización de la profundidad de campo une un movimiento de cámara lento y envolvente, que revela siempre más rasgos de lo real, como si quisiera abrazar su totalidad. No es que la realidad se muestre a la cámara, sino que esta última la va a buscar, la recorre, la revela.

En ambos casos se busca la proximidad de lo real, e idealmente la aproximación analógica absoluta.

El *montaje-rey*,[27] en sintonía con el régimen de analogía negada del que deriva, rehúye desde el principio cualquier tipo de nexo con la realidad y la conexión fluida de los fragmentos, para convertir la ruptura de la homogeneidad y la constitución de una dimensión connotativa en sus propias finalidades primarias. Prescindiendo de cualquier deuda eventual con la realidad, no activa, como hace el *découpage*, una simple descomposición analítica del mundo basada en la exigencia de la percepción y de la representación más idóneas, sino que al contrario opera una serie de rupturas insalvables en el tejido de la continuidad espaciotemporal, exhibiéndolas a la vez intensamente. Desde este punto de vista, el montaje está en la base de cualquier estética del cine que niegue la noción de transparencia, y, de hecho, en el curso de la evolución de las formas cinematográficas, han recurrido a estas prácticas aquellos que —como los vanguardistas, los soviéticos de los años veinte o algunos exponentes de la *nouvelle vague*— querían realizar una escritura opaca, o experimentar, o transmitir conceptos abstractos, o revelar la falsedad de la puesta en escena. Ruttmann, en *Berlín, sinfonía de una gran ciudad* y Léger en *Ballet mécanique* (dos films muy distintos: uno es

27. El término «montaje-rey», o también «montaje soberano», es la traducción del francés *montage-roi*, o simplemente *montage,* término con que la teoría francesa ha definido globalmente la práctica del montaje eisensteiniana, y más ampliamente la práctica del montaje de las vanguardias.

un documental, y el otro un film abstracto) montan según el criterio de correspondencia gráfica y de alternancia rítmica de los encuadres, sin nexo alguno con la continuidad de lo real. Eisenstein, en *Octubre*, utiliza «insertos no diegéticos», imágenes metafóricas o simbólicas extrañas a la continuidad temporal y espacial de la narración, pero que intervienen en el nivel de la descodificación conceptual, produciendo un sentido posterior. Godard, en *Al final de la escapada*, usa el *jump-cut*, o falso *raccord*, eliminando porciones de continuidad demasiado breves como para que el salto pueda ser advertido como cambio de encuadre, pero siempre perceptibles, lo cual basta para perturbar la percepción. Antonioni y Resnais utilizan el encuadre insistente o, en palabras de Bonitzer, el *décadrage* nómada, insistiendo en un campo sin referirlo a su contracampo natural, y frustrando de este modo las expectativas perceptivas y cognitivas del espectador. La discontinuidad, en todos estos casos, rompe la ilusión de la puesta en escena y produce efectos y significados que trascienden el simple contenido representado. La representación se quita la máscara y se da a ver tal como es: artificio, manipulación, *trompe l'oeil;* en una palabra: analogía negada.

El *découpage*, finalmente, relacionado con el régimen de la analogía construida, aun siendo una práctica selectiva y manipuladora, está destinado a producir una impresión de realidad, es decir, a la construcción de un universo verosímil completamente funcional con respecto a la ficción, en el que la fluidez de los *raccords* reconstituye un espacio y un tiempo aparentemente continuos. El *découpage*, pues, fragmenta para organizar una nueva realidad, tan verosímil como la original, pero más fácil e interesante de narrar, así como más eficaz en el acto de presentación en la pantalla. No es extraño, así, que el cine de ficción, y antes que nada el cine clásico hollywoodiense, lo haya convertido en su propio criterio operativo.

4.5.3. Los regímenes y la complejidad

Como hemos visto, a cada una de estas praxis (plano-secuencia, en profundidad o móvil, montaje-rey y *découpage*) corresponde una ideología. La transparencia y la verosimilitud para el *découpage*, la opacidad y la abstracción para el montaje, el registro de la realidad para los planos en profundidad y su desvelamiento progresivo para el plano móvil.

Pero también es cierto que cada una de estas praxis —atrapadas en la ideología del régimen de referencia— son objeto de utilizaciones distintas. Hitchcock utiliza el plano móvil en *La soga*, no porque esté interesado en captar íntegramente lo real, sino para trazar con la cámara un recorrido completamente personal de la realidad, para exhibir su propia habilidad a la hora de filmar con cualquier instrumento una trama de ficción. Welles utiliza la profundidad para que la impresión de realidad que produce pueda entrar en relación dialéctica con lo que más le interesa: la manipulación, la deformación de las figuras, la construcción de laberintos, la falsificación de las indicaciones y de las apariencias. El montaje-rey, en cuanto práctica de la ficción por excelencia, también puede utilizarse para romper el velo de la verosimilitud y exhibir, con una ejemplaridad desnuda, la propia naturaleza de la representación. El *découpage* mismo, que parece actuar por elecciones, fragmentaciones y manipulaciones, debe forzosamente introducir de algún modo la continuidad, si quiere dar lugar a un mundo verosímil y natural.

En definitiva, emerge aquí con claridad lo intrincado y ambiguo de las relaciones entre la praxis y la ideología, así como lo difícil que resulta situar con limpieza el trabajo representativo de un film a lo largo del eje examinado. De nuevo es el analista quien debe determinar, caso por caso, los valores en juego. Como siempre.

5. El análisis de la narración

5.1. Los componentes de la narración

No es fácil describir de modo simple y unívoco aquello que consigue que un conjunto de imágenes y sonidos asuma una *dimensión narrativa.*[1] En los textos verbales, la operación parece más factible, puesto que por lo menos se puede jugar con el contraste con las formas de discurso no narrativo (la novela opuesta al ensayo, la parábola opuesta a la exhortación moral, la crónica opuesta a la encuesta, etc.). En el cine, por el contrario, las cosas son más confusas: por un lado porque las formas de no narratividad son bastante reducidas; y por otro porque si nos remontamos a los orígenes del medio veremos que éste siempre ha preferido presentarse más como un dispositivo fabulador que como una máquina óptica, «contar» lo real más que documentarlo. La consecuen-

1. La literatura relativa a la dimensión narrativa del cine parece clausurada, y no vamos a intentar revivirla aquí. Advirtamos sólo que conoció un giro decisivo con la aparición de la *narratología,* es decir, el área de reflexión que estudia lo que convierte en narrativo un texto narrativo o, en otras palabras, que estudia la «narratividad» (véase una síntesis de las adquisiciones de la narratología en MARCHESE, 1983). En cuanto al cine, véase una orientación general en el capítulo «L'analyse du film comme récit» de AUMONT/MARIE, 1988, con bibliografía incluida; son también bastante útiles los volúmenes de la colección «Cinema e racconto», dirigida por Rondolino (TOMASSI, 1988, CARLUCCIO, 1988 y CREMONINI, 1988). Muchas de las categorías aquí utilizadas se han elaborado a partir de CHATMAN, 1978. Finalmente, advirtamos que la narratología cinematográfica (tras haberse ocupado también de las «formas débiles» de la narración, o de las formas «disnarrativas»: véase CHATEAU/JOST, 1979) se ha desarrollado en dos direcciones: una aproximación inspirada en la psicología cognitiva (en este sentido, resulta esencial BORDWELL, 1985) y una aproximación al «acto de narrar» (del que nos ocuparemos en el próximo capítulo: véase SIMON, 1979, BROWNE, 1982 y GAUDREAULT, 1988).

cia es que el cine se ha convertido en algo «naturalmente» narrativo: un lugar en el que esta dimensión específica se confunde con el todo.

A esto hay que añadir una segunda dificultad: no está muy claro si la dimensión narrativa pertenece a los contenidos de la imagen o, por el contrario, al modo en que se organizan, relacionan y presentan las imágenes; en otras palabras, no está claro si se refiere a la «historia» en sí, o a su forma de presentación, el llamado «relato». De ahí deriva una cierta ambivalencia del término: no sólo porque en el lenguaje común «narración» sea algo que (como sucede con «representación») indique tanto la acción constituyente como el objeto constituido, tanto el acto de narrar como el resultado de ese esfuerzo, sino porque al referirse a este resultado la palabra remite tanto a lo que aparece en la pantalla como a la manera en que aparece, o mejor aún, tanto al tipo de mundo que toma consistencia en el film como al tipo de discurso que se hace cargo de él. En una palabra: tanto a la «historia» como al «relato».

Sin embargo, y más allá de estas dificultades preliminares, recorriendo las distintas definiciones de narración que se han ido proponiendo, es siempre posible captar una especie de punto esencial a modo de primera aproximación. *La narración es, de hecho, una concatenación de situaciones, en la que tienen lugar acontecimientos y en la que operan personajes situados en ambientes específicos.*

Sin duda, esta definición es extremadamente lineal, y si se quiere empírica, pero tiene el mérito de descubrir tres elementos esenciales de la narración:

1. *Sucede algo:* ocurren «acontecimientos» (intencionales o accidentales, personales o colectivos, ricos en consecuencias o muertos en sí mismos, de larga duración o momentáneos, etc.).

2. *Le sucede a alguien o alguien hace que suceda:* los acontecimientos se refieren a «personajes» (héroes o víctimas, definidos o anónimos, humanos o no humanos, etc.), los cuales, por su cuenta, se sitúan en un «ambiente» que los acompaña o de alguna manera los completa (esta unión simbiótica de personajes y ambientes da origen a la categoría narratológica de los «existentes»).

3. *El suceso cambia poco a poco la situación:* en el sucederse de los acontecimientos y de las acciones se registra una

«transformación», que se manifiesta como serie de rupturas con respecto a un estado precedente, o bien como reintegración, siempre evolutiva, de un pasado renovado.

Estos tres ejes o factores estructurales identifican otras tantas categorías de fondo: los «existentes», los «acontecimientos» y las «transformaciones».

Serán, pues, estas categorías las que guíen nuestra reflexión sobre el análisis de la dimensión narrativa del film. Es evidente, volviendo a los términos problemáticos que mencionábamos antes, que la definición de narración que hemos dado privilegia la dimensión de la «historia» por encima de la del «relato», es decir, propone como punto de partida el universo narrado (acontecimientos, existentes, transformaciones) antes que la modalidad de su presentación. Como veremos, sin embargo, este último aspecto reemergerá inevitablemente en muchos lugares de nuestra reflexión, sobre todo a causa de la decisiva influencia que ejerce sobre el perfil de lo que se narra. En otras palabras, aun partiendo del análisis de los contenidos narrados, no será posible prescindir del discurso portador.

Pero empecemos a pasar revista a los que hemos definido como componentes constitutivos de la narración, es decir, los existentes, los acontecimientos y las transformaciones, y entremos en el meollo de nuestro terreno de investigación, sirviéndonos como ejemplo de un clásico del cine americano: *La diligencia (Stagecoach*, USA, 1939), de John Ford.

5.2. Los existentes

5.2.1. Criterios de distinción entre personajes y ambientes

La categoría de los «existentes» comprende todo aquello que se da y se presenta en el interior de la historia: seres humanos, animales, paisajes naturales, construcciones, objetos, etc. Se articula a su vez en dos subcategorías: la de los «personajes» y la de los «ambientes».

Puede parecer fácil distinguir estos dos ámbitos, sobre todo porque al primero pertenecen intuitivamente los seres vivientes y al segundo los objetos inanimados: pero a veces, sin embargo, existen dudas. De ahí algunos criterios de diferenciación, que no sólo nos permiten distribuir los existentes en esas dos subcategorías, sino sobre todo captar sus distintas características en términos de estatutos o de funciones narrativas (así como su posible degradación posterior).[2]

1. El *criterio anagráfico* descubre la existencia de un *nombre*, de una identidad claramente definida. Esto, de hecho, es lo que distingue principalmente al personaje del ambiente que lo rodea: el protagonista (ya sea un ser vivo, como el Ringo de *La diligencia*, o un factor ambiental, como los huracanes tropicales de los films catastróficos) tiene un nombre propio, mientras que el entorno que lo alberga y lo lanza a la acción resulta ser anónimo, no identificado (pensemos en los distintos paisajes que sirven de fondo a las acciones, en las rocas y los desiertos del Oeste; o incluso en los comparsas, como son en *La diligencia* el grupo de mujeres que expulsa a Dallas, por otra parte definido mediante una etiqueta, Law and Order League, o en los indios que atacan la diligencia, por otra parte definidos por su pertenencia a una tribu, los apaches). Este último apunte nos recuerda la existencia de casos intermedios: existen nombres genéricos, a mitad de camino entre el nombre propio y el anonimato, que identifican zonas de superposición entre los personajes y el ambiente.

2. El *criterio de relevancia* se refiere al *peso* que el elemento asume en la narración, vale decir, a la cantidad de historia que reposa sobre sus espaldas, a la medida en que se erige en portador de los acontecimientos y de las transformaciones. Obviamente, cuanto mayor sea ese peso, tanto más actuará el existente como «personaje» antes que como «ambiente»; en este sentido, los indios de *La diligencia,* aun siendo casi siempre anónimos (como hemos dicho, se diferencian sólo por el apelativo de la tribu, salvo en el caso de su jefe: Jerónimo), en virtud del enorme peso que ejercen en la trama pueden considerarse como un «personaje», aunque sea colectivo. En el cine, pues, no necesariamente —o, por lo menos, no exclusivamente— es el hombre quien ostenta el mayor peso específico: puede ser un lugar que tenga una gran

2. El problema de la distinción entre los dos planos lo afronta CHATMAN, 1972.

importancia en la historia (¿podría ser *Muerte en Venecia* alguna vez *Muerte en Milán*?), o incluso un factor ambiental que se convierta en el elemento central de la trama (es el caso, de nuevo, de los films catastróficos, donde erupciones, terremotos, incendios, insectos o pájaros enloquecidos, etc., son el verdadero núcleo portador).

También es verdad que la relevancia puede manifestarse ya sea como incidencia e iniciativa en el enfrentamiento con los acontecimientos, ya como pasividad y sumisión. Tendremos entonces, por un lado, el «actuar», declinado en sus distintas formas: el «hacer» (el verdadero actuar, el motor de la historia) y el «hacer hacer» (la manipulación, la influencia, el dominio, la interacción con los demás); el «decir» (la palabra y la comunicación como actos dotados de una incidencia propia sobre las cosas) y el «hacer decir» (la gestión de las redes de información, el hacer hablar de uno mismo); el «mirar» (la mirada como presupuesto de la acción y como acción en sí misma) y el «hacer mirar» (el mostrar y el mostrarse). En este ámbito de relevancia se juegan los destinos de la mayor parte de los personajes del cine clásico. Por otro lado tenemos el «sufrir», típico de aquellos a quienes se hace o se hace hacer, a quienes se dice o se hace decir, a quienes se mira o se hace mirar. El cine moderno ha sabido convertir a estas figuras en sus personajes clave.

3. El *criterio de la focalización*, finalmente, se refiere a la *atención* que se reserva a los distintos elementos del proceso narrativo. En este sentido, un personaje es tal porque a él se dedican espacios en primer plano, mucho más a menudo de cuanto se hace con los elementos del ambiente (por lo general relegados al trasfondo), o porque en torno a él se concentran, en una especie de diseño centrípeto, todos los elementos de la historia, convirtiéndolo, por así decirlo, en un centro de equilibrio que inevitablemente acaba erigiéndose en foco de atención. Así pues, Ringo y Dallas, en *La diligencia*, se separan de los otros protagonistas para constituir el verdadero núcleo privilegiado de la historia.

Es evidente que estos criterios no sirven sólo para diferenciar a los existentes en «personajes» y «ambientes», sino también, y más profundamente, para actuar como factores de gradación en el interior de las dos subcategorías.

Así, se podrán distinguir dos personajes sobre la base del nombre (y no sólo porque dos nombres distintos se refieran a dos personajes distintos, sino sobre todo porque, por ejemplo, el nombre propio de Ringo convierte al personaje en más protagonista que otros personajes con nombres institucionales como «*sheriff*» o «doctor»); o se podrán distinguir sobre la base del peso (hay quienes, como Ringo, actúan más frecuentemente y con mayor incidencia, o quienes, como Dallas, lo hacen muy raramente y de manera más inconclusa); o incluso se podrán distinguir sobre la base de la atención de que gocen (los que están siempre en primer plano, y los que están más dispersos y difuminados). Y lo mismo puede decirse de los ambientes.

Dejemos atrás los criterios de distinción y prosigamos por este camino mas específico, concentrándonos sobre las categorías del «ambiente» y los «personajes» en cuanto a lo que puede ofrecernos su interior.

5.2.2. El ambiente

Unas pocas palabras sobre el ambiente, antes de centrarnos con mayor atención en los personajes.

El ambiente, como hemos visto, se define mediante el conjunto de todos los elementos que pueblan la trama y que actúan como su trasfondo: en otras palabras, es lo que diseña y llena la escena, más allá de la presencia identificada, relevante, activa y focalizada de los personajes. El ambiente remite a dos cosas: por un lado al «entorno» en el que actúan los personajes, al decorado en el que se mueven; por el otro a la «situación» en la que operan, a las coordenadas espaciotemporales que caracterizan su presencia. De ahí las dos funciones del ambiente: por una parte, «amueblar» la escena; por otra, «situarla».

En lo que se refiere al análisis, las dos funciones dan lugar a dos series de categorías distintas.

Para el primer aspecto podemos hablar, por ejemplo, de un ambiente *rico*, es decir, detallado, minucioso, a veces agobiante, opuesto al ambiente *pobre*, es decir, despojado, simple, discreto. O también de un ambiente *armónico*, que mezcla entre sí elementos distintos, opuesto a un ambiente *disarmónico*, construido sobre desequilibrios y contrastes.

Para el segundo aspecto, por el contrario, podemos hablar de un ambiente *histórico*, construido mediante referencias a épocas y regiones precisas, opuesto a un ambiente *metahistórico*, donde las referencias se disuelven en lo genérico o en la abstracción. O también de ambiente *caracterizado*, es decir, dotado de propiedades específicas, opuesto a un ambiente *típico*, en el que lo importante es el reenvío a una situación canónica (los ambientes de *La diligencia* actúan en este sentido, sin subrayar, por ejemplo, las peculiaridades de Lordsbury).

Naturalmente, estas categorías son sólo indicativas:[3] deben relacionarse con los distintos objetivos del análisis.

5.2.3. El personaje como persona

Las tramas narradas son siempre, en el fondo, tramas «de alguien», acontecimientos y acciones relativos a quien, como hemos visto, tiene un nombre, una importancia, una incidencia y goza de una atención particular: en una palabra, un «personaje». Ahora bien, determinar clara y sintéticamente en qué consiste y qué es lo que en definitiva caracteriza a un «personaje», más allá de sus puntos de fricción con el ambiente, resulta bastante difícil.[4] Preferimos, por lo tanto, no buscar una respuesta unívoca y recurrir más bien a tres perspectivas posibles, tres ejes categoriales diferentes, con los que afrontar el análisis de estos componentes narrativos. Consideremos entonces al personaje ante todo como *persona*, luego como *rol*, y finalmente como *actante*.

3. Otras categorías, relativas en particular a la escenografía, en BANDINI/VIAZZI, 1945. Advirtamos también que un posterior análisis del ambiente nos llevaría al problema del espacio examinado en el capítulo anterior: con la posibilidad, por ejemplo, de distinguir entre espacio-localización (para el que son válidas las categorías de este apartado), espacio-escenario (categorías más complejas: la ciudad, la jungla, etc.), espacio-lugar (categorías más abstractas: abierto-cerrado, espacio contractual-espacio conflictual, etc.)...

4. Para una aproximación al problema del personaje, véase la inteligente reseña crítica de MARRONE, 1986; en cuanto al cine, amplio panorama con bibliografía en TOMASSI, 1988. De todas formas, hay que recordar, como ejemplos de análisis, MICCICHÈ, 1979 (el personaje como persona) y VERNET, 1986 (el personaje como conjunto de rasgos diferenciales).

Analizar al personaje en cuanto *persona* significa asumirlo como un individuo dotado de un perfil intelectual, emotivo y actitudinal, así como de una gama propia de comportamientos, reacciones, gestos, etc. Lo que importa es convertir al personaje en algo tendencialmente real: ya se quiera considerar sobre todo como una «unidad psicológica», ya se le desee tratar como una «unidad de acción», lo que lo caracteriza es el hecho de constituir una perfecta simulación de aquello con lo que nos enfrentamos en la vida.

Según esta óptica podemos diferenciar distinciones como éstas:

— personaje *plano* y personaje *redondo*: simple y unidimensional el primero (el representante de licores, por ejemplo); complejo y variado el segundo (Ringo o Dallas);

— personaje *lineal* y personaje *contrastado*: uniforme y bien calibrado el primero (la mujer del mayor, por ejemplo); inestable y contradictorio el segundo (el jugador o el *sheriff*);

— personaje *estático* y personaje *dinámico*: estable y constante el primero (el banquero e incluso el representante); en constante evolución el segundo (de nuevo Ringo o el *sheriff*).

Naturalmente, luego pueden formularse categorías más específicas, distinguiendo entre aquellas que se refieren al *carácter* (es decir, a un «modo de ser», al personaje como unidad psicológica), y las que se refieren al *gesto* (es decir, a un «modo de hacer», al personaje como «unidad de acción»).[5]

En todos los casos queda claro que la «persona», en sus multiformes determinaciones, se basa también en una precisa identidad física, que constituye, por así decirlo, su soporte. De ahí oposiciones como macho/hembra, viejo/joven, fuerte/débil, pero también normal/anormal y, como en nuestro film, blanco/pielroja, etc., con todo lo que puede construir un «esquema anagráfico» ideal del personaje.

5.2.4. El personaje como rol

Frente al personaje en cuanto persona terminamos siempre descubriendo su identidad irreductible, es decir, su carác-

5. Véase una discusión sobre las dos tradiciones que consideran al personaje «unidad psicológica» o «unidad de acción» en CHATMAN, 1978.

ter, sus actitudes y su perfil físico, que lo convierten tendencialmente en un individuo único: de ahí sus aspectos más peculiares y específicos. Sin embargo, existe otro modo de abordar al personaje, centrándose en el «tipo» que encarna. En este caso, más que los matices de su personalidad, se pondrán de relieve los géneros de gestos que asume; y más que la gama de sus comportamientos, las clases de acciones que lleva a cabo. Como resultado, ya no nos encontramos frente a un personaje como individuo único, irreductible, sino frente a un personaje como elemento codificado: se convierte en una «parte», o mejor, en un *rol* que puntúa y sostiene la narración. De lo fenomenológico, en resumen, se pasa a lo formal.

No abordamos aquí la empresa de trazar un mapa completo de los «roles» cinematográficos, ya que por sí sola requería un libro como éste. Centrémonos únicamente en algunos de los grandes rasgos que pueden caracterizar a estos «roles», a través de algunas oposiciones tradicionales:

— personaje *activo* y personaje *pasivo*: el primero es un personaje que se sitúa como fuente directa de la acción, y que opera, por así decirlo, en primera persona; el segundo es un personaje objeto de las iniciativas de otros, y que se presenta más como terminal de la acción que como fuente (en *La diligencia*, frente al ataque indio, las diferencias entre hombres y mujeres se explicitan a través del eje actividad/pasividad, con Peacock respondiendo más al segundo elemento que al primero);

— personaje *influenciador* y personaje *autónomo*: en el interior de los distintos personajes activos los hay que se dedican a provocar acciones sucesivas, y otros que operan directamente, sin causas y sin mediaciones; el primero es un personaje que «hace hacer» a los demás, encontrando en ellos sus ejecutores; el segundo es un personaje que «hace» directamente, proponiéndose como causa y razón de su actuación;

— personaje *modificador* y personaje *conservador*: los que operan activamente en la narración pueden actuar como motores o, por el contrario, como punto de resistencia; en el primer caso tendremos un personaje que trabaja para cambiar las situaciones, en sentido positivo o negativo según los casos (y entonces será *mejorador* o *degradador*: para éste último rol, pensemos en los indios); en el segundo caso, por el contrario, tendremos a un personaje cuya función será la conservación del equilibrio de las situaciones o la restauración del orden amenazado (y entonces será *protector* o *frustador*: para este último rol pensemos en los soldados);

— personaje *protagonista* y personaje *antagonista*: ambos son fuentes tanto del «hacer hacer» como del «hacer», pero según dos lógicas contrapuestas y fundamentalmente incompatibles: el primero sostiene la orientación del relato, mientras que el segundo manifiesta la posibilidad de una orientación exactamente inversa.

Las oposiciones, lo repetimos, son sólo indicativas.[6] Pero sin embargo nos sugieren al menos dos cosas. La primera es que para definir los roles narrativos es importante acudir tanto a la tipología de sus caracteres y de sus acciones, como a sus sistemas de valores, las axiologías de las que son portadores. La contraposición entre protagonista y antagonista es, en este sentido, ejemplar. La segunda observación es que el perfil de cada rol nace tanto de la extrema especificación de las funciones (y de los valores) asignadas, como de la combinación de diversos rasgos. La posibilidad para un personaje de asumir determinaciones distintas (es el caso de Jerónimo en nuestro film, que, en sus acciones, por un lado mueve a su tribu, y por otro amenaza a los viajeros de la diligencia, con el resultado de aparecer como un personaje activo que actúa como influenciador tendencialmente modificador en sentido degradatorio) muestra bien a las claras con su complejidad el modo en que cada uno de los roles nace igualmente de una superposición de rasgos.

Profundicemos en esta doble sugerencia describiendo algunos de los grandes roles codificados, típicos por ejemplo del cine clásico americano de los años treinta y cuarenta, en cuyo marco se mueve nuestro ejemplo. En este ámbito, si se observa con atención, casi todas las dinámicas narrativas que se desarrollan en torno a los personajes pueden inscribirse en la dialéctica entre dos polos, el del *official hero* y el del

6. Algunas de estas parejas (como la de modificador/conservador) se han elaborado a partir de BREMOND, 1973. Advirtamos también que parejas como la de personaje influenciador/autónomo se corresponden con otras de las que hablaremos más adelante, como la de cognitivo/pragmático.

outlaw hero. El primero expresa los valores reconocidos por la colectividad y los ideales de las generaciones anteriores, y se encarna en figuras como el abogado, el profesor, el político idealista, el industrial iluminado, el cabeza de familia, el guardián de la ley, etc. (en nuestro caso, en el *sheriff*, puesto que en él puede más el rigor del deber que la decisión de dejar libre a Ringo); representa la fe americana en la acción colectiva y en los procedimientos legales objetivos que están por encima de las nociones individuales del bien y del mal. El *outlaw*, por el contrario (que se puede definir más como irregular que como fuera de la ley, puesto que el término no tiene aquí su tradicional sentido negativo), expresa las aspiraciones del individuo y las exigencias inéditas de la juventud; se encarna en el aventurero, en el explorador, en el pistolero, en el soñador y en el solitario, y por ello, en nuestro caso, en Ringo y, en menor medida, en Dallas y el doctor; representa aquella parte del imaginario americano que valora sobre todo la voluntad de autodeterminación y la libertad de los impulsos. Si lo regular dice «Seamos una nación de leyes, no de hombres», lo irregular tiene como lema: «No sé qué dice la ley (las normas, las convenciones), pero sé lo que es justo y lo que no lo es».[7]

Es evidente que si en el cine clásico americano estas figuras dan lugar a un claro contraste, hasta el punto de diferenciar dos tipos extremos de actuación, existe también, sin embargo, una tentación sistemática de aproximar esos dos opuestos. De hecho, ninguno de los héroes prevalece definitivamente sobre el otro: ambas perspectivas ideológicas resultan al final útiles para la adquisición de un más completo equilibrio. Por un lado, el legalismo del *official hero* deberá adquirir una mayor disponibilidad al enfrentarse a ciertas situaciones de la vida: en nuestro ejemplo, el *sheriff*, aunque atado a un deber, acaba concediendo a Ringo la posibilidad, primero, de enfrentarse a quienes han destruido a su familia, y luego de atravesar la frontera con quien le permitirá construir una nueva. Por otro lado, el individualismo libre del *outlaw* acaba

7. Véase RAY, 1985: 59 y 62. Resulta clara aquí, como reconoce el propio autor, la deuda con la obra de Fiedler. Véase una aplicación de la categoría de Ray en DI CHIO, 1989.

reforzando los valores legales y comunitarios: Ringo, que al principio se opone a los ideales oficiales de las instituciones políticas y sociales, mostrándose como un sujeto transgresor y enemigo de la integración, va adquiriendo docilidad a medida que avanza la trama (acepta la tutela del *sheriff*) y aporta su contribución indispensable a la resolución positiva de la historia (ayuda a la diligencia a resistir el asalto de los apaches); el final sugiere esta nueva disponibilidad, con los dos personajes inicialmente expulsados de la comunidad fundando un nuevo núcleo social, una familia.[8] Las concesiones que cada uno de los grandes roles, el *official hero* y el *outlaw*, hace con respecto al otro, conducen a una aproximación de los distintos sistemas de valores y a una compenetración de los diversos modelos de comportamiento. Se llega, en resumen, a una especie de provechoso «compromiso». Esta «resolución de los términos incompatibles» no debe producir extrañeza alguna: el rechazo, por parte del imaginario americano, a escoger uno de los dos modelos de héroe prescindiendo del otro, puede inscribirse perfectamente en la función esencialmente reconciliadora típica de todos los mitos.

Una tendencia similar a la mediación, por lo demás, nos permitirá comprender un último aspecto del personaje como rol. Indudablemente, los «tipos» canónicos pueden relacionarse con polaridades ideales, como son por ejemplo las instancias del Bien y del Mal. Y, de hecho, en el relato fílmico podemos entrever a veces figuras «íntegras», ya sea el héroe totalmente positivo o el malvado integral (representados en nuestro caso por el inflexible oficial y sus soldados, y por el cruel Jerónimo con sus apaches). Pero estas figuras no están nunca en el centro de la dinámica narrativa: por lo general, aquellos que se mueven en la narración combinan tendencias distintas y actitudes diversas hasta el punto de mostrarse ca-

8. El modelo del héroe «reacio» a la acción y a la integración elaborado por Ray encuentra una amplia confirmación en WOOD, 1975: «Es un esquema que se repite constantemente en el cine americano [...] el héroe que no quiere comprometerse con una causa (porque cree sólo en las personas y porque, como al Bogart de *Casablanca*, no le gusta la condición de héroe) entra en combate cuando se hiere o amenaza a una persona que ama (casi siempre una muchacha). Y naturalmente entra en combate en el bando de los que tienen razón».

paces de pasar de un frente al otro. Ahí estan, en el lado de la regularidad, los numerosos detectives que actúan en los límites de la permisividad, los abogados que manipulan las leyes, los sacerdotes en el filo de la ortodoxia, y, en el lado de la irregularidad, los gángsters arrepentidos y los pistoleros con buenos sentimientos (de los cuales Ringo es, sin duda, el prototipo). De ahí el efecto antiesquemático que enmascara la sustancial convencionalidad de los «tipos» narrativos: si las figuras extremas constituyen un fondo axiológico únicamente potencial, los demás personajes, aun constreñidos en su rol, mostrarán una apariencia más compleja y más «veraz».

5.2.5. El personaje como actante

Otro modo de analizar el personaje consiste en leer tanto su entidad como su actuación desde un punto de vista esencialmente abstracto. Aquí, a diferencia de lo que sucedía en las perspectivas anteriores, no se examina al personaje ni en términos fenomenológicos (el carácter y el comportamiento tal como se expresan), ni en términos formales (la clase de actitudes y de acciones expresadas), sino que se sacan a la luz los nexos estructurales y lógicos que lo relacionan con otras unidades. Así, el personaje ya no se considera como una persona tendencialmente real, ni como un rol típico, sino como, en terminología narratológica, un *actante*, es decir, un elemento válido por el lugar que ocupa en la narración y la contribución que realiza para que ésta avance. El actante, pues, es por un lado una «posición» en el diseño global del producto, y por otro un «operador» que lleva a cabo ciertas dinámicas. Con esto nos situamos, evidentemente, más allá de lo que se suele entender por «personaje»: la noción de actante remite a una categoría general, independientemente de quienes luego la saturen, trátese de humanos, animales, objetos o incluso conceptos, en la medida en que se convierten en núcleos efectivos de la historia.[9]

9. La noción de actante ha sido elaborada por Greimas: véase la definición en GREIMAS/COURTES, 1979, y una discusión en el ensayo «Los actantes, los actores y las figuras», en GREIMAS, 1983.

Desde este punto de vista, la primera distinción que se debe efectuar en el interior del abigarrado universo de los personajes es la que se establece entre *Sujeto* y *Objeto.*

El Sujeto se presenta como aquel que se mueve hacia el Objeto para conquistarlo (dimensión del deseo), y a la vez como aquel que, moviéndose hacia el Objeto, actúa sobre él y sobre el mundo que lo rodea (dimensión de la manipulación). Esta doble actitud lo lleva a vivir cuatro momentos recurrentes: activa una *performance* (es decir, se mueve concretamente hacia el Objeto o actúa concretamente sobre él y sobre cuanto se interpone en el camino hacia su meta: de hecho, lo vemos siempre empeñado en desplazamientos, pruebas, decisiones, cambios, etc.); está dotado de una «competencia» (es decir, está en condiciones de tender hacia el Objeto y de intervenir sobre él: antes incluso de hacer, sabe hacer, puede hacer, quiere hacer y debe hacer, y esta capacidad, estas posibilidades, estas intenciones y estas obligaciones, son las que le permiten cualquier tipo de actividad); actúa sobre la base de un «mandato» (si tiende hacia el Objeto es porque alguien lo ha invitado a moverse); y como consecuencia de su actuación obtiene una «sanción» (una retribución-recompensa o, más raramente, una detracción-punición, que establecen la calidad de los resultados conseguidos).

El Objeto es, por el contrario, el punto de influencia de la acción del Sujeto: representa aquello hacia lo que hay que moverse (dimensión de deseo) y aquello sobre lo que hay que operar (dimensión de la manipulación); en resumen, una meta y un terreno de ejercicios. Puede asumir distintas calificaciones: por ejemplo, puede mostrarse como Objeto instrumental o como Objeto final (según el Sujeto tienda hacia él u opere en él con vistas a otra cosa, o como meta última de su recorrido); o como Objeto neutro u Objeto de valor (según sea susceptible de utilizaciones distintas o exprese una axiología concreta), etc.[10]

10. Hay que repetir aquí que estas dos definiciones de actantes, como todas las demás, tienen en cuenta sustancialmente sólo las «posiciones» y las «operaciones» que el mismo Actante sostiene. Añadamos que esta aproximación lleva a considerar el relato como el paso de Objetos de mano en mano, entre un Sujeto y otro, con secuencias de motivación inicial y recompensa final. Desarrollaremos más la idea cuando hablemos de las acciones, en el apartado siguiente.

Analizando *La diligencia* en relación al duelo final reconoceremos fácilmente los dos primeros actantes: Ringo es el Sujeto, mientras que el Objeto está representado por la venganza que él mismo persigue en su enfrentamiento con el temible Luke. La competencia del Sujeto en su enfrentamiento con el Objeto es incompleta: Ringo «sabe hacer», «quiere hacer» y «debe hacer», pero está imposibilitado de actuar porque se encuentra arrestado (no puede «hacer»). Por ello, la *performance* se encuentra suspendida, y en gran parte del film vive más como propósito que como ejecución, hasta que el buen comportamiento de Ringo al defender la diligencia le permita también «poder hacer», es decir, conquistar el permiso de enfrentarse a Luke. La sanción final se manifestará después como recompensa (la libertad y el amor).

En torno al eje direccional Sujeto-Objeto se construyen luego otros ejes auxiliares, sobre los que se disponen las acciones de enmarque y contorno. El resultado son otros actantes contrapuestos.

Ante todo, el *Destinador* contra el *Destinatario*. El primero se propone como punto de origen del Objeto, como su horizonte de partida; se trata, pues, de la fuente de todo cuanto circula por la historia (haberes inmediatos, pero también haberes particulares, como la propia competencia del Sujeto, que el Destinador le proporciona a través de un adiestramiento o una persuasión, y la sanción con respecto a su actuación, que el Destinador le expresa mediante premios y puniciones). El Destinatario, a su vez, se identifica con quien recibe el Objeto, se enriquece con él y extrae beneficios. El mismo Sujeto, obviamente, puede convertirse en Destinatario (no sólo cuando conquista el Objeto deseado, sino también cuando adquiere una competencia y recibe una sanción). Añadamos que el eje Destinador/Destinatario está relacionado con el eje Sujeto/Objeto, proponiéndose como el «canal de comunicación» a través del cual se desplaza el Objeto: en este sentido «enmarca» los movimientos de los dos primeros actantes, proporcionando la pista de sus desplazamientos.

En *La diligencia*, privilegiando siempre el duelo final, el papel del Destinador está cubierto en parte por la Ley del honor, en la medida en que de ella deriva la obligación de la venganza, y en parte por la Ley del Estado, encarnada en el *sheriff*, en la medida en que, traicionando su propio dictado, completa la competencia del Sujeto (el *sheriff* concede a Ringo el «poder hacer»). El Destinatario, en tanto beneficiario del acto, es Ringo, y en cierto modo representa a la colectividad que se ve liberada del forajido Luke.

Finalmente, tenemos el *Adyuvante* contra el *Oponente* (a menudo en posición de *Antisujeto*). El primero ayuda al Sujeto en las pruebas que éste debe superar para conseguir el Objeto deseado (son muchos los que ayudan a Ringo: en parte el *sheriff*, sin duda el doctor y el Séptimo de Caballería, y sobre todo Dallas); el segundo, por el contrario, se dedica a impedir el éxito (también son muchos los que actúan como obstáculos en el camino de Ringo hacia su venganza: en parte de nuevo el *sheriff*, luego los indios y sobre todo el propio Luke). El eje diferenciado por estos dos actantes se define así, más que en relación al Objeto que se debe comunicar, en relación al Sujeto empeñado en su *performance*; como consecuencia, debe relacionarse a su vez con el eje Sujeto/Objeto en calidad de estructura de apoyo, de «acelerador» o «decelerador» de los movimientos allí desarrollados.

Este esquema abstracto de análisis, construido sobre tres ejes, explica el funcionamiento y la organización de las estructuras narrativas más típicas. Pensemos en el relato mítico o la fábula: en ellos, como todos sabemos, está por un lado el Héroe (Sujeto), al cual le ha encargado el Rey o cualquier otra figura (Destinador) superar determinadas pruebas, para poder casarse con la princesa y conquistar el reino (Objeto); por otro lado tenemos al Antihéroe (Oponente o Antisujeto) que obstaculiza el feliz cumplimiento de las acciones y que al final es vencido gracias a la intervención de un protector del Sujeto o de un elemento mágico del que se pueda servir éste (Adyuvante). El éxito del Sujeto, y por ello la conquista del Objeto, encontrará su cumplimiento en el beneficio que se aporte a sí mismo, a sus seres queridos y, en fin, a la comunidad entera (Destinatario). Advirtamos también cómo un modelo interpretativo de este tipo subdivide la estructura de un relato en dos recorridos distintos: el del *Héroe* y el del *Antihéroe*. De ahí la posibilidad de redoblar, como en una imagen especular, la disposición de los elementos: lo que desde el punto de vista del Héroe es el Adyuvante, desde el punto de vista del Antihéroe funciona como el Oponente, y viceversa. Las categorías, pues, pueden invertirse, salvo la del Objeto, que es la meta tanto del Héroe como del Antihéroe (y por eso se enfrentan y tratan de eliminarse mutuamente). Esto permite desarrollar, siempre basándose en los actantes y en sus tres ejes fundamentales, un esquema fundamental cuyo núcleo principal esté basado en la estructura polémica (la lucha) y cuyas partes periféricas se fundamenten sobre la estructura contractual (el pacto, la alianza, la promesa): un esquema que, según algunos, podría evidenciar que las manifestaciones narrativas, más allá de sus diferencias superficiales, no son más que representaciones figuradas de las diferentes formas de la comunicación humana, entendida también como teatro de intercambio, de contrastes, de acuerdos y de enfrentamientos.

De cualquier manera, un modelo de este género, aunque elaborado a partir del análisis del cuento mítico y de la fábula, puede ampliarse también a estructuras aparentemente lejanas de la puramente fabuladora: del mismo modo en que lo hemos aplicado a *La diligencia*, podríamos haberlo hecho con cualquier otro film construido sobre estructuras narrativas distintas de las puestas en escena por John Ford. Por lo demás, volvamos a recordarlo, lo que cuenta en el modelo «actancial» no son las tipologías o las formas exteriores de las acciones, sino las «posiciones» que asumen los distintos elementos y su capacidad de convertirse en «operadores» de la lógica narrativa.

En el interior del esquema narrativo general que hemos delineado, cada uno de los actantes, independientemente de su caracterización básica, puede definirse en relación a algunos otros rasgos suplementarios, y puede ser:

— *de estado* o *de acción*, según su nexo con los demás actantes sea de «unión» (posesión, dominio, amor, etc.) o de «transformación» (contraste, manipulación, deseo, etc.): la mujer del mayor opuesta a Dallas.

— *pragmático* o *cognitivo*, según la acción se manifieste como una actuación directa y concreta sobre las cosas, o como algo exquisitamente mental, en sus diversos aspectos (el juzgar, el pensar, el imaginar, el querer, el saber, el creer, etc.): Ringo opuesto al representante de licores.

— *orientador* o *no orientador*, según la perspectiva en que se coloque su actuación sea la privilegiada del discurso narrativo, de la modalidad de articulación y exposición, o bien la contraria (*La diligencia* está contemplada desde la óptica de Ringo y no de Luke).

Terminamos aquí nuestro reconocimiento del personaje, y más en general de los existentes, y pasamos a analizar el segundo gran componente de la narración: los acontecimientos.

5.3. Los acontecimientos

5.3.1. Acciones y sucesos

En la dinámica narrativa, como ya sabemos, «sucede» algo: le sucede a alguien y alguien hace que suceda. Así pues nos encontramos con los sucesos, o mejor, con los *acontecimientos*, que puntúan el ritmo de la trama, marcando su evolución.

Estos acontecimientos se pueden dividir en dos grandes categorías, sobre la base del agente que los provoca: si se trata de un agente animado, se hablará más específicamente de *acciones*; si el agente es un factor ambiental o una colectividad anónima, se hablará de *sucesos*.

Los sucesos, pues, explicitan la presencia y la intervención de la naturaleza (acontecimientos climáticos, catástrofes, epidemias, etc.) y de la sociedad humana (acontecimientos colectivos, guerras, revoluciones, etc.): frente a ellos el personaje se encuentra inscrito en un sistema de sucesos bastante más grande que él y que no está en condiciones de controlar, sino —sólo de vez en cuando— de afrontar, de evitar, de sufrir, etc. Tanto es así que cuando los sucesos dominan la acción (de la cual el personaje es protagonista), la onda expansiva de los primeros se refleja sobre los segundos: a menudo, los movimientos del personaje no están totalmente en sus manos, sino que funcionan como respuesta «obligada» a algo que le sucede sin que dependa de él.

Pero afrontemos la segunda categoría, la de la *acción.*[11] Repitámoslo: la acción se entrecruza con el suceso en el diseño más amplio de los acontecimientos, y se caracteriza por la presencia de un agente animado. Esta definición, sin embargo, no nos dice mucho: como en el caso del personaje, conviene identificar diversos planos de análisis. Por ello movilizaremos igualmente tres perspectivas de observación, tres modalidades de aproximación, que reflejan los mismos tres niveles de los que partimos para la investigación sobre el personaje: el nivel fenomenológico, el nivel formal y el nivel abstracto. Analizaremos así la acción, ante todo, como *comportamiento*, luego como *función*, y finalmente como *acto.*

Veamos ahora más detalladamente estas definiciones.

5.3.2. La acción como comportamiento

Analizando la acción como *comportamiento*, la consideraremos esencialmente como una actuación atribuible a una fuente concreta y precisa, e inscribible en circunstancias determinadas: el comportamiento es, de hecho, principalmente, la manifestación de la actividad de «alguien», su respuesta explícita a una situación o a un estímulo. En este sentido, muchas son las categorías distintivas de las que puede servirse el análisis: puede existir un comportamiento *voluntario* o *involuntario* (según la acción exprese una clara intencionalidad, o se manifieste como un gesto automático); *consciente* o *inconsciente* (según la acción tenga, por así decirlo, un reflejo en la mente del protagonista, o, por el contrario, vaya acompañada de una ceguera total); *individual* o *colectivo* (según el protagonista sea único o, por el contrario, un grupo social); *transitivo* o *intransitivo* (según la acción «pase» de alguna manera a los demás o, por el contrario, se muestre estéril a la hora de generar nexos); *singular* o *plural* (según la acción se aísle o bien parta de un comportamiento generalizado); *único* o *repetitivo*, y así sucesivamente.

Lo que de cualquier forma está en juego es la observa-

11. La reflexión sobre la acción se ha desarrollado en menor medida que la del personaje: véase, sin embargo, a partir de PROPP, 1928, el trabajo de GREIMAS, 1966, 1970 y 1983, y el de WOLLEN, 1982.

ción en términos «fenomenológicos» de la acción: sus formas y sus manifestaciones concretas, su relieve social específico, el conjunto de los gestos a través de los que se expresa, etc. En una palabra, su procedencia de un personaje que se califica plenamente como «persona», en los términos en que lo hemos definido más arriba.

5.3.3. *La acción como función*

Analizar la acción como *función* significa considerarla no como suceso concreto e irreductible, sino como ocurrencia singular de una clase de acontecimientos general. Las funciones, en resumen, son fundamentalmente tipos estandarizados de acciones que, a pesar de sus infinitas variantes, los personajes cumplen y continúan cumpliendo de relato en relato. Nos encontramos, pues, en un nivel posterior del análisis: pasamos de un plano fenomenológico a otro formal.

Tampoco pensamos establecer aquí una tabla completa de las «funciones» presentes en la narración cinematográfica, puesto que prácticamente debería incluir todas las *acciones típicas* que puntúan los relatos fílmicos. Recurriremos más bien a una lista que nace de la reelaboración de otra ya clásica, la que la narratología ha extraído a partir de los cuentos populares rusos (recordando, de todos modos, que cada operación de trasplante debe hacerse con prudencia: no todas las categorías de un *corpus* pueden ir bien para otro).[12] Las grandes clases de acciones pueden sintetizarse de este modo:

— la *privación* interviene por lo general al inicio de la historia, y consiste en que alguien o algo sustrae a un personaje cosas que le resultan muy queridas: sus medios de vida, la libertad personal, la capacidad de hablar, la persona amada, una suma de dinero, etc. Esta acción da lugar a una *falta inicial*, cuyo remedio constituirá el motivo en torno al cual girará toda la trama. En *La diligencia*, si asumimos a Ringo como protagonista, esta función se encarnará en el exterminio de su familia, y se colocará antes de la secuencia inicial del film.

12. El primer esquema de las funciones es el ya clásico elaborado por PROPP. Para la aplicación de este esquema al cine véanse por ejemplo FELL, 1977 y WOLLEN, 1982.

— el *alejamiento*: se trata de una función doble, puesto que por un lado confirma una pérdida (el personaje es separado de su lugar de origen), y por otro permite la búsqueda de una solución (el personaje se encamina hacia un posible remedio). Forman parte de esta clase de acciones movimientos como el *repudio*, la *separación*, el *ocultamiento*, etc.

— el *viaje*: puede concretarse en un desplazamiento físico, en una verdadera *transferencia*, pero también en un desplazamiento mental, en un *trayecto psicológico*; lo que cuenta es que el personaje se empieze a mover a lo largo de un itinerario puntuado por una serie de etapas sucesivas. En *La diligencia* Ringo efectúa ambos viajes: tanto el físico, en la diligencia a través del desierto, como el psicológico de la maduración y la aceptación de las reglas sociales. Añadamos que forman parte del viaje tanto subclases de acciones como la *partida*, como clases más específicas como la *búsqueda* o la *investigación*.

— la *prohibición*: puede ser un refuerzo de la privación inicial, pero también una de las etapas que el personaje atraviese a lo largo de su viaje; se manifiesta como afirmación de los límites precisos que no se pueden traspasar. Frente a esta función, existe una doble posibilidad de respuesta: el *respeto* de la prohibición o, por el contrario, su *infracción*. El arresto de Ringo puede ejemplificar este tipo de acciones.

— La *obligación*: es la inversa de la función precedente, pero también otra de las etapas que puntúan el recorrido del personaje; este último se sitúa frente a un deber que puede asumir el aspecto de una *tarea* que realizar o de una *misión* que llevar a cabo. También aquí tenemos dos posibilidades de respuesta: el *cumplimiento* de todo lo prescrito o, por el contrario, la *evasión* de las obligaciones.

— el *engaño*: es un tercer tipo de situación con que se puede encontrar el personaje, y que se manifiesta como *trampa*, como *disfraz*, como *delación*, etc. De nuevo, la respuesta posible es doble: por un lado la *connivencia*, y por el otro el *desenmascaramiento*.

— la *prueba*: es una función plural, en el sentido de que incluye al menos dos tipos de acciones. La primera es la de las *pruebas preliminares*, dirigidas a la obtención de un medio que permitirá al personaje equiparse con vistas a la batalla final (es la conquista del anillo mágico en los cuentos, o la conquista de la confianza del *sheriff* por parte de Ringo gracias a la defensa de la diligencia). El segundo tipo de acción es el de la *prueba definitiva*, que permite al personaje afrontar de una vez por todas la causa de la falta inicial (es la lucha contra el dragón en los cuentos, o el duelo contra Luke): la *victoria* del héroe y la *derrota* del antihéroe estan ligadas a esta última forma de prueba.

— la *reparación de la falta*: el éxito que el personaje obtiene en su prueba definitiva le libera a él o a quien sufriera la injusticia de las privaciones. De ahí deriva la *restauración* de la situación inicial o la *reintegración* de los objetos perdidos (o de lo que pueda corresponderle).

— el *retorno*: como correlato de la función precedente (y como opuesto a la función de alejamiento), aparece el retorno del personaje al lugar que abandonó. Una de las variantes, más que un retorno propiamente dicho, es una *instalación* en un lugar contemplado ya como propio (el castillo en los cuentos, el rancho más allá de la frontera en *La diligencia*).

— la *celebración*: el personaje victorioso es reconocido como tal, y por ello *identificado*, *recompensado*, transfigurado...

El cuadro que hemos trazado no tiene pretensión alguna de integridad o sistematicidad: como hemos dicho, se ha obtenido a partir de un esquema construido para el cuento popular, y teniendo en cuenta un posible relato cinematográfico canónico (hasta el punto de resultar un poco ridículo: pero lo que importaba era descubrir un armazón ideal que cada narración pueda recorrer como quiera). Durante la exposición, ya hemos hecho algunas referencias a nuestro ejemplo-guía: añadamos que, más allá de la presencia de esta o aquella función, *La diligencia* se construye sobre un triple proceso de alejamiento. El primero (que encuentra su ejemplificación en la expulsión de Dallas y del doctor, verdadera expulsión del cuerpo social de dos presuntos marginados: en contrapartida, naturalmente, tenemos la evasión de Ringo de la prisión) da lugar al viaje de la diligencia. El segundo alejamiento (concretado en el abandono del último puesto de refresco) nos introduce en la prueba preliminar, es decir, en la lucha con Jerónimo y los apaches. El tercer alejamiento (esta vez consentido, más que obligado: Ringo deja al *sheriff* para enfrentarse a Luke y a sus hermanos) introduce finalmente la restauración de la falta, es decir, la constitución de una nueva familia, formada por la pareja Ringo-Dallas, y más en general la reconquista de un rol social, también ejemplificado en la creación de un nuevo núcleo familiar. De ahí se deduce que se necesitan tres separaciones (de la moral oficial, de la presencia de la civilización y del dominio de las leyes) para poder recomenzar a vivir: el recuerdo de los orígenes de América (lejos de las normas, la cultura y el formulismo europeos) no podía encontrar una mejor transcripción.

5.3.4. La acción como acto

Hablando de las funciones hemos operado una primera generalización con respecto a los comportamientos específicos representados en el film. Ahora pasaremos a una perspectiva aún más amplia: después de una aproximación fenomenológica y otra formal, adoptaremos una completamente abstracta. Por lo demás, se trata del mismo recorrido utilizado para el personaje, primero considerado como persona, luego como rol, y finalmente como actante. Lo mismo sucede con las acciones: ahoras las examinaremos en cuanto *acto*, es decir, en cuanto pura y simple estructura relacional, o mejor aún, en cuanto realización de una relación entre actantes.[13]

Advirtamos ante todo que las relaciones entre actantes (y en particular entre el Sujeto y el Objeto) pueden ser de dos tipos, según se refieran a un simple contacto o a cualquier clase de mutación derivada de él. De ahí la designación de dos tipos de situación con bases distintas, de dos formas diferentes de «enunciados narrativos elementales»: respectivamente, los enunciados de estado y los de actuación.

Los *enunciados de estado* («F unión (S;O)») dan cuenta del establecimiento de una interacción entre Sujeto y Objeto. Esta interacción es a su vez doble: ya que la unión en cuanto

13. Para las numerosas nociones que introduciremos en el presente apartado, véase GREIMAS/COURTES, 1979, la voz «Narrativo (esquema)» y las relacionadas con ella; véase también el ensayo «Por una teoría de la modalidad», en GREIMAS, 1983.

categoría se articula en los dos términos contradictorios de la conjunción y la disyunción, el enunciado puede expresar la posesión del Objeto por parte del Sujeto (enunciado conjuntivo: «S ∩ O»), o bien la pérdida o el fallido encuentro con el Objeto por parte del Sujeto (enunciado disyuntivo: «S ∪ O»).

Los *enunciados de actuación* («F transformación (S;O)»), por el contrario, dan cuenta del paso de un estado a otro, a través de una serie de operaciones realizadas por el Sujeto.

Estas formas «elementales» de acción definen las operaciones canónicas que estructuran las relaciones entre los actantes. Por su extrema generalidad, permiten reordenar de un modo más compacto las clasificaciones por «funciones» que hemos visto antes. Así, por ejemplo, el enunciado de estado disyuntivo corresponderá a la «privación» o al «alejamiento»; el enunciado de estado conjuntivo a la «reparación de la falta» y a la «llegada»; y el enunciado de actuación, inscrito entre los dos, corresponderá al «viaje» y sobre todo a la «prueba», donde las situaciones se convierten en su contrario. *La diligencia* puede esquematizarse así como una triple disyunción que a través de una triple «actuación» provoca una reunión generalizada (Ringo y Dallas con el orden social, cultural y legal).

La tabla de las correspondencias entre funciones y actos podría presentarse de una manera más completa. Pero esta primera reescritura evidencia ya lo que está en juego en el paso de la perspectiva formal a la abstracta: se pierde el sentido de la concreción y la especifidad de la acción, pero se gana en amplitud y generalización de las observaciones.

En el interior de la perspectiva abstracta es, pues, posible definir el acto (entendido, recordémoslo, como realización de una relación entre actantes) no sólo según su estructura lógica, sino también según su ámbito de extrinsecación, fundamentalmente doble. El acto, de hecho, posee al menos dos dimensiones: la dimensión *pragmática* y la *cognitiva*. En el primer caso el acto se explica a través de operaciones efectivas sobre los existentes (se «opera»); en el segundo caso se explica a través de movilizaciones interiores de los sentimientos, voliciones e impulsos (se «elabora»). La doble naturaleza del acto termina, en otros términos, expresando por un lado una actuación destinada a una intervención sobre el mundo (la manipulación de las cosas: el acto pragmático), y por otro una actuación que desemboca en la construcción o la simulación de un mundo (el dar consistencia a lo posible: el acto cognitivo).[14]

Finalmente, y siempre en la perspectiva abstracta, podemos entender el acto en relación con otros actos, descubriendo la red de coordinaciones y sobre todo de subordinaciones que se ha creado. Cada fase de la actuación, de hecho, presupone una serie de momentos que la preceden e implica una serie de momentos que la siguen; cada realización (cada *performance*) depende de ciertas condiciones y crea otras.

Ante todo, la *performance* procede de la adquisición de una *competencia*: no se puede «hacer» (o mejor, no se puede «hacer ser») si no se «sabe hacer», no se «quiere hacer», no se «debe hacer» o no se «puede hacer». La acción, en resumen, tiene su fundamento en la instauración de una capacidad, de una voluntad, de una obligación y de una posibilidad de actuar.

En segundo lugar, la *performance* está relacionada con la concesión de un *mandato*, un «hacer hacer» que asume la forma del estímulo, del encargo, de la orden, de la autorización, etc. Este mandato puede proceder del propio Sujeto agente (que se autoinviste de un determinado deber), pero también de un segundo Sujeto, un verdadero «mandador», cuya acción provoca las acciones sucesivas.

Finalmente, la *performance* encuentra confirmación y apoyo, o por el contrario condena y reprobación, en la *sanción* que inevitablemente le sigue. Esta sanción pasa a través de una interpretación de la *performance*, es decir, de un reconocimiento del tipo y del valor de la acción llevada a cabo; a través de un juicio sobre la *performance*, es decir, un con-

14. A este propósito, se puede advertir que en el cine existe una doble solución de montaje que respeta la doble naturaleza del acto: por un lado, los *raccords* «de movimiento» dan cuenta del relieve pragmático del hacer (los nexos que se crean entre las imágenes se instauran a partir de la acción concreta o del movimiento físico que la atraviesa); por otro lado, los *raccords* «de mirada» dan cuenta de lo esencial del aspecto cognitivo del actuar (los nexos entre las imágenes repiten los recorridos de la mirada, del pensamiento y del deseo, no menos decisivos que los estrictamente físicos).

senso o un disenso con respecto a ella; y a través de una retribución de la *performance*, es decir, un premio o una punición. Añadamos que el Sujeto sancionador puede ser el propio Sujeto agente (que se autoabsuelve o se autocondena) o un Sujeto distinto, que encarna la orientación sobre cuya base se emite el veredicto.

Estas son, pues, las cuatro etapas del acto: la *performance*, la competencia, el mandato y la sanción. Ahora bien, si definimos la *modalidad* como propiedad de un verbo para «regir» a otro verbo, o más concretamente, y en nuestro caso, la propiedad de un acto para «regir» a otro acto, se verá cómo estas cuatro etapas corresponden a otros tantos *enunciados narrativos modalizados*. De hecho, como hemos visto, la actuación típica de la *performance* se manifiesta como un «hacer ser» (se trata de una realización que da literalmente consistencia a las situaciones y a las cosas sobre las que actúa); la competencia se estructura como superposición de un «saber hacer», de un «querer hacer», de un «poder hacer» y de un «deber hacer» (es el momento en el que emerge la virtualidad del acto); el mandato aparece como un «hacer hacer» (lo cual moviliza, impulsa, causa); y finalmente la sanción se estructura como un «ser ser» (es la ratificación de que cada uno es lo que es).

Concluyamos diciendo que también este nuevo esquema es capaz de resumir y reordenar en una perspectiva más general la tabla de las «funciones» narrativas. El mandato comprende clases de acciones como la obligación (relacionada con la tarea o la misión, ejemplos evidentes de «hacer hacer»), pero también como la prohibición, el alejamiento, etc. La competencia nace de la obligación (que para el Sujeto agente se convierte en «deber hacer»), pero también de las pruebas preliminares (donde la conquista del objeto mágico permite al Sujeto agente acceder a un «poder hacer»), etc. La *performance* comprende todos aquellos tipos de acciones en las que el Sujeto actúa, y particularmente el viaje, la prueba, etc. La sanción, finalmente, se manifiesta a través de la celebración, en la que el Sujeto agente se reconstituye como héroe, pero también a través de la reparación de la falta, contemplada como premio. Este esquema nos permite efectuar otra lectura de *La diligencia*: Ringo y Dallas, sometidos a sus prohibiciones (que son una forma negativa del mandato), adquieren en el curso del viaje y sobre todo durante el asalto a la diligencia, una competencia que les permite reactivar y llevar adelante su acción (*performance*), hasta el momento en que, enfrentados a un sistema de valores que ha variado también a causa de su actuación, acaban absueltos de toda acusación y legitimados para fundar un nuevo núcleo social (sanción).

Ya es hora de clausurar esta amplia parte dedicada a la acción. Hemos examinado ésta en su triple vertiente: como comportamiento, como función y como acto. En el primer caso hemos procedido desde un nivel de análisis puramente fenomenológico, en el segundo caso desde un nivel formal, y en el tercer caso desde un nivel abstracto.[15]

Se impone, entonces, la aproximación a las tres formas del personaje, también dispuestas sobre los mismos niveles de observación: el comportamiento está relacionado con la persona (el personaje como identidad única y singular), la función con el rol (el personaje como tipo canónico) y el acto con al actante (el personaje como posición o como operador).

Por lo demás, esta complementariedad entre las acciones y los personajes se ha subrayado ya en el curso de las numerosas ejemplificaciones que hemos establecido a partir de *La diligencia*: describiendo las funciones hemos hecho referencia al rol central de Ringo, tomándolo como eje portador del relato; del mismo modo, hablando de los roles hemos asumido el duelo final como momento en torno al cual gira la trama.

El camino, pues, se abre hacia una interacción entre los modelos interpretativos. Seguir distintos caminos para llegar de muchos modos diferentes a la meta es, por otra parte, la esencia del análisis.

15. Es interesante advertir que, según numerosos estudiosos de la psicología cognitiva, las estructuras más abstractas, o «esquemas de la historia», subsisten en el nivel mental y son instrumentos indispensables a la hora de guiar la comprensión y memorización de la trama: véase Levorato, 1988.

5.4. Las transformaciones

5.4.1. De los acontecimientos a las transformaciones

La actuación, ya sea pragmática o cognitiva, nos conduce a la idea de que la acción, y más en general todos los acontecimientos, en el mismo momento en que tienen lugar, intervienen en el curso de la trama provocando un giro, un impulso hacia adelante, un retorno hacia atrás: de cualquier modo, una evolución. Sabemos que lo que los acontecimientos manifiestan es el hecho de que «sucede algo»: y el «suceder» siempre se toma en su doble acepción, es decir, tanto en el sentido de que algo «pasa», toma cuerpo, ocurre, se realiza, como en el de que algo «sigue» a otra cosa, bien porque simplemente venga después, bien porque sea su efecto. El acontecimiento, en suma, no es sólo aquello que detalla el relato, sino también y sobre todo lo que lo mueve.

Ahora bien, esta conexión fija entre los sucesos produce inevitablemente, incluso a partir de la más insignificante de las acciones, un cambio de escenario, una modificación de la situación de fondo: de una situación se pasa a otra situación, a través de un proceso de *transformación*.

Analicemos, pues, este último gran componente de la narración, la transformación, siguiendo también en este caso, como en el de los otros componentes, diversas vías de investigación y distintos niveles de definición. En concreto, activaremos tres grandes perspectivas, que nos llevarán a contemplar las transformaciones respectivamente como *cambios*, como *procesos*, y como *variaciones estructurales*. Pero vayamos por partes.

5.4.2. Las transformaciones como cambios

Volviendo a la aproximación que hemos reservado para los otros componentes de la narración, personajes y acciones, también con respecto a las transformaciones podemos situarnos ante todo en una perspectiva «fenomenológica». Así pues, analizaremos los grandes cambios que afectan a la narración partiendo de los elementos más evidentes que los caracterizan, es decir, la forma exterior, la modalidad concreta de la manifestación, la relevancia psicológica y social, el tipo de suceso a través del que se expresan, etc. En una palabra, empezaremos entendiendo las transformaciones como *cambios*.

En este ámbito, la transformación puede analizarse desde dos puntos de vista: o bien investigada a partir del personaje, que es el «actor» fundamental del cambio (lo provoca, lo sufre, lo expresa, etc.), o examinada a partir de la propia acción, que, por así decirlo, es el «motor» del cambio (lo impulsa, lo realiza, etc.).

En el primer caso, podemos en principio reconocer cambios *de carácter*, relativos a los «modos de ser» de los personajes, y cambios *de actitud*, relativos a su «modo de hacer». En *La diligencia*, la evolución de personajes como el *sheriff* o el médico se refiere en este sentido más a su actitud que a su carácter: siempre serán, respectivamente, un huraño pero bonachón defensor de la ley, y un bebedor desencantado y jovial, pero en el curso de la trama manifiestan distintos modos de actuación, pasando uno de la instransigencia al liberalismo, y el otro del abandono ante el vicio a la recuperación de su profesionalidad. Por el contrario, personajes como Ringo y Dallas evolucionan de una manera más evidente en lo que se refiere a su carácter: aunque mantengan una actitud constante, la determinación y el desprecio del peligro en él, y el orgullo y la afectuosidad en ella, hay algo en su interior que sufre una transformación; de animales solitarios se convierten en seres sociales, de transgresores en integrados, de individuos en miembros de una pareja.

También podemos dividir los cambios en *individuales* y en *colectivos*, según afecten a un solo personaje o a un sistema de personajes (y en *La diligencia*, como hemos visto, los hay tanto del primero como del segundo tipo); en *explícitos* e *implícitos*, según tengan lugar a la luz del sol o bien a escondidas (la evolución del *sheriff*, por ejemplo, permanece oculta hasta la sorpresa final de la liberación de Ringo); en *uniformes* y *complejos*, según se refieran a un solo rasgo de la persona o a un escenario más complejo; y así sucesivamente: de hecho, son muchas las distinciones posibles.

Pasando a los cambios desde el punto de vista de la acción, nos encontramos con una amplia serie de posibilidades: podrán entonces existir cambios *lineales* o *quebrados*, los primeros uniformes y continuos, los segundos contrastados e interrumpidos (pensemos, en el caso de nuestro ejemplo, en el viaje hacia Lordsbury); o también cambios *efectivos* o *aparentes*, según incidan realmente en las situaciones o resulten inconclusos (el arresto de Ringo, en este sentido, representa más un cambio aparente que efectivo, a la vista de la resolución del *sheriff*). Finalmente, podrán registrarse transformaciones, por así decirlo, *de necesidad* y transformaciones *de sucesión*: las primeras proceden de un orden de concatenación causal, y se presentan como modificaciones que obedecen a un diseño preciso y reconstruible; las segundas proceden de un orden de concatenación temporal, y se definen como procesos evolutivos que encuentran en el simple fluir del tiempo su único origen. En una palabra, transformaciones *lógicas* contra transformaciones *cronológicas*.

Ahora bien, a este propósito, hay que advertir que la narración tiende de algún modo a fundir en sí misma estos dos tipos de transformación, superponiendo el criterio según el cual A sucede *después* de B y el criterio según el cual A *es una consecuencia* de B: es el célebre principio del *Post hoc ergo propter hoc*. Sin embargo, ello no impide distinguir relatos relacionados, en su organización interna, más con un criterio que con otro: nos encontraremos entonces por un lado con el relato, por así decirlo, «del pensamiento», por lo demás concatenado por lógica y necesidad (como «teorema», en resumen), y por otro con el relato «de la mirada», por lo demás organizado por sucesión y acumulación (la narración de viajes o descriptiva). De cualquier modo, hay que reconocer que la oposición de los dos tipos de transformación (de necesidad o de sucesión) reside más a menudo en los modelos interpretativos que en los textos examinados: tras la acentuación de uno u otro orden se esconden más que nada dos tipos distintos de concebir, por parte del analista, el dispositivo narrativo en su integridad. El predominio de lo cronológico está en la base de una idea de la narración como «arte del tiempo», gestión de ritmos y de flujos, de anticipos y retornos, de extensiones y contracciones, donde el narrador se propone por un lado como «histórico» o analista, y por otro como ordenador y orquestador. Por el contrario, el predominio de lo lógico tiene como fundamento una idea de la narración como «esquema de explicación del mundo», investigación y revelación de las apariencias, observación y manipulación de los diseños ocultos, y revela una concepción del narrador como «filósofo» o «erudito».

5.4.3. Las transformaciones como procesos

Siempre según nuestro método acostumbrado, cambiaremos de nivel y analizaremos las transformaciones no ya desde una perspectiva fenomenológica, sino desde una perspectiva más formal. En este plano, las transformaciones ya no se configuran como cambios puntuales y concretos, sino como *procesos*, es decir, como formas canónicas de cambio, recorridos evolutivos recurrentes, clases de modificaciones.[16] Lo que está en juego, pues, no es la simple ocurrencia, sino la dimensión típica que asume.

En este sentido, las transformaciones pueden calificarse como procesos de *mejoramiento* o viceversa, como procesos de *empeoramiento.* Ante todo es evidente que la definición de «mejoramiento» o «empeoramiento» depende estrechamente de la presencia de un personaje *orientador*, desde cuyo punto de vista se observe toda la trama; el mejoramiento para él, de hecho, significará el empeoramiento para su antagonista, y viceversa. En estos términos, *La diligencia* se cierra con un *happy end* sólo si asumimos como orientadores a los personajes de Ringo y Dallas; pero si, con una óptica un poco perversa, asumimos como tales a Luke o a Jerónimo, las transformaciones observadas tendrán una dirección bien distinta. La narración, de todos modos, proporciona a este propósito «instrucciones de lectura» y por lo general evidencia desde el principio desde qué perspectiva organiza su discurso. Basándonos en estos puntos, y observando los procesos de transformación en relación a su orientación con respecto a un personaje clave, examinemos todo esto con mayor profundidad y pongamos un poco de orden.

Ante todo, si observamos el relato con atención, estaremos de acuerdo en que saca a la luz intereses humanos, *proyectos*, hacia un mejoramiento o hacia un empeoramiento,

16. Seguiremos aquí sobre todo las indicaciones de BREMOND, 1973.

que pueden manifestarse y actuar, o bien pueden quedarse en el estadio de los simples deseos; y que, una vez manifestados, pueden conducir a ciertos resultados o, por el contrario, resolverse en una ruptura. En resumen, el proceso de transformación de la situación de partida, para mejor o para peor, puede virtualmente tener o no tener inicio, y cuando tiene un inicio puede alcanzar o no alcanzar la obtención del resultado. Las transformaciones proceden, pues, mediante una serie de opciones binarias, que obedecen a un diseño lógico siempre igual y continuamente replicado:

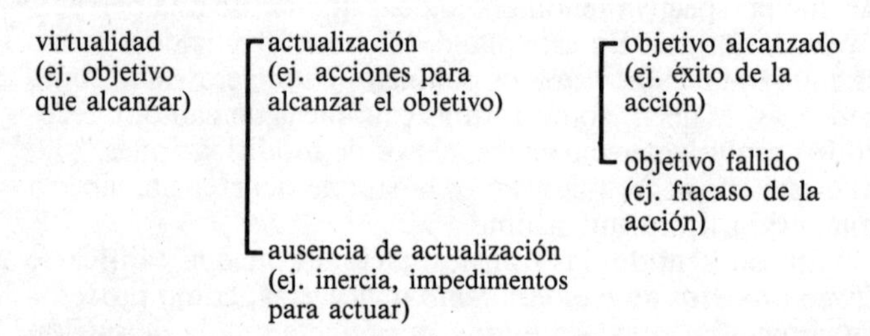

Luego, el proyecto puede tender, como hemos dicho, a la *obtención de un mejoramiento* o hacia un *empeoramiento predecible*. Lo cual da lugar a dos tipos de secuencia distintos, aunque especulares: también ellos se caracterizan por la virtualidad, actualización o no actualización, obtención o no obtención de un fin:

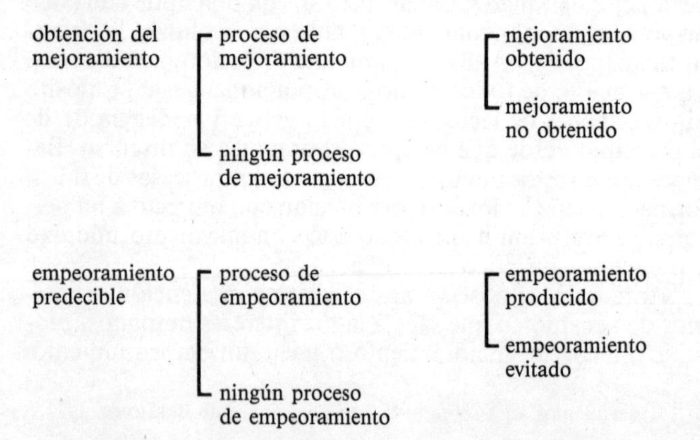

En el interior de estos esquemas, es posible, naturalmente, delimitar recorridos concretos. Tomemos el del *beneficiario* del mejoramiento. Su estado inicial de falta se debe a un obstáculo, que se elimina o salva en el curso del proceso mejorativo gracias a la actualización de ciertos medios posibles. Ahora bien, esta actualización puede tener lugar casualmente, o bien conscientemente: en el primer caso tendremos un *acontecimiento fortuito*, y entonces el beneficiario alcanzará el éxito sin esfuerzo; en el segundo caso, por el contrario, tendremos una *tarea que cumplir*, y el beneficiario deberá entonces, o hacerse parte activa, siguiendo por sí mismo la acción (como hace Ringo, auténtico *agente-beneficiario*), o apoyarse en la intervención de un *agente-aliado* (como hace Dallas, simple beneficiaria pasiva, que encuentra en Ringo al motor de sus propias intenciones). Obviamente, el obstáculo para el éxito podrá concretarse en un tercer tipo de agente, esta vez ya no mejorador, sino degradador, que llamaremos *agente-antagonista* (para Ringo: el *sheriff*, al menos hasta el giro final, los indios, y sobre todo Luke).

Centrémonos en los aliados y los antagonistas. En cuanto al aliado, su intervención puede ser no motivada (ayuda involuntaria o casual) o motivada. En este segundo caso la ayuda se insertará en un intercambio de servicios como contrapartida a una prestación anterior (aliado socio), o como búsqueda de una recompensa (aliado acreedor), o como expectativa de un beneficio (aliado cómplice, el caso que mejor refleja las relaciones que se entrelazan en nuestro film). En lo que se refiere al antagonista, su acción puede asumir dos formas: la *hostil*, si opera a través del engaño o la agresión (es el caso de la relación Ringo-Luke), y la *pacífica*, si de adversario se convierte de algún modo en aliado a través de la negociación o la seducción (es, en el fondo, el caso de la relación Ringo-*sheriff*).

Por supuesto, todo cuanto hemos visto desde el punto de vista del beneficiario del mejoramiento, puede darse inversamente desde el punto de vista de quien persigue el empeoramiento: aliados y antagonistas se invierten. Pero también está el punto de vista de quien sufre el empeoramiento: su esfuerzo se convertirá en dolor, su recompensa será el castigo, etc. Pero no vayamos más allá: nos basta con haber llamado la atención sobre la sistematicidad que caracteriza a la aproximación «formal» a las transformaciones: la parcela que hemos examinado da buena cuenta de las diversas posibilidades narrativas y de las múltiples opciones consiguientes.

5.4.4. Las transformaciones como variaciones estructurales

Después de haber observado las transformaciones según la perspectiva fenomenológica (los cambios) y según la perspectiva formal (los procesos), sólo nos queda completar nuestro reconocimiento proponiendo el tercer nivel de análisis: el abstracto. En este nivel, entendemos las transformaciones como *variaciones estructurales* de la narración, es decir, como operaciones lógicas que están en la base de las modificaciones del relato.

Ahora bien, en este sentido, cinco parecen ser las principales operaciones activadas: la saturación, la inversión, la sustitución, la suspensión y el estancamiento. Veámoslas con más detalle.

1. La *saturación* es aquel tipo de variación estructural en el que la situación de llegada representa la conclusión lógica, o por lo menos predecible, de las premisas propuestas en la situación inicial. Como dirían los químicos, se satura una valencia libre y se completa una estructura antes incompleta. En suma, se pasa de A a A', lo cual ya estaba previsto en el estadio inicial. Es lo que sucede, para entendernos, en cualquier *sophisticated comedy* americana, en las que el inicio del relato (el encuentro de los protagonistas) ya presupone el fin (su boda): el recorrido entre los dos polos no representa otra cosa que la resolución de una serie de tensiones que, a través de miles de obstáculos, apuntaban desde el principio hacia esa dirección.

2. La *inversión*, por el contrario, es aquel tipo de variación estructural en el que la situación inicial se convierte, en la meta, en su opuesto, Aquí no se completa ni se resuelve nada, sino que se desbarata lo que al principio se daba por contado: se pasa entonces de A a —A, que representa la negación y el trastorno. Es el caso de las narraciones con final

sorpresa: pensemos en las muchas novelas en que el menos sospechoso de los personajes acaba siendo culpable, pero también en ciertos dramas psicológicos y algunas tragedias en los que la propia inversión constituye el núcleo trágico (*Edipo rey* es el ejemplo más clásico).

3. La *sustitución* es aquel tipo de variación estructural cuyo estadio de llegada parece no tener relación alguna con el de partida: aquí no hay ni evolución predecible ni trastorno, sino una variación total de la situación en juego. En resumen, se pasa de A a B, que sólo deriva de la primera por sucesión. Es el caso de algunas novelas descriptivas, de viajes o epistolares, en las que domina la yuxtaposición de las situaciones por encima de su conexión, o de ciertos ejemplos de la narrativa moderna, organizados voluntariamente mediante desconexiones y trayectos casuales.

4. La *suspensión* es aquel tipo de variación estructural cuya situación de partida no encuentra su resolución en un estadio de llegada completo, sino que, por decirlo de algún modo, queda insastifecha, y por ello abiertamente rota (esquematizando: A → O), o bien abierta a desarrollos imponderables (esquematizando: A → ?).

5. El *estancamiento*, finalmente, representa una verdadera no-variación, caracterizada por la insistente permanencia de los datos iniciales, a veces con algunas variaciones. Es el caso, esquematizable mediante la fórmula A → Λ, de muchas producciones periodísticas, a menudo centradas en temas y obsesiones que van retornando eternamente.

Estas formas principales de variación, de cualquier modo, a menudo se entrelazan y mezclan en el diseño narrativo. *La diligencia* aparece caracterizada en su superficie por un tipo de variación, pero en sus capas más profundas presenta otro. A primera vista, de hecho, parece que domine la inversión (algunos de los personajes presentados al principio como «respetables», es decir, el banquero, la mujer del teniente, Peacock, las puritanas, se revelan luego menos fiables, menos sinceros y más engañosos; por el contrario, los personajes presentados inicialmente como «poco respetables», es decir, Dallas, el doctor, Ringo, el jugador, se muestran a su vez, al final del relato, positivos, ricos en humanidad y en valores); en realidad, sin embargo, esta inversión se inscribe fuertemente en la lógica de la narración, y su presencia opera bastante más en el aspecto de la integridad y la evolución predecible que en el del trastorno y la sorpresa. Una falsa inversión, pues; o, mejor dicho, una inversión que enmascara una saturación.

A este posible propósito, debemos decir que una de las características más típicas del cine clásico hollywoodiense es la de proceder mediante cambios que parecen inversiones, y que sin embargo son en realidad saturaciones. Todo se resuelve, en suma, en el más predecible de los modos, pero a través de espectaculares alteraciones cuya función es la de aplazar, complicar y comprometer el cumplimiento de lo que en realidad está ya implícitamente «escrito».

Una última advertencia. De lo que hemos dicho emerge con evidencia la carga dinámica de la narración: el relato se mueve de un polo a otro, de un estado a otro, a través de una serie de cambios y transformaciones. El propio término de «trama», que se utiliza para referirse al tejido del relato, al esquema de reclamos y remisiones que activa, y, ante todo, a su constitución como red de relaciones, no está de hecho exento de manifestar la valencia dinámica de la organización narrativa.

Ahora bien, en el análisis de este tortuoso e intrincado trayecto, adquiere un gran relieve la observación de los dos estadios extremos: la situación de partida y la de llegada. Por ello puede resultar decisivo el análisis de los dos segmentos cruciales del *exordio* y la *conclusión*, que son las puertas de entrada y de salida del texto, y que por ello contienen a menudo datos importantes para quien quiera realizar un análisis. No vamos a adentrarnos en este territorio, por lo demás esencial; nos bastará con señalar, de entre las muchas vías de aproximación posibles al inicio y al final del texto, las más conocidas[17].

Ante todo, puede considerarse el inicio como momento

17. Sobre el inicio y el fin del relato, véase CAPRETTINI/EUGENI, 1988, incluida bibliografía cinematográfica.

de «desequilibrio» (falta, perjuicio, conflicto, etc.), o como «equilibrio amenazado», y en consecuencia el final como la reintroducción o restauración de este equilibrio. En este sentido, la narración, tome la forma que tome, debe ser contemplada esencialmente como el lugar de un orden (respetado, desatendido, pervertido, etc.)

En segundo lugar, se puede ver el inicio como la apertura de una matriz de elementos, como la puesta en juego de numerosas variables, cuyas relaciones son todas de entrelazamiento, y por el contrario el final como conclusión de ese juego de remisiones, como agotamiento de todas las combinaciones posibles (quizá, como hemos dicho en el capítulo anterior, el inicio y el fin puedan en este sentido constituirse en claves interpretativas de todo el film, o como verdadera firma del autor, en los márgenes de la obra). En este caso la narración se vive como el lugar de una entropía (resuelta, suspendida, degenerada, etc.).

Finalmente, podemos considerar el inicio y el fin, en su conjunto, como los dos quicios de una puerta, las líneas de un marco o de un umbral: huellas que designan «otro» territorio, un espacio distinto del mundo real en que vivimos, y que por eso señalan con fuerza tanto el ingreso del espectador en el relato como su salida definitiva. Esta señalización comporta también la transmisión de instrucciones de lectura, la asignación de un rol y de un lugar al espectador, y en cierta medida la apertura y la sanción de su operación. En este caso la narración se vive en sentido estricto como lugar de un contrato en el que, más que los objetos y los contenidos intercambiados, cuentan las modalidades de interacción entre los participantes.

Estas últimas observaciones nos conducen ya al ámbito del próximo capítulo, dedicado al análisis de las dinámicas comunicativas activadas en el texto fílmico. Pero antes volvamos brevemente a la narración para extraer algunas conclusiones.

5.5. Los regímenes del narrar

5.5.1. Resumiendo

Hemos empezado definiendo la narración como una concatenación de situaciones, en las que se realizan acontecimientos y en las que operan personajes inscritos en ambientes específicos. De esta definición hemos extraído los factores estructurales de la organización narrativa de un texto, es decir, los *existentes* (ambientes + personajes), los *acontecimientos* (acciones + sucesos) y las *transformaciones*, y a ellos hemos dedicado nuestra atención.

En concreto, nos hemos centrado en los personajes, en las acciones y en las transformaciones, analizándolos según tres perspectivas complementarias: la *fenomenológica*, concentrada en las manifestaciones más evidentes, puntuales y concretas de los elementos; la *formal*, más atenta a los tipos, a los géneros y a las clases, a la vez que dedicada a reconducir los elementos en juego a frentes más generales; y la *abstracta*, dirigida a la captación de los nexos estructurales y lógicos que los distintos elementos, más allá de su manifestación concreta o de su inscripción en una clase, mantienen recíprocamente. De aquí se deduce un enfoque que podemos esquematizar del siguiente modo:

	personaje	*acción*	*transformación*
Nivel fenomen.	Persona	Comportamiento	Cambio
Nivel formal	Rol	Función	Proceso
Nivel abstracto	Actante	Acto	Variación estructural

Naturalmente, resulta más que lícito mantenerse en uno solo de estos niveles de análisis: lo importante es que sea el mismo para los tres componentes (resulta incorrecto, en un mismo estudio, examinar al personaje como persona y la acción como acto...).

En cuanto a los componentes podemos resumir las categorías que se refieren a ellos en las siguientes tablas:

PERSONAJE	
Persona	plano/completamente redondo lineal/contrastado estático/dinámico ...
Rol	activo/pasivo influenciador/autónomo modificador/conservador mejorador/degradador protector/frustrador protagonista/antagonista ...
Actante	Sujeto/Objeto Destinador/Destinatario Adyuvante/Oponente ...

ACCION	
Comportamiento	voluntario/involuntario consciente/inconsciente individual/colectivo transitivo/intransitivo singular/plural ...
Función	privación alejamiento (viaje) deber/obligación engaño prueba (preliminar, definitiva) remoción retorno celebración ...
Acto	Enunciado de estado/de hacer mandato; competencia; *performance*; sanción ...

	TRANSFORMACION
Cambio	de carácter/de actitud individual/colectivo explícito/implícito uniforme/complejo lineal/quebrado efectivo/aparente lógico/cronológico ...
Proceso	mejoramiento empeoramiento ...
Variación estructural	saturación inversión sustitución suspensión estancamiento ...

Ahora, siguiendo la postura ya adoptada en otros capítulos, no nos queda más que trazar, también para la narración, regímenes dominantes, sistemas coherentes de acciones en torno a los cuales añadir los múltiples modos de entender y hacer actuar a los elementos encontrados.

5.5.2. Narración fuerte, narración débil, antinarración

Sintetizar por completo grandes «regímenes» de la narración es algo ciertamente delicado: nos arriesgamos a reducir a un esquema excesivamente elemental toda la complejidad de la organización narrativa. Sin embargo, nos parece posible trazar coordenadas de fondo en el interior de las cuales ordenar la materia hasta aquí analizada; y es lo que vamos a hacer en este último apartado.

Así pues, desde esta perspectiva, tres parecen ser las grandes formas del narrar, tres los grandes regímenes narrativos:

respectivamente, la narración fuerte, la narración débil y la antinarración.[18] Veámoslo con más detalle.

En el régimen de la *narración fuerte* se pone el énfasis sobre un conjunto de situaciones bien diseñadas y bien entrelazadas entre sí. Esto significa que en cada fase del relato se ponen en juego todos los elementos narrativos: entre ellos desempeña un papel fundamental la acción, ya sea como forma de respuesta de un personaje ante el ambiente, o como intento de modificar las cosas. La acción, en otras palabras, funciona como nexo entre los elementos constitutivos de una situación (que en este sentido aparece perfectamente diseñada), y a la vez como medio de transición entre las distintas situaciones (que en este sentido aparecen perfectamente entrelazadas). Destaquemos algunos rasgos de este diseño general.

1. El ambiente (físico o social) en el que se desarrolla la trama se manifiesta en su organicidad, en su condición de dimensión «englobadora», totalidad que al mismo tiempo circunscribe la acción y la estimula continuamente. En *La diligencia*, se trata del espacio abierto del desierto, que a su vez engloba el espacio cerrado de la diligencia, estimulando a sus ocupantes mediante los factores ambientales (calor y luminosidad) y humanos (los apaches).

2. La organización íntima de las situaciones, más allá de un ambiente bien estructurado, evidencia la presencia de «frentes» concretos. De hecho, los valores específicos de cada personaje (valores que en última instancia definen la identidad y califican la acción) se inscriben en un esquema axiológico dual, que se organiza por oposición: *outlaw hero/official hero*, policía/criminal, blanco/negro, etc. (en nuestro ejemplo, en particular, hombre/mujer, blanco/indio, honesto/deshonesto, etc.). Esta estructura dual es recurrente: todo, alrededor y más allá del conflicto principal, se organiza mediante oposiciones y enfrentamientos. Los dos extremos de la oposición dual, pues, se reúnen siempre en un momento resolutorio en el que el encuentro/desencuentro resulta inevi-

18. Los tres regímenes de la narración que aquí describiremos están basados (aunque luego se desmarquen explícitamente) en la idea de «gran forma», «pequeña forma» e «imagen cristal» propuestas en DELEUZE, 1983 y 1985.

table (Ringo y Luke, pero también Ringo y Dallas, en el discurso clarificador, y Ringo y el *sheriff*, en el pacto precedente al duelo).

3. Entre las situaciones de partida y aquella a la que se quiere llegar, entre los dos polos que configuran el espacio donde interviene la acción, se produce un gran descarte que se va colmando progresivamente. El héroe se convierte poco a poco en alguien capaz de actuar (adquiere competencia), y el recorrido diegético del film se dedica a seguir esta transformación principal (en este sentido, *La diligencia* señala un doble recorrido: Ringo debe ser capaz, por un lado, de vengarse, y por el otro de amar y de casarse).

4. La anulación de este descarte pone al descubierto una situación de llegada que actúa como finalización predecible o como perturbación especular de la situación de partida. En suma, dominan la saturación y la inversión, a veces alternándose y a veces superponiéndose: también *La diligencia*, como hemos visto, oscila ambiguamente entre las dos perspectivas, señalando con la liberación de Ringo, al mismo tiempo, una grata sorpresa y una resolución predecible.

A estas constantes obedecen en principio algunos géneros del cine clásico hollywoodiense, del melodrama con trasfondo social (Vidor, Borzage) al film de gángsters (Hawks), del *western* (Ford) al *kolossal* histórico (De Mille).

El régimen de la *narración débil* experimenta un ligero pero significativo desplazamiento de los equilibrios precedentes. Las situaciones narrativas sufren una especie de trastorno: ya no existe equilibrio entre los elementos, sino una hipertrofia de los existentes (personajes y ambientes) respecto de los acontecimientos (acciones y sucesos). Esto conduce a la situación a la asunción de una apariencia más bien opaca: los personajes, sin una acción que reaccione ante ellos, se vuelven enigmáticos, pierden consistencia. Y esto lleva a las situaciones a entrelazarse de modo incompleto y provisional: sin acciones (repetimos: de los personajes y sobre los ambientes), las transformaciones no se explican del todo. Estamos, para entendernos, en el territorio del drama psicológico: en primer plano se sitúan los personajes y los ambientes, mientras que las situaciones adquieren un carácter enigmático y son mínimos los avances que se producen. También aquí, de todos modos, existen rasgos en los que vale la pena detenerse.

1. En primer lugar, el ambiente (natural y social) no aparece ya como «englobador», sino como «evasivo». En otras palabras, el ambiente ya no circunscribe ni estimula las acciones: ocupa, por así decirlo, el espacio, impidiendo su «extrinsecación» (excepto en forma de gestos mínimos, «indiciales»).

2. En segundo lugar, los valores no se colocan ya en sistemas contrapuestos, sino que se refieren a axiologías próximas al sincretismo y dotadas de una cierta permeabilidad. En este sentido, es típica la coexistencia de diversos puntos de vista: en concreto, la narración adopta indiferentemente el del Héroe y el del Antihéroe, en un vaivén que conduce a la disolución del sentido de un frente neto, de una división del campo. También es típica la superposición de los procesos de mejoramiento y de empeoramiento: continúa estando claro que lo que es bueno para uno es malo para otro y viceversa; lo que ya no está claro es si lo bueno es verdaderamente bueno y lo malo verdaderamente malo. Entre los buenos y los malos, los blancos y los indios, los criminales y los policías, la diferencia es ya siempre imperceptible (véanse los films con policías y *sheriffs* corruptos, malhechores redimidos, pielrojas indecisos entre el mundo de sus tradiciones y el universo de los blancos, etc.).

3. En tercer lugar, tienden a aparecer progresivamente descartes radicales y sin embargo «colmables» entre situaciones diversas. O mejor, al principio sometido al régimen de la narración plena («Existe un descarte entre una situación y otra, y existe una acción que puede colmar este descarte») le sustituye un nuevo principio, según el cual «una pequeñísima diferencia provocada por una acción introduce una grandísima distancia entre dos situaciones». En este clima, pues, la gran acción heroica y moral pierde todo sentido y toda plausibilidad: las dudas y los miedos no son simples etapas en el recorrido que emprende el héroe, formas transitorias que consienten mediaciones, sino que se convierten en la modalidad constitutiva de su comportamiento.

4. El estado final se presenta generalmente o bien como trastorno del inicial, o bien como un estado nuevo, desprovisto de nexos con el original: la sorpresa, en sus dos versio-

nes de inversión sistemática y de sustitución radical, resulta ser ahora un elemento a menudo dominante. En ciertos casos, puede que ni siquiera exista una resolución del enigma: nos encontramos así frente a un elemento de transformación que se caracteriza como suspensión.

Del examen de estas constantes, de cualquier modo, se puede advertir cómo el régimen de la narración débil, además de representar la otra cara de la narración fuerte, su lado complementario, representa también una revisitación bastante crítica, una inversión sistemática que supone el paso de un modelo narrativo «lleno» a otro que tiende a «vaciarse». Posibles ejemplos son ciertos géneros como el melodrama pasional o el cine negro más intrigante (Minelli, Lang...). O ciertas revisiones de los géneros realizadas durante los años 50 (el *western* psicológico).

Sin embargo, el régimen que lleva hasta sus últimas consecuencias la crisis del modelo fuerte es el de la *antinarración*, que radicaliza algunas tendencias ya presentes en el régimen anterior. En particular, el nexo ambiente-personaje pierde todo tipo de equilibrio, y la acción ya no desempeña ningún papel relevante: el diseño ya no aparece dotado de una estructura intrínseca, e incluso pierde cualquier tipo de valor dinámico. De ahí derivan algunas constantes, que se pueden oponer fácilmente a las referidas en el primer régimen y, en parte, en el segundo, y que están tras la mayoría de los films de la modernidad (de Godard a Scorsese, de Resnais a Wenders).

1. La situación narrativa ya no es orgánica, sino fragmentada y dispersa. Los personajes resultantes son múltiples, relacionados entre sí y con el ambiente mediante nexos débiles, y continuamente oscilantes entre el comportarse como protagonistas y el limitarse a los papeles secundarios. El conjunto de los existentes (ambientes y personajes) no sólo acaba invadiendo el campo, sino que lo satura desordenadamente: la presencia se convierte en invasión, y la organización sistemática en acumulación.

2. Ya no existe una axiología que actúe de algún modo como referencia, ni tampoco una axiología contaminada y cambiante. Esto significa que los valores, literalmente, se eclip-

san: el mundo se convierte en algo neutro, iluminado por unos pocos relámpagos, deslumbrantes pero indeterminados.

3. El hilo que relaciona los acontecimientos entra en crisis: las relaciones *causales* y lógicas son sustituidas por simples yuxtaposiciones *casuales*, formadas por tiempos muertos y dispersos. La acción del personaje se sustituye así por una forma particular de inacción: el «paseo», el andar sin rumbo y sin meta, pensando y mirando alrededor (piénsese en los «recorridos» que llevan a cabo los personajes de *Taxi Driver*, de Scorsese; *En el curso del tiempo*, de Wenders; *Stalker*, de Tarkovski; etc.). De ahí la creciente centralidad del pensamiento y de la mirada, como actos cognitivos, respecto de los tradicionales actos pragmáticos (las acciones concretas).

4. En este universo inconexo las transformaciones se producen muy lentamente, y nunca se resuelven en un estado final concreto: dominan la suspensión y en mayor medida el estancamiento.

Estos son, pues, los tres grandes regímenes de la narración. Con ellos hemos tratado de establecer una tipología general que tenga en cuenta el hecho de que el film, frente a las muchas opciones posibles, adopta unas antes que otras y les otorga un cierto peso. Se trata, en suma, de un sistema de «espesamientos» y «rarefacciones», que lleva a delinear tres grandes perfiles típicos, en cada uno de los cuales se ponen de relieve algunos rasgos, otros se sitúan en segundo plano, y otros, en fin, se omiten por completo.

Concretamente, en el paso del primer régimen, el de la narración fuerte, al tercero, el de la antinarración, hemos advertido un cambio radical de los equilibrios: se va de un sistema que privilegia los acontecimientos y en particular la acción, destinada a actuar como nexo entre los elementos y motor de las transformaciones, a un sistema que muestra un menor interés por los acontecimientos, y por ello privilegia ambientes y personajes por encima de la dinámica de los hechos, y finalmente a un sistema que afloja decisivamente los vínculos existentes entre los elementos en juego (los personajes y los ambientes se convierten en algo confuso; las acciones y los acontecimientos se acumulan casualmente) y que abandona la idea de que la narración pueda realmente avanzar. En resumen, de un «espesamiento» de los acontecimientos se pasa a una «rarefacción» de las transformaciones; o también, más simplemente, de lo estructurado y lo dinámico se pasa a lo disperso y lo suspenso.

Los tres regímenes, obviamente, son tipos ideales: sirven para diferenciar otros tantos modelos generales hacia los que cada film puede tender. Pero esto no impide que en el curso de la historia del cine estos tres regímenes hayan supuesto de alguna manera tres épocas distintas. El cine clásico hollywoodiense representó indudablemente una narración fuerte. Basta pensar en el papel crucial que han desempeñado en él la acción y la transformación: los personajes eran lo que hacían, y no al contrario; y lo que hacían era lo que lograba que avanzara la historia. En particular, la transformación desempeñaba un papel esencial, puesto que combinaba dos recorridos, el vectorial, el de la evolución teleológica y el desplazamiento hacia adelante, y el cíclico, el de la restauración del orden precedente y el retorno hacia atrás; la astuta superposición de ambos procedimientos producía la idea de que había que seguir adelante si se quería volver al lugar del que se había partido, según la enseñanza bíblica por la que hay que afrontar el éxodo si se quiere reconquistar el Edén (éste es esencialmente el significado del *happy end*: realizar un recorrido hacia adelante para volver a la felicidad y encontrar la felicidad en el origen del recorrido). El cine que, en general, podríamos llamar de la *nouvelle vague* representó, por el contrario, una narración más débil. No es casualidad que los personajes fueran los más privilegiados: sus acciones se hicieron más inciertas (a través de una relajación de los ordenamientos) y sus pasos menos firmes (a causa de la indefinición de los fines a los que tendían). Finalmente, el cine contemporáneo, aquel que no es una simple restauración de un mecanismo ya exhausto (Spielberg: extraordinario, sí, pero tan arqueólogo como su Indiana Jones), representa la antinarración. De hecho, asistimos a una especie de progresivo vaciamiento de las categorías: la acción se convierte en estancamiento y las transformaciones no transforman nada. Incluso los existentes, que en la narración débil se habían apoderado de todo, pierden el sentido de la orientación: ya no existe diferencia entre el personaje y el ambiente (¿dónde termina uno y empieza el otro?), ni su interacción tiene sentido alguno (¿qué corresponde a cada uno de ellos?). No es casualidad que el núcleo narrativo de muchos films (el andar sin rumbo, el «paseo»: de ahí que el género más típico de los años setenta sea la *road movie*) se resuelva en una progresión casual, que acumula etapa tras etapa sin conducir a ninguna parte, y que sólo sirve para una cosa: para sumergir al individuo en el ambiente y para superponer ambos cancelando así cualquier tipo de identidad. La inmovilidad y la inutilidad de los movimientos, la indistinción y lo engañoso de los elementos, en resumen, pueden considerarse como los paradigmas del relato moderno.

Una última observación. El cine moderno ha dejado al descubierto otro tipo de relato, situado maś allá de los tres regímenes examinados, aunque en cierta manera puede coexistir con todos ellos. No se trata de narrar según los cánones tradicionales o según nuevos paradigmas (o si se quiere, de no-narrar): lo que está en juego en esta forma «transversal» respecto de los tres géneros es, de una manera más esencial, el hecho de narrar el propio narrar, es decir, exhibir la propia acción del narrador, manifestar el texto como tal, convertir en explícitos los mecanismos y las grandes opciones que están en la base de toda la operación. De hecho, se trata de films que, más que narrar o no-narrar una trama, narran, por decirlo de algún modo, el narrar en sí mismo: a veces entre líneas, a veces explícitamente.

Y esta modalidad del narrar, que definiremos con el término de *metarrelato*, se proyecta hacia el último ámbito que vamos a explorar: el del texto como objeto y, sobre todo, como terreno de comunicación.

6. El análisis de la comunicación

6.1. Comunicar el film, comunicar en el film

6.1.1. El texto fílmico: objeto y terreno de la comunicación

Comunicar significa convertir algo en común: conseguir que cualquier cosa, en nuestro caso un texto, pase de un individuo a otro; y conseguir que estos dos individuos, en nuestro caso un destinador y un destinatario, compartan la misma cosa. En la comunicación, pues, se halla inscrita la idea de un cambio de manos y de una convergencia: en el fondo, comunicar es intercambiar, es decir, realizar un gesto en el que se llevan a cabo tanto una transferencia como una participación, tanto una transmisión como una interacción.

Este gesto, sin embargo, plantea un problema. Aparentemente, la comunicación supone un momento exterior a lo que se comunica. De hecho, el texto permite e incluso motiva el intecambio, pero no por ello participa activamente en él; es el objeto que se transmite y en torno al cual se interactúa, pero no se confunde ni con aquella transmisión ni con esta interacción. En otras palabras, en la comunicación el verdadero factor en juego son los participantes con su comportamiento concreto, y no el texto con su arquitectura y su dinámica. Esto parece ser cierto sobre todo para el film, término de un intercambio que se realiza «gracias» y «en torno» a las imágenes y a los sonidos, pero también «en el exterior» de éstos: por ello un análisis interno puede parecer incorrecto y confuso. En realidad, cada texto, incluido el film, no es indiferente al juego en el que interviene: es cierto que es ante todo el objeto de la comunicación, es decir, el «bien» transmitido o el «correo» de la interacción, pero también es algo más, un lugar que delinea y condiciona la comunicación misma.

Para explicarnos mejor, tomemos como ejemplo límite un texto producido y recibido en la presencia simultánea de destinador y destinatario, es decir, un fragmento de conversación. Resulta puramente ilusorio pensar que las palabras de esta conversación, además de ser un objeto de intercambio, no puedan actuar o incidir sobre el acto lingüístico que las alberga. Tomemos a los participantes en la comunicación: en estas palabras, quien habla se retrata a sí mismo y a su interlocutor, y a la vez usa este retrato como término de comparación entre el comportamiento propio y el ajeno: en resumen, se otorga una máscara que funciona como *alter ego*, pero un *alter ego* en cierto modo vinculante. Veámoslo todo con más detalle.

Por un lado, hay que advertir que la comunicación, incluso la más banal, lleva consigo procesos de *representación*. El destinador, ya sea explícitamente, a través de sus declaraciones directas, o implícitamente, a través de sus elecciones lingüísticas, se autorrepresenta como fuente del discurso: lo cual significa que propone una definición de sí mismo como locutor más o menos implicado en sus propias palabras («Yo creo que...»; o bien: «Sencillamente supongo que...»); una definición de su modalidad como hablante («Como amigo he de decirte...»; o bien: «Como experto...»); y una definición de la actitud que adopta hablando («Desdramatizando la cuestión...»; o bien: «Tratando de comprender todas las razones...»). Del mismo modo, el destinador representa en su discurso al destinatario, esta vez en cuanto posible terminal: lo cual quiere decir que además del interlocutor se definen su rol, su modalidad y su actitud.

Por otro lado, también hay que decir que estas representaciones constituyen *principios regulativos*: cuando el destinador proporciona una cierta definición de sí mismo y del destinatario, se empeña en comportarse de una determinada manera y espera que el otro se comporte en consecuencia. Esto significa que las palabras de la conversación, desde el mismo momento en que ofrecen una imagen de los participantes, acaban por asumir esta imagen como comparación de las acciones concretamente realizadas; diseñando una identidad, crean un elemento al que vincular el juego. Hablante y oyente deben entonces enfrentarse con la idea de sí mismo que circula en su discurso, tanto si quieren actuar en conformidad (ratificando esa misma imagen), como si quieren actuar de otra manera (cosa que pueden hacer sólo a condición de proporcionar una nueva imagen de sí mismos). En resumen, las palabras de la conversación proporcionan máscaras que una vez puestas fijan «las partes» que cada uno debe desempeñar. En este sentido, el texto no es sólo un lugar de representación, sino también una fuente de normas.

Hasta aquí hemos insistido en la representación y la autorrepresentación de los participantes: pero la comunicación, más allá de los roles, de la modalidad y de la actitud de los que toman parte, define también la amplitud y los modos del intercambio. La *amplitud* viene dada por la finalidad práctica, como dar y recibir informaciones, crear relaciones personales, conocerse mejor, etc.; o bien por necesidades particulares, como manifestar un auspicio, definir un empeño, establecer un estado de cosas, enunciar una posibilidad, etc.; o, finalmente, por cosas sin utilidad alguna, como el simple deseo de pasar el tiempo. En cuanto a los *modos*, pueden convertir la comunicación en un intercambio, según los casos formal o informal, paritario o jerárquico, participado o marginal, etc. Y también estas definiciones, que conducen a representar en el discurso de forma más o menos explícita su finalidad y sus modos, resultan en cierto modo vinculantes: el acto comunicativo deberá tenerlas en cuenta, tanto si las quiere respetar como si las quiere cambiar. El resultado de todo esto es que el texto acaba pareciendo algo más que un simple objeto intercambiado; representando en sí mismo los propios términos de este intercambio, y otorgando a estos términos un valor regulativo, se propone como objeto que comunicar y a la vez como *terreno* de la comunicación misma.

Resumamos cuanto acabamos de decir. La comunicación, en su propio desarrollo, por un lado proporciona una definición de los participantes, de la finalidad y de los modos que la sostienen; y por otro hace que tales elementos actúen como verdaderos principios reguladores. El efecto es la reabsorción de los términos y las condiciones del intercambio en el interior de lo que se intercambia: *el objeto que se transmite y en torno al cual se interactúa es también el terreno de la transmisión y de la interacción*. Ahora bien, si esto tiene lugar en lo que se refiere a las palabras de una conversación, con mayor razón deberá aparecer en aquellos textos que no plantean la presencia simultánea de destinador y destinatario, y que por eso tienen necesidad de aclarar, a través de indicaciones explícitas, lo que les mueve, hacia quién se mueven, por qué, de qué manera, etc.: en resumen, en qué tipo de comunicación queren verse envueltos. Como el film, que debe sugerir de qué destinador proviene (¿«autor» o artesano? ¿Narrador o documentalista?, etc.), a qué destinatario se dirige (¿lector ocupado o relajado? ¿Competente o inexperto?, etc), qué finalidades lo motivan (¿pedagógicas o lúdicas? ¿Expresivas o informativas?, etc.), de qué modo se presenta (¿implicado o distanciado? ¿Tradicional o innovador?, etc.).

El film, pues, como cualquier texto, se dedica a *inscribir* en sí mismo la comunicación en la que se encuentra encerrado, revelando de dónde viene y a dónde quiere ir. Lo repetiremos: no sólo es el *objeto* en sentido estricto de la comunicación, sino también su *terreno*; no sólo el medio y la puesta en juego, sino también el horizonte en el que emisor y receptor se encuentran para sus operaciones. Esto no quiere decir que la comunicación concreta actúe en el sentido previsto y auspiciado por el texto: son frecuentísimas las lecturas perversas, las descodificaciones aberrantes, las contralecturas e incluso las malas interpretaciones. Pero en cualquier caso el texto, el film, *simula* la situación comunicativa en la que pretende colocarse, y también quién lo sitúa en esta imagen preventiva.

Serán, pues, esta simulación y este anclaje interno del texto fílmico,[1] con la influencia derivada del intercambio comunicativo concreto, los que constituirán el objeto de este capítulo.

1. La idea del texto como momento de simulación y de anclaje de la comunicación se ha discutido ampliamente en el interior de la *pragmática*, es decir, aquella rama de la lingüística (o aquella ciencia intersticial entre la lingüística y la sociología) que se ocupa del texto en cuanto unidad de comunicación, o del texto en cuanto operador en el interior de un contexto comunicativo. Para una introducción a la pragmática general véase Levinson, 1983; para la pragmática cinematográfica véase Odin, 1983, Dayan, 1983, Bettetini, 1984 y Casetti, 1986. Resulta interesante, para seguir la aparición de la problemática que comentaremos aquí, un texto como Eco, 1979.

6.1.2. Siguiendo las huellas

Hemos visto cómo el film es una realidad compleja, que constituye al mismo tiempo el objeto y el terreno de la comunicación. Ahora bien, este segundo aspecto es el que más nos interesa, es decir, la idea del film como lugar de representación y de principios reguladores, y en ello vamos a centrarnos de modo muy particular. De la misma manera, la inscripción *en el* texto del intercambio comunicativo, nos permitirá continuar, desde el punto de vista de la comunicación, un análisis, por así decirlo, inmanente del film, situándonos «dentro» y no «fuera» del texto.

A lo largo de esta travesía, podemos captar en el texto fílmico no sólo el reflejo de los procesos de intercambio en los que se encuentra encerrado, sino también los efectos de estos procesos sobre su estructura y su funcionamiento. En otras palabras, podemos encontrar no sólo las huellas de quien opera gracias y a través de las imágenes y los sonidos, sino también el modo en que estas huellas se insertan en arquitecturas y dinámicas concretas. Lo que emerge entonces con nitidez es, literalmente, el «hacerse» y el «darse» del film: el «hacerse», es decir, la instauración de un principio organizativo, de un proyecto comunicativo, de un diseño de normas, que actúan como emblema del hecho de que el texto procede de alguien; y el «darse», es decir, la fermentación de un proceso interpretativo, de un horizonte de expectativas, de una posibilidad de desciframiento, que actúan como emblema del hecho de que el texto se dirige hacia alguien más. En resumen, la máscara de una procedencia y la de un destino. Y todo esto, por decirlo así, a partir de la manera en que las imágenes y los sonidos se disponen y operan: en una palabra, «dentro» del film, verdadero espejo y a la vez motor esencial del acto comunicativo en el que está implicado.

A partir de estos puntos apenas esbozados empezaremos nuestro recorrido por las huellas del destinador y del destinatario y por el peso que ejercen sobre la arquitectura y la dinámica del film. Y en nuestra ayuda, como ya es habitual, vendrá un ejemplo-guía: *Ciudadano Kane* (*Citizen Kane*, USA, 1941), de Orson Welles, un texto que convierte en su tema central su propia presentación en la pantalla y su propia exposición a la mirada, todo ello aún más importante que la historia que cuenta: la biografía de un magnate de la prensa.

6.2. El cuadro comunicativo

6.2.1. Figuras reales y figuras vicarias

Pero centrémonos aún un instante en el exterior del texto: como ya sabemos, éste procede de un destinador concreto, en el caso del cine generalmente identificado con el director, o con el productor, o con el guionista, etc., y se dirige a un destinatario también concreto, el espectador o el público. El envío y la recepción del texto se refieren, pues, a figuras reales, dotadas no sólo de un papel (respectivamente, transmitir y recibir), sino también de un cuerpo físico y de un nombre determinado: llamaremos a estas figuras *Emisor* y *Receptor*.

El Emisor y el Receptor nos conducen a los modos de producción y a las formas del consumo del film, pero, obviamente, no vamos a afrontar aquí este tipo de problemas.[2] Diremos tan sólo que estas figuras, aun actuando fuera del film, sobre el terreno afectivo de la acción que representan el escenario o la sala, en ciertos aspectos se trasvasan y se proponen directamente en el interior del texto. Los títulos de crédito iniciales o finales de un film, por ejemplo, comunican los

2. Situamos aquí entre paréntesis preguntas ya clásicas como la referente a la identidad del verdadero autor del film (¿el director, el guionista, el productor, el actor, el director de fotografía, etc.?), y que por ejemplo en el caso de *Ciudadano Kane* son la base de la intervención de la Kael en KAEL/MANKIEWICZ/WELLES, 1971. Al hablar de Emisor, intentaremos evitar la trampa de una identificación precisa con este o aquel rol profesional: aludiremos más bien a una responsabilidad en el plano comunicativo, que puede concentrarse en manos de un solo individuo o repartirse entre muchos, sin establecer diferencias (excepto en el plano legal). Más allá de estos problemas, sin embargo, el hecho de que nosotros no abordemos una investigación sobre los procesos productivos o sobre las formas de consumo (coherentemente con la idea de un análisis «inmanente» a los textos) no significa desinterés por esta temática: por el contrario, véase su correlación con las investigaciones textuales en BORDWELL/STAIGER/THOMPSON, 1985, o la llamada al espectador concreto como elemento del juego textual en BRUNO, 1986.

nombres de los autores; y en el caso de Welles, su inconfundible voz sirve a menudo de tarjeta de visita.[3]

Un texto, sin embargo, y como hemos visto, no se limita al intercambio: comunica también su propio comunicar. Esto incluye cómo se presenta y cómo se acoge, de dónde nace y hacia dónde se dirige: en resumen, más allá de la identidad de quien concretamente lo transmite y lo recibe, nos habla de su «hacerse» y de su «darse».

En el propio interior del texto existen elementos destinados a estas manifestaciones: éstos, según el frente en el que se dispongan, señalan el punto en el que el film se origina, o bien aquel hacia el que se mueve. Estas figuras internas (marcas lingüísticas, personajes, objetos, etc.) pueden reconocerse y clasificarse según el polo de la comunicación que en cierto modo representan: la entrada o la salida, el mostrar o el mirar: en una palabra, el destinador o el destinatario. Estos últimos no son realidades concretas como el Emisor o el Receptor; no se refieren a un cuerpo o a un nombre, sino de una manera más abstracta a un rol, a la instancia de la generación o a la del recibimiento, que constituyen los dos polos entre los que se encuentra suspendido el texto. Su función, en otros términos, es la de «simular» en el interior del texto una relación comunicativa, que actúa como modelo de la comunicación que el Emisor y el Receptor llevan a cabo de un modo concreto gracias al texto. Además, estas figuras «vicarias» acaban inevitablemente redefiniendo el perfil de las figuras reales a las que en cierto modo representan: a través de las huellas que deja en el texto, el Autor se define como tal y en su peculiaridad (imprimiendo una especie de «firma» personal a su obra).

Abordemos ahora estas figuras que hemos definido como «vicarias» en las distintas formas en que pueden presentarse.

3. Piénsese en los títulos finales de *El cuarto mandamiento* «recitados» por el director, o en las secuencias iniciales de *Fraude*. Para el problema general de los títulos iniciales o finales véase GARDIES, 1981, ODIN, 1980 y EUGENI, 1988.

6.2.2. *El Autor implícito y el Espectador implícito*

Con los términos de *Autor implícito* y *Espectador implícito*, o, según otras terminologías, autor o espectador modelo, enunciador o enunciatario) se definen figuras abstractas que representan los principios generales que rigen el texto: vale decir, respectivamente, la «lógica» que lo informa (el Autor implícito) y la «clave» según la cual se observa ésta (el Espectador implícito). Más concretamente, el primero representa las actitudes, las intenciones, el modo de hacer, etc. del responsable del film, tal como se presentan en el film; y el segundo las predisposiciones, las expectativas, las operaciones de lectura, etc., del espectador, también como se presentan en el film. Si se quiere, pues, se puede decir que en la figura del Autor implícito se puede localizar en cierto modo el «proyecto comunicativo» en el que se basa el film, tal como el film, en su realización, lo saca a la luz; y que en la figura del Espectador implícito pueden localizarse, por el contrario, las «condiciones de lectura» que el film presupone idealmente, a partir de la disposición de sus elementos.

En cuanto figuras abstractas, el Autor y el Espectador implícitos se manifiestan por lo demás en el modo mismo en que se organiza el film, en las opciones expresivas que desarrolla, en el tipo de referencias que hace: en resumen, en todo lo que señala por sí mismo la presencia de un destinador y de un destinatario. Pero tampoco faltan emergencias aún más nítidas.

En *Ciudadano Kane*, por ejemplo, la secuencia inicial (el acercamiento a las rejas de la mansión de Kane, a través de fundidos encadenados) y la final (el largo *travelling* sobre las cajas y los embalajes que llenan el salón) manifiestan entre líneas, pero no por eso menos claramente, la intervención de una precisa intencionalidad organizativa: la serie de fundidos a través de los cuales la cámara avanza fatigosamente hacia Xanadu nos sugiere la idea de alguien que nos está llevando de la mano a explorar un mundo misterioso y trágico; del mismo modo, el lento movimiento de cámara final que nos conduce al rótulo «Rosebud» nos sugiere la idea de alguien que, después de que todo el mundo haya intentado sin éxito descubrir el significado de esa palabra, nos revela el secreto y nos muestra la verdad. Alguien que se califica como artífice y como guía, principio de origen y principio de orden; alguien que no tiene una presencia explícita, en el sentido de que no coincide, por ejemplo, con un personaje, sino que simplemente emerge del modo en que se disponen las imágenes y los sonidos; alguien que identifica al Autor implícito.[4]

De cualquier modo, más allá de estas dos secuencias, la misma presentación de *Ciudadano Kane*, basada en una demanda seguida de un desfile de testimonios, nos aclara cuál es el proyecto comunicativo del film y, de paso, cuáles son las condiciones de lectura que nos permiten acceder al film.

6.2.3. *El Narrador y el Narratario*

Los principios implícitos, es decir, el proyecto comunicativo y las condiciones de lectura a los que nos referíamos antes, pueden en muchos casos hacerse explícitos y encarnarse en este o aquel elemento textual. El Autor implícito y el Espectador implícito tendrán entonces «figurativizaciones» más evidentes en el interior del texto, elementos vicarios que manifestarán de una manera más clara su presencia y su acción. Intentemos ahora brevemente hacer un inventario de estos elementos, definiendo su rol y su función en relación al «frente» al que se refieren (emisión o recepción).

Comencemos por la figura de la emisión, representada bajo la etiqueta de *Narrador*, yendo de lo más genérico a lo más definido.

1. Los emblemas de la emisión, del hacerse del film, o más concretamente del constituirse de las imágenes: ventanas, espejos, pantallas, reproducciones, etc. En resumen, todo lo que se refiere al representar y al mostrar. En *Ciudadano Kane* se concede mucha importancia a estos emblemas: la ventana iluminada de Xanadu (que contra el fondo oscuro del palacio parece una verdadera pantalla); la pantalla de la salita en la que se proyecta el noticiario; el gigantesco doble espejo en el que Kane se refleja al final, en una vertiginosa *mise en abyme*; e incluso las fotografías, imágenes, copias y dobles, etc. El film nos recuerda que es un film y que se presenta como tal.

4. Entre los diversos análisis de estas secuencias, véase sobre todo Ropars, 1980 y Bettetini, 1984, donde se diferencian la constitución de un Autor y de un Espectador implícitos.

2. La presencia extradiegética: carteles que amueblan la trama (el perentorio «No trespassing», advertencia de Kane a los extraños, pero también admonición del Autor implícito a todo aquel que pretenda penetrar por sí sólo en los secretos del texto); voz *over* que funciona no sólo como introducción sino también como guía de la historia (la voz del comentarista del «News on the march»); soluciones estilísticas particularmente expresivas, que funcionan un poco como «firma» del film (el *travelling* final del que hablábamos antes, o ciertas interrupciones bruscas del fluir de la narración, como la pantalla blanca al final de la proyección del noticiario), etc. En resumen, también aquí todo aquello que recuerda que las imágenes y los sonidos no se dan por sí solos, sino que hay alguien, una «primera persona», que nos los proporciona.

3. Las figuras de informadores: individuos que cuentan, testigos que hablan, presencias que recuerdan (*flashback*) o que prevén (*flashforward*), etc. *Ciudadano Kane* es un film construido enteramente sobre testimonios y relatos de informadores: Thatcher, Bernstein, Susan Alexander, Leland, Raymond. Una variante de esta tipología la constituye la presencia de los medios de comunicación: títulos de las primeras páginas de los periódicos (que abundan en nuestro film, no hace falta decirlo), radio, televisión, cine (el noticiario «News on the march»), etc.

4. Algunos roles profesionales concretos: los hombres del espectáculo (en el film de Welles tenemos al director teatral y al profesor de canto), los fotógrafos, los directores puestos en escena en el llamado «cine dentro del cine», o los autores-coreógrafos de los *backstage musicals*.

5. El autor protagonista: quien hace el film se pone a sí mismo en escena mientras hace el film. Es el caso de Truffaut en *La noche americana* o de Welles (¡otra vez él!) en *Fraude*.

Abordemos ahora las figuras de la recepción. Estas se incluyen generalmente bajo la etiqueta del *Narratario*, que se puede definir como el «expediente» con que el Autor implícito informa al espectador real sobre cómo desempeñar el papel del Espectador implícito. El Narratario es, en resumen, una figura guía que encarna el *status* y la función que el Autor implícito asigna a su interlocutor, el Espectador implícito, y que en cierto modo ayuda al Espectador real, a través de la identificación, a recuperar ese lugar y ese rol que el texto ha previsto para él. Entre las figuras que se pueden inscribir bajo la etiqueta del Narratario nos encontramos con:

1. Los emblemas de la recepción, como los prismáticos (que resultan obsesivos en los films de Hitchcock), que pueden representar la capacidad de ver mejor o, viceversa, la incapacidad de observar y, por lo tanto, de comprender; u otros instrumentos ópticos: anteojos, gafas, binóculos (los del melómano que escucha a Susan en el teatro), etc.

2. Las presencias extradiegéticas: los «tú» («¡Eh, tú!», «¡Te lo digo a ti», «¡Te estoy hablando a ti!», etc.) que remiten a espectadores explícitamente imaginados, o que son el fruto de ciertas soluciones estilísticas como la voz *over* o la mirada a la cámara. En nuestro film, son los equivalentes de los carteles de advertencia («No trespassing»: «Permanece atento, estamos a punto de violar una prohibición»), de la voz-comentario del noticiario («Te estoy contando la vida de Kane»), de la pantalla blanca de la salita de los periodistas («La historia de Kane no sólo te la estoy contando a ti»): un «tú» que emerge del texto de maneras distintas, una llamada directa a la dimensión de la recepción.

3. Las figuras de «observadores»; el detective, el periodista, el viajero, etc., figuras que viven para observar, indagar, descubrir, informar. Tomemos al detective: su tarea es bastante similar a la del espectador. También él debe descifrar signos, huellas, indicios; reconstruir un cuadro orgánico de cuanto observa; establecer una axiología o pronunciar un juicio. También él, en definitiva, recorre el trayecto propio de toda lectura: del reconocimiento a la comprensión y al veredicto. La situación del periodista es completamente análoga: es alguien que, exactamente como el espectador, recoge datos e informaciones, pregunta e interpreta, busca respuestas y expone. Del mismo modo, finalmente, también el viajero es un *alter ego* del espectador: es aquel que se adentra en un territorio, empujado por el deseo de conocer y comprender, desafiando su integridad y su inteligibilidad y arriesgándose a perderse o a no poder volver atrás.

Estas figuras, sin embargo, también son encarnaciones del Espectador implícito por el hecho de que no siempre son testigos fieles o exploradores infalibles: informan, reinterpretan, revisitan, eligen recorridos alternativos, huyen de los senderos más trillados: en resumen, se predisponen para la recepción del secreto y de la fascinación de las cosas asumiendo un rol en absoluto pasivo. En este sentido, el Thompson de *Ciudadano Kane* resume un poco en sí mismo todos los rasgos del «observador»: es un periodista, investiga como un detective, se introduce en la vida de Kane como un viajero en el bosque; recoge datos, los elabora, en parte comprende («Rosebud es sólo una pieza de un rompecabezas mucho más grande») y en parte malinterpreta (no advirtiendo las continuas referencias al papel del trineo), todo ello entre conclusiones y apreciaciones personales («He jugado con un rompecabezas y no he tenido éxito»).

4. El llamado «espectador en el estudio»: en breve, está en la pantalla para ver lo mismo que nosotros, espectadores, vemos en la sala. En *Ciudadano Kane* es el rol de los periodistas sentados en la salita para ver la primera versión del noticiario «News on the march».

6.2.4. El cuadro de las figuras

Resumamos ahora un poco cuanto hemos dicho[5] con la ayuda de un esquema:

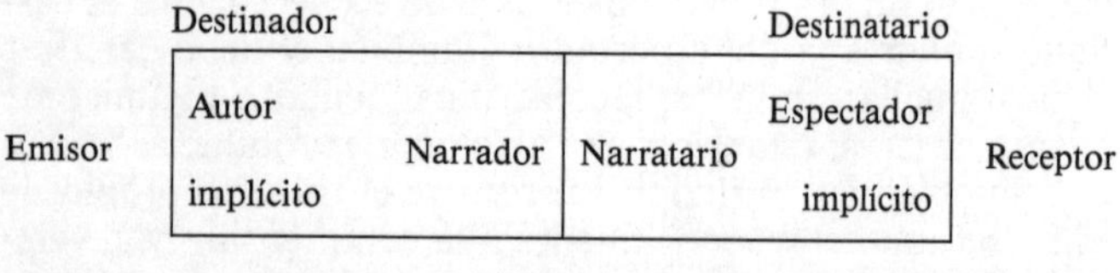

	Destinador			Destinatario	
Emisor	Autor implícito	Narrador	Narratario	Espectador implícito	Receptor

5. Los problemas que estamos afrontando no son, obviamente, patrimonio del texto fílmico. Muchos de ellos nacen de la investigación conducida por GENETTE, 1978 (que aborda lo que podríamos llamar temas clave: narrador, voz, punto de vista, autorreflexividad, etc.), retomada entre otros por CHATMAN, 1978, que extiende esta temática al cine. Sobre la reflexión genettiana se han construido luego otras líneas de investigación, como la pragmática, a la que ya hemos aludido, o la teoría de la enunciación. De todas formas, véanse, para una primera aproximación: en el ámbito de la literatura, CORTI, 1976 y SEGRE, 1985; para la pintura, CALABRESE, 1985; para el cine, además de los textos citados en la nota 1, JOST, 1987, y GAUDREAULT, 1988. Un cuadro sistemático en lo referente al cine, de derivaciones estrictamente genettianas, es el que proporciona CREMONINI, 1988.

El texto, en cuanto objeto de transición y punto de encuentro, se desenvuelve entre un Emisor y un Receptor: figuras reales que constituyen los polos del intercambio comunicativo.

En el interior del texto, de cualquier modo, el Emisor y el Receptor aparecen siempre vivos: se manifiestan ante todo, aunque sea tácitamente, uno en la lógica que guía las imágenes y los sonidos, y el otro en la clave que permite su desciframiento; o bien uno en el «proyecto comunicativo» que rige el film, y el otro en las «condiciones de lectura» que dicta. Se constituyen así los que hemos llamado Autor implícito y Espectador implícito.

Estas figuras, aun siendo «implícitas», pueden explicitarse y darse la palabra a sí mismas representándose en el interior del texto, o bien concedérsela a otros para que las representen: estas encarnaciones toman el nombre de Narrador y Narratario. Emblemas de la emisión y de la recepción, presencias extradiegéticas con funciones de «firma» o de «guía», informadores u observadores, etc., son sus realizaciones específicas.

La parte izquierda del esquema aquí representado es, en el conjunto de sus elementos, la relativa al Destinador, y la parte derecha la relativa al Destinatario.

Examinando *Ciudadano Kane* a la luz de este breve mapa, podemos identificar ante todo a Welles y a nosotros mismos, espectadores en carne y hueso, como, respectivamente, Emisor y Receptor. En segundo lugar, podemos captar el principio de construcción del film, la «lógica» que lo rige, y su principio de inteligibilidad, la «clave» según la cual se aborda y se descifra, insistentemente presentes en la primera secuencia («Quiero adentrarme en el secreto de un hombre») y en la última («He aquí el secreto, inútil para todos los personajes, pero indispensable para nosotros a la hora de reinterpretar toda la trama»): estos principios son, respectivamente, el verdadero Autor implícito y el verdadero Espectador implícito del film. Finalmente, reconozcamos a los Narradores y a los Narratarios, respectivamente representaciones del hacerse y del darse de las imágenes: los primeros en la voz *over* que ambienta y motiva la historia, en las numerosas figuras de informadores (Susan, Bernstein, Leland, Thatcher) que cuentan la historia desde su propio punto de vista, confirmando o contradiciendo las versiones de los demás, o en el rol profesional del responsable del noticiario cinematográfico, Osborne, que encabeza la investigación sobre Kane; y los Narratarios en todas las personas que interrogan, escuchan y observan (los numerosos reporteros de periódicos y de televisión), y sobre todo en el periodista-detective Thompson, que recopila los distintos testimonios, intentando introducirse en el oscuro territorio de la memoria de Kane.[6]

6.3. El punto de vista

6.3.1. El origen y el destino

Las figuras que hemos encontrado en el interior del texto han sido definidas ante todo en relación a su función comunicativa (real o vicaria, emisora o receptora) y, en segundo lugar, en relación al grado de explicitud con que asumen dicha función (roles implícitos, roles explícitos, roles figurativizados). Ahora bien, podemos advertir que el ejercicio de una función comunicativa está estrechamente relacionado con la asunción de un *punto de vista*: quien muestra, de hecho, lo hace a partir de una perspectiva bien definida («Por lo que puedo ver...», o bien «Por lo que sé te digo que...»), y paralelamente quien recibe debe, si no situarse en el mismo punto de observación que el destinador, por lo menos tener en cuenta esta parcialidad de su mirada.

Centrémonos, pues, en la noción de punto de vista, en realidad bastante compleja,[7] y veamos el papel que desempeña en el proceso comunicativo.

Intuitivamente, en los textos fílmicos, el punto de vista es el punto en el que se coloca la cámara, y por ello el punto desde el que se capta concretamente la realidad presentada

6. Para un análisis de los roles comunicativos en este film, particularmente en relación al rol de los «testigos» (*flashaback* y cine dentro del cine), véase CASETTI, 1986.

7. Para un encuadre del problema desde el punto de vista literario, véase PUGLIATTI, 1985; para el ámbito pictórico, CALABRESE, 1985; para el ámbito fílmico, AUMONT, 1983, BRANIGAN, 1985, CASETTI, 1986 y JOST, 1987. Véanse también los dos ensayos introductorios de CUCCU/SAINATI (comps.), 1987. Un amplio debate sobre la noción en MARMO/PEZZINI (comps.), 1988.

en la pantalla. En este sentido, el punto de vista coincide con el ojo del Emisor, que en el escenario encuadra las cosas desde una cierta posición, gracias a un cierto objetivo, con una cierta amplitud visual, etc.

Paralelamente (y la acepción puede parecer un poco extraña, pero está justificada por su correspondencia con la precedente), el punto de vista es el punto en el que se coloca el espectador para seguir el film, y por ello el punto concreto que ocupa en la sala. En este sentido, el punto de vista coincide con el ojo del receptor, que si quiere obtener una visión perfecta debe emplazarse, por así decirlo, en una posición central y a una distancia de la pantalla igual a su base multiplicada por uno y medio.

Pero el punto de vista no se limita a identificar esta doble colocación: es también algo más abstracto, «dentro» de la imagen, y como tal atribuible a un Autor y a un Espectador implícitos, además de a un Emisor y a un Receptor.

Ante todo, el punto de vista es la marca del nacimiento de la imagen: señala el paso de un mundo simplemente filmable a un mundo tal como ha sido filmado, de un conjunto de posibilidades a una elección precisa. De hecho, una imagen es como es porque existe un lugar, y sólo uno, desde el que ha sido captada y construida: esto significa que la imagen «se hace» cuando existe un punto de vista que la determina.

Paralelamente, el punto de vista es también la marca del destino de la imagen: señala la prolongación de las líneas del cuadro más allá de sus bordes, o el salto de la representación más allá de su superficie. De hecho, una imagen se hace «visible» en la medida en que construye una posición ideal en la que situar a su observador: esto significa que «se da» cuando un punto de vista le ofrece, por decirlo de algún modo, una orilla.

En estos últimos dos casos el punto de vista viene definido por el tipo de visión propuesto, con sus perspectivas y sus puntos de fuga. La dislocación de los distintos elementos dentro de la figura nos dice desde dónde se ha captado. En este sentido, el punto de vista encarna por un lado la «lógica» según la que se construye la imagen, y por otro la «clave» que hay que poseer para recorrerla. Todo ello identifica una instancia abstracta como base del juego: un Autor y un Espectador implícitos.

Así pues, el punto de vista como signo del hacerse y del darse del film, como espía de un Autor y de un Espectador implícitos. Añadamos tres anotaciones a estos datos de fondo. La primera es que el punto de vista superpone la formación y la proposición de las imágenes: es un solo lugar ideal desde el que se capta para mostrar y desde el que se muestra para hacer captar. Eso no quiero decir que las dos vertientes puedan distinguirse: una cosa es fijar una mirada y otra revivirla.

Segunda anotación. Hasta aquí hemos hablado indiferentemente de punto de vista de la imagen y punto de vista del film. Naturalmente, sería necesario establecer una diferencia entre los dos: mientras el primero actúa localmente, y cambia con el cambio del encuadre, el segundo opera globalmente, asumiendo las diversas propuestas, o incluso atravesándolas todas. En este sentido, se podría hablar por un lado de una óptica específica, y por otro de una orientación global.[8]

Tercera anotación. El punto de vista identifica principios abstractos, es decir, un hacerse y un darse, una lógica y una clave. Esto también puede encarnarse en la visión de un solo personaje: es lo que sucede en la cámara subjetiva, en el *flashback*, en la representación de los sueños, donde quien actúa en el escenario se encarga de ver por todo el film. De ahí la diferencia entre un punto de vista último, el del Autor y el Espectador implícitos, y un punto de vista específico, el de los distintos Narradores y Narratarios.

Resumamos ahora brevemente algunas de las cosas que hemos propuesto, en referencia directa a nuestro ejemplo. El punto de vista puede ser contemplado ante todo como elemento que caracteriza la mirada total del film, sus «medidas» y sus perspectivas: y todo ello tanto imagen por imagen como en un sentido global. *Ciudadano Kane*, más allá de la heterogeneidad de las soluciones de angulación y de objetivos, aparece bien organizado en torno a una orientación general que ejerce una singular insistencia en las tomas de abajo arriba y una cuidadosa exploración de la profundidad de campo, creando así juegos de contrastes entre las figuras en

8. Hay que recordar también la existencia de un punto de vista sonoro, que a menudo integra o corrige el punto de vista de la imagen, contribuyendo a la formación del punto de vista final del film.

relieve y las del fondo, así como efectos de leve deformación óptica. Luego podemos reconocer el punto de vista encarnado en los personajes: los distintos personajes que expresan una perspectiva personal sobre los acontecimientos, en realidad de naturaleza más cognitiva que óptica (son fieles a los sentimientos pero no a las imágenes de la memoria: tanto es así que en sus relatos se ponen en escena junto con los demás personajes); y Thompson, que por el contrario constituye un lugar de confluencia con respecto a todos los puntos de vista, una mirada móvil que atraviesa la memoria de los demás. Finalmente, como decíamos, podemos contemplar el punto de vista, al mismo tiempo, como lugar de superposición y como lugar de división. En el primer caso, el punto de vista es la marca de una circularidad entre el lugar de emisión y el de recepción («Capto, y por ello muestro», así como «Se me muestra, y por ello capto»): es el caso de Thompson, que en el curso de la investigación asume el punto de vista de los demás como hecho fáctico, pero que al mismo tiempo lo revive, convirtiéndolo en propio, y lo recrea (solo así se puede explicar el hecho de que en los testimonios de los personajes aparezcan a menudo informaciones o detalles que en buena lógica no deberían conocer). En el segundo caso, por el contrario, el punto de vista es una marca que señala distinción y polarización («Constituyo para hacer recorrer», o bien «Recorro aquello que ya está constituido»). Pensemos en todas las distorsiones que, en *Ciudadano Kane*, pueden encontrarse entre la vertiente de la emisión y la de la recepción: los puntos de vista recogidos y mostrados (los testimonios), además de no coincidir entre sí, tampoco coinciden con el punto de vista de quien recibe y muestra (Thompson no se esconde tras ningún relato, sino que los revive todos); y, del mismo modo, el punto de vista de este último no corresponde ni al del film ni al de quien conduce el juego (sólo la cámara descubre la verdad: y no se la muestra a Thompson). En términos más formales, podemos decir a este respecto que la suma de los puntos de vista de los Narradores no coincide con el punto de vista del Narratario, y que el punto de vista de este último no coincide con el del Autor implícito.

6.3.2. La triple naturaleza del punto de vista

Más allá de sus aspectos más generales, de los que ya hemos hablado, el punto de vista se caracteriza también por el hecho de referirse a tres situaciones distintas. Cuando se dice «Desde mi punto de vista», se puede querer decir o bien «Por lo que veo desde el lugar en el que me encuentro», o «Por lo que sé según mis informaciones, o bien «Por lo que me concierne en relación a mis ideas o a mi conveniencia». De ahí que en la expresión «punto de vista» puedan reconocerse al menos tres significados: el literal (a través de los ojos de alguien), el figurado (en la mente de alguien) y el metafórico (según la ideología o el provecho de alguien). El primer caso expresa una acepción estrictamente «perceptiva» del término, el segundo una acepción «conceptual» y el tercero una acepción que podríamos llamar «del interés». Del mismo modo, el primer caso se refiere al *ver* (a una actividad escópica), el segundo al *saber* (a una actividad cognitiva) y el tercero al *creer* (a una actividad epistémica, con las axiologías y las ordenaciones que comporta cada creencia).[9]

Ante una imagen fílmica, es inevitablemente inmediato recurrir al primero de estos tres significados: el óptico. La imagen, de hecho, se constituye a partir de un «observatorio» concreto, sobre la base de una perspectiva peculiar: da a ver ciertas cosas y esconde otras. Sin embargo, es posible identificar también las otras acepciones del punto de vista. Ante todo, la cognitiva: la imagen, mostrando algunas cosas y no otras, selecciona rasgos y aspectos de lo visible, y así proporciona ciertas informaciones, evidencia ciertos datos. Y, finalmente, la axiológica-epistémica: la imagen, según cómo esté constituida, expresa valores de referencia, ideologías de fondo, convicciones y conveniencias particulares.

Pongamos un ejemplo, esta vez, por así decirlo, en negativo. En la secuencia inicial de *Ciudadano Kane*, la de la muerte de Kane, no existen primeros planos: hay otro tipo de encuadres, desde el plano de conjunto al detalle, pero no primeros planos. Ahora bien, filmar a una persona en primer plano, en lo que respecta al «ver», significa simplemente

9. Para los tres niveles del punto de vista, véase CHATMAN, 1978 y CASETTI, 1986.

elegir una cierta porción de su cuerpo (el rostro) y un cierto modo de filmarlo (frontal y cercano); en lo que respecta al «saber», quiere decir confiar el desciframiento del comportamiento de esta persona más a su mímica facial que a otras formas de la comunicación corporal; mientras que, en lo que se refiere al «creer», quiere decir ratificar la idea según la cual la cara es el espejo del alma, y así atribuir el máximo de valores a la microdramaturgia expresiva. Cambiar el punto de vista comporta inevitablemente la individuación de otras porciones de lo visible, el privilegio de otras informaciones y la emergencia de otras axiologías. Como sucede al principio de *Ciudadano Kane*: rechazando el uso del primer plano se opta por descentrar la imagen, mantener en sombras la identidad individual de los personajes y abordar una situación más en su conjunto que en lo referente a su protagonista.

6.3.3. *Punto de vista y focalización*

Así pues, el punto de vista conjuga la valencia óptica («Por lo que veo») con la valencia estrictamente cognitiva («Por lo que sé») y con la valencia más propiamente epistémica («Por lo que me concierne»), incluyendo en esta última el frente ideológico de fondo («Según mis convicciones»), la emergencia de ciertos beneficios («Según mis intereses») y también una adhesión más difusa («Según mis competencias, o según mis intenciones»). En resumen, cuando decimos «Desde mi punto de vista» nos situamos en una perspectiva que no se resuelve simplemente en el ángulo visual escogido, sino que expresa más radicalmente un modo concreto de captar y de comportarse, de pensar y de juzgar.

Estos tres casos, sin embargo, comportan una «limitación» de las posibilidades; de hecho, a través de un punto de vista se identifica una porción de la realidad y no otra, se accede a ciertas informaciones y no a otras, se nos sitúa en una perspectiva y no en otra. Esta selección permite, sin embargo, poner de relieve todo cuanto se ha escogido: cuando nos concentramos sobre algo y excluimos el resto, automáticamente lo ponemos en evidencia, le concedemos un estatuto particular, lo privilegiamos. La *focalización* designa este doble movimiento de selección y de subrayado, de restricción y de valoración.[10]

El film puede analizarse también como un conjunto de focalizaciones; reconstruir su punto de vista equivale a reconstruir lo que recorta y a la vez evidencia. Las cosas se aclaran aún más cuando existe un contraste de puntos de vista. Volvamos una vez más a *Ciudadano Kane* y pensemos en cómo el mismo acontecimiento, el debut de Susan, se presenta en los relatos de la propia Susan y de Leland. El relato de Susan, ayudándose de la posición de la cámara, situada en el palco y dirigida o bien hacia la orquesta y la platea, o hacia los tramoyistas que están entre bastidores, representa el acontecimiento desde el punto de vista de la compañía operística, es decir, según los parámetros del gusto y del juicio profesional de aquélla; todo ello focaliza el resultado «técnico» del espectáculo. El relato de Leland, por el contrario, lo representa todo desde el punto de vista de la platea, reflejando las reacciones que se producen en la sala, focalizando así el resultado «público» del espectáculo.

El ejemplo sugiere la existencia de elementos (en este caso Susan Alexander y Leland) que, relacionados con un punto de vista, actúan como verdaderos «focalizadores». Detengámonos en estos elementos.

6.3.4. La amplitud del punto de vista

Hemos definido el punto de vista en su triple valencia: lugar desde el que se ve, conjunto de conocimientos a partir de los que se procede, y finalmente sistema de valores y de conveniencias al que nos adecuamos. Además, hemos visto cómo el punto de vista opera restricciones y a la vez atribuye relieves particulares, proponiéndose como elemento de focalización: podríamos añadir que, en conformidad con los tres niveles precedentes, tal vez sea útil distinguir entre focalización óptica, focalización cognitiva y focalización epistémica. Finalmente, hemos registrado la existencia de elementos que, dotados de un punto de vista, actúan como verdaderos agentes de focalización, como focalizadores.

10. Sobre el concepto de focalización, véase GENETTE, 1972, y para el cine la elaboración fundamental de JOST, 1987.

Estos elementos pueden ser, como en el caso de Susan y Leland, personajes en función de Narradores o Narratarios. Volvamos sobre estas figuras, sin ocuparnos ya de su mayor o menor evidencia (de las marcas menos explícitas a las figurativizaciones más claras), sino ordenándolos sobre la base de la mayor o menor «fuerza» del punto de vista que expresan.

Ante todo, reconstruyamos un breve mapa que dé razón de los equilibrios y desequilibrios del punto de vista, tal como se encarna de distintas formas en el interior del texto.[11] En este sentido, tres parecen ser las configuraciones posibles:

1. El punto de vista del Narrador y el del Narratario coinciden. Así pues, el ver, el saber y el creer relativos a ambos frentes (emisión y recepción) son compatibles y, es más, pueden superponerse.
2. El punto de vista del Narrador es «superior» al del Narratario. Esto significa que el ver, el saber y el creer del Narrador son más completos que los del Narratario, o que pesan más en la economía del intercambio comunicativo.
3. El punto de vista del Narrador es «inferior» al del Narratario. En este caso, pues, su ver, su saber y su creer pesarán menos.

Ciudadano Kane es un film completamente atravesado por estas tres configuraciones: Thompson, el Narratario por excelencia (detective, periodista, viajero), cuando empieza su investigación, se encuentra necesariamente en una posición de inferioridad con respecto a los Narradores que interroga; sin embargo, prosiguiendo las conversaciones adquiere una mayor capacidad de observación, un mayor número de nociones y una orientación más aguda: su punto de vista, que derivando de la suma de los puntos de vista de los distintos Narradores se enriquece progresivamente, adquiere un mayor peso en la economía del intercambio comunicativo.

Observados los equilibrios y desequilibrios entre los puntos de vista explícitamente «encarnados» en el texto, podemos ampliar nuestra investigación en torno a las relaciones de fuerza entre los puntos de vista claramente figurativizados y los puntos de vista extraños a la diégesis. Existen de

11. Un primer intento de calcular la distinta amplitud de los puntos de vista en el ámbito del análisis literario es el de TODOROV, 1967.

hecho focalizadores «extradiegéticos», es decir, no pertenecientes al plano del relato (pensemos en todas las intervenciones *sobre* la historia, y no *en la* historia: declaraciones de intenciones, comentarios del autor, moraleja final, etc.), y focalizadores «homodiegéticos», es decir, que forman parte del plano del relato (es el caso típico de las declaraciones, moralejas, comentarios, etc., expresados por los personajes de la trama). Los primeros nos relacionan con el punto de vista del Autor y del Espectador implícitos; los segundos con el punto de vista de los Narradores y los Narratarios.

Ciertamente, es verdad que en el cine es bastante más difícil que en la literatura distinguir los confines entre lo heterodiegético y lo homodiegético. El Autor implícito de una novela, de hecho, puede en cierto modo operar de manera paralela al relato, sin confundirse con la trama narrada, estableciendo así una neta diferenciación entre su intervención y el plano de la ficción. El Autor implícito de un film, por el contrario, aun interviniendo lateralmente con respecto al plano diegético, acaba inevitablemente introduciéndose en él: el Autor implícito de *Ciudadano Kane*, en la medida en que se identifica con la figura de Welles-actor, se arriesga incluso a convertirse en el personaje principal. Sin embargo, también en el caso del cine es posible y necesario trazar un confín entre estas dos dimensiones de intervención.

Intentemos ahora diseñar un segundo mapa, relativo esta vez a los posibles equilibrios entre los puntos de vista extradiegéticos y los puntos de vista homodiegéticos. También aquí son tres las configuraciones que podemos hallar:

1. El punto de vista del Autor implícito es «superior» al del Narrador o el Narratario. Esto significa que quien guía el texto ve mejor, sabe más y posee razones mayores: lee en el corazón y en la mente de los personajes, capta incluso lo que ellos no llegan a comprender y nos da a conocer sus secretos. Dicho de otra manera, dado que el Autor implícito es un principio general y no un individuo, podemos decir que ninguna figura del texto llega a encarnar su lógica completamente. Esta es la solución que suele prevalecer en el relato clásico. Y *Ciudadano Kane* hereda en muchos aspectos esta situación: el Autor implícito establece directamente las reglas del juego y decide autónomamente qué hay que hacer ver,

hacer saber y hacer creer. Los Narradores, escondidos tras su propio punto de vista, no están en condiciones de reconstruir un cuadro general de los acontecimientos: se les deja actuar en la medida en que su parcialidad de visión contribuye a la definición de la instancia emisora, pero se les deslegitima cuando intentan convertir su modo de ver en la verdad (se contradicen recíprocamente, dicen cosas que en buena lógica no deberían saber, etc.). Tampoco el Narratario, Thompson, que se sirve de la suma de los puntos de vista de los distintos Narradores, está en condiciones de conducir la partida a su término: tampoco él tiene acceso a la verdad. Será de hecho el Autor implícito, y la cámara cinematográfica que lo delata, quien desvele el secreto final; y quien nos lo desvele a nosotros espectadores y a nadie más, sancionando con la evidencia su propia superioridad de juicio y de acción.

2. El punto de vista del Autor implícito es «equivalente» al del Narrador y el Narratario. Aquel que guía el texto, pues, ve, conoce y juzga en estrecha correlación con los personajes: no va más lejos, no juega con ventaja. El caso más comun es la narración en primera persona, en la que el «yo» Autor forma parte directa y completamente de la historia. También en la narración en tercera persona, en cierto modo, se puede dar la eventualidad de que el autor conozca la trama desde el punto de vista de un personaje: en el cine, es el caso de los films «en cámara subjetiva», como el célebre *La dama del lago (Lady in the lake,* de Robert Montgomery, USA, 1947), en el que el detective ve, sabe y cree en cuanto organizador del film.[12]

3. El punto de vista del Autor implícito es «inferior» al del Narrador y el Narratario. Aquel que guía el texto, en este caso, se limita a describir o a testimoniar los hechos: pensemos en el Autor naturalista o verista del siglo XIX, o en los movimientos aún más radicales en su persecución de la objetividad de la narración, como por ejemplo la *école du regard*. En cuanto al cine, nos vienen a la mente muchos documentales, o en cierto modo aquellos films construidos sobre entrevistas o testimonios que parecen «sorprender» o «desbor-

12. Digamos mejor que la mirada, la conciencia y la axiología del personaje encarnan perfectamente la lógica del film.

dar» la lógica que sostiene el juego, lógica que se pone entonces a «perseguir» las presencias que éste incluye.

6.3.5. *La conformidad del punto de vista*

Detengámonos un poco antes de continuar adelante. Hemos dicho que los «focalizadores» son portadores de los puntos de vista presentes en el interior del film: son figuras que establecen desde qué perspectiva se captan (se ven, se conocen, se juzgan) las cosas. Analizando estas figuras en relación a la «fuerza» del punto de vista que manifiestan, hemos trazado un doble mapa de los equilibrios posibles: el primero referente a la relación Narrador/Narratario (y en consecuencia a la relación frente a la emisión/frente de la recepción), y el segundo referente a la relación Autor implícito/Narradores-Narratarios (y en consecuencia a la relación focalizador extradiegético/focalizador homodiegético). En este punto podemos dar un paso adelante y abordar una distinción posterior, bastante importante para analizar los roles comunicativos que activa el texto.

Si observamos con atención los focalizadores homodiegéticos, nos daremos cuenta de que no todos los portadores de puntos de vista que se colocan en el plano de la historia son en un sentido estricto portavoces del Autor implícito y del Espectador implícito: de hecho, pueden ser personajes cuyo punto de vista no coincida con el que atraviesa el film. Cambiemos por un instante de ejemplo y tomemos *Pánico en la escena*, de Hitchcock (*Stage Fright,* USA, 1950). La historia se abre con un largo *flashback* en el que un personaje, Jonathan, cuenta que ha sido injustamente acusado de homicidio: la evidencia visual de la película, a través de la cual percibimos la inocencia del hombre, nos hace considerar a Jonathan como un sincero portavoz del Autor implícito. En realidad, sin embargo, a medida que avanza el film comprendemos que su relato no es otra cosa que una sarta de mentiras, construida para engañar a su novia Eve y con ella a nosotros, los espectadores: Jonathan se destapa entonces como un personaje cuyo punto de vista sobre las cosas está desviado con respecto al del Autor implícito, el cual sólo en la última parte del film retoma decisivamente las riendas y reconduce a Eve (y con ella al espectador engañado) por el camino de la verdad. Jonathan es, pues, lo que podríamos llamar un «Narrador increíble»: su mirada, sus informaciones y sus valores no pueden compartirse ni ratificarse.

Ahora bien, una incredibilidad de este tipo nos sugiere que los puntos de vista expresados en el curso del film pueden ser no sólo más o menos amplios con respecto al otro, sino también más o menos congruentes con respecto a lo que al final resultará dominante. En otras palabras, los puntos de vista específicos (esencialmente los de los Narradores y los Narratarios) se caracterizan a menudo por su distinto grado de conformidad con respecto al punto de vista que los engloba y los define (en definitiva, el del Autor implícito y el del Espectador implícito): si bien es cierto que todas las presencias ayudan a componer el diseño completo del film, y que éste nace de aquéllas, también es verdad que no todas las presencias operan en el mismo sentido ni intervienen con la misma eficacia.[13]

De nuevo podemos establecer una hipótesis acerca de una polaridad:

1. El punto de vista del Narrador y del Narratario se corresponden perfectamente con el del Autor y el del Espectador implícitos. Es el caso (si queremos limitarnos al punto de vista de los intereses) de aquellos personajes que con su visión del mundo expresan el sentido y la moral del film. En Welles es el padre de Lucy que a través de la leyenda india nos ofrece la clave de lectura de *El cuarto mandamiento (The magnificent Ambersons*, USA, 1942) o de Arkadin, que a través del apólogo de la rana y el escorpión nos proporciona la del film homónimo (*Mister Arkadin*, Francia-España, 1955).

2. El punto de vista del Narrador y del Narratario son completamente disconformes con respecto al del Autor y el Espectador implícitos. Es el caso de aquellos personajes que expresan una moral «distinta» a la del film; o que incluso,

13. Advirtamos, sin querer profundizar en ello, que la amplitud del punto de vista concierne sobre todo a las dimensiones del ver y del saber, mientras que la congruencia se basa principalmente en la dimensión del creer. Sobre la congruencia de los puntos de vista en el film, véase CASETTI, 1986.

de una manera más simple, mantienen realidades o dan informaciones contrarias a la que el film ostenta como propia.

Los dos polos pueden identificarse respectivamente con lo que llamaremos Narradores o Narratarios *fidedignos* y con lo que hemos llamado Narradores y Narratarios *increíbles*.

Naturalmente, a menudo estas dos instancias se entrelazan. En *Ciudadano Kane*, casi ninguno de los testigos que cuentan la vida de Kane puede alinearse perfectamente con las posiciones del Autor implícito: expresan ópticas personales, versiones propias de los sucesos, en cierto modo posiciones parciales (a menudo en contraste recíproco) que no llegan nunca a «morder» la verdad del hombre objeto de la investigación. El Autor implícito, por decirlo de algún modo, deja en libertad a estos focalizadores para que expresen su propio punto de vista, reservándose él con mayor evidencia el papel protagonista de quien sabe cuál es la verdad (la inscripción «Rosebud» en el trineo), y por ello sabe conducir el juego.[14] Sólo el personaje de Kane es un narrador fidedigno; en realidad no cuenta explícitamente, pero es en cierto modo una clara figurativización del Autor implícito; es el gran artífice, constructor y destructor de fortunas, escenarios y museos; es ambiguo y huidizo, exhibicionista y tirano, exactamente igual que quien lleva las riendas de todo el texto.

Análogamente, en cuanto a la recepción, *Ciudadano Kane* juega con la ambigüedad de dos roles. A lo largo del film, nosotros, los espectadores, podemos servirnos de un *alter ego* que está en el interior del texto, el periodista Thompson, que convierte en nuestros la investigación, los desplazamientos, las preguntas; un verdadero Narratario fidedigno, pues. Sin embargo, con el último encuadre (el del trineo), el Espectador implícito se aleja de la superposición con el punto de vista de Thompson y recupera un rol completamente suyo: ve y comprende aquello a lo que el periodista no ha podido llegar. Entonces este último pierde una parte de su representati-

14. Naturalmente, la verdad del film no se reduce al trineo, como comprendió muy bien Borges en una recensión del film.

vidad y se convierte en un poco menos fidedigno y un poco más «increíble».[15]

6.3.6. *Estrategias del punto de vista*

Resumamos cuanto hemos dicho a propósito del punto de vista con la ayuda de algunas tablas.

punto de vista	ver saber creer	focalización	óptica cognitiva epistémica

En este primer cuadro podemos recordar los tres niveles del punto de vista, que hacen referencia respectivamente al significado literal del término (acepción «perceptiva»), a su significado figurado (acepción «conceptual») y a su significado metafórico (acepción «del interés»). Estos tres niveles pueden volver a proponerse a propósito de la focalización, es decir, de aquel mecanismo que retoma el punto de vista destacando la presencia en él de una selección y a la vez de un subrayado de cuanto se encuadra.

En la tabla siguiente se sintetizan algunos posibles enfrentamientos entre puntos de vista distintos: en primer lugar, el enfrentamiento entre la «fuerza» del punto de vista del Narrador y la del Narratario; en segundo lugar, el enfrentamiento, siempre en el plano de la «fuerza», entre el ver, el saber y el creer del Autor implícito, y los de las figuras que pueblan

15. Recuérdese también la presencia de figuras complejas, fruto de la convergencia de diversos roles. A menudo encontramos en el film personajes que son a un tiempo figurativizaciones del Autor y del Espectador implícitos, como por ejemplo los autores y los espectadores de un film que se muestra en el corpus del film principal: en *Ciudadano Kane* es el caso de los periodistas al mismo tiempo autores y espectadores del noticiario «News on the march». Análogamente, es posible encontrar personajes que son a la vez dadores y destinatarios de un discurso (los soliloquios o los monólogos interiores), de un recuerdo (los *flashback*), de un relato (el diario de Thatcher), etc. No se trata de una confusión de roles, sino de un sincretismo perfecto entre la vertiente de la emisión y la de la recepción, que crea figuras completamente redondas, verdaderos «hermeneutas» que saben escuchar y oír, mirar y ver.

el film; y finalmente, otro enfrentamiento, esta vez a propósito de la «adecuación» entre los puntos de vista expresados a lo largo del film y el que guía al film en su totalidad.

Amplitud del punto de vista (I)		
1. Narrador	$>$	Narratario
2. Narrador	$=$	Narratario
3. Narrador	$<$	Narratario
Amplitud del punto de vista (II)		
1. Autor implícito	$>$	Narrador/Narratario
2. Autor implícito	$=$	Narrador/Narratario
3. Autor implícito	$<$	Narrador/Narratario
Conformidad del punto de vista		
1. Narrador/tario	$\equiv$	Autor/Espectador implícito
2. Narrador/tario	$\not\equiv$	Autor/Espectador implícito

6.4. Formas de la mirada

6.4.1. Los cuatro tipos de actitudes comunicativas

Después de haber observado las distintas formas del punto de vista que se encuentran presentes en el texto fílmico, así como sus figuras portadoras, pasemos a analizar las *actitudes comunicativas* que derivan de ellas. En concreto, nos parece posible identificar cuatro grandes tipos de mirada (el término «mirada» incluye tanto el ver como el saber y el creer): la objetiva, la objetiva irreal, la interpelación y la subjetiva.[16]

Advirtamos que estos tipos de mirada nacen de distintas combinaciones de los factores comunicativos y de los distintos grados de explicitud que éstos asumen.

16. Véase una primera exploración sistemática de estas cuatro configuraciones en CASETTI, 1986.

6.4.2. La mirada objetiva

La imagen muestra una porción de realidad de modo directo y funcional, es decir, presentando las cosas sin mediación alguna y presentando también todo aquello que en un determinado momento es necesario tener a mano. Es el caso de los planos generales que explicitan una situación en su integridad (los llamados *master shot* o *establishing shot*), de los primeros planos que evidencian las expresiones de los actores, de los campos/contracampos, de los encuadres frontales, etc.

Esta configuración, llamada *objetiva*, posee así un punto de vista emisor y un punto de vista receptor que la estructuran globalmente, pero no tiene ninguno que proponga un punto de vista personal en su interior. Se manifiestan de este modo un Autor implícito y un Espectador implícito, pero no un Narrador y un Narratario. El resultado es que el destinador se neutraliza, actuando sin mostrarse explícitamente, y el destinatario se sitúa en una posición oculta, como un simple testigo.

De ahí derivan a la vez un ver «decidido» (puesto que, como se ha dicho, el punto de vista desde donde se observa la realidad se dirige a las cosas y captura cuanto le es necesario), un saber «diegético» (porque todo lo que es objeto de conocimiento está contenido en la evidencia de la imagen) y un creer «firme» (en cuanto la necesidad del punto de vista y la evidencia de la imagen no dan lugar a dudas, perplejidades o preguntas insatisfechas).

Muchos fragmentos de *Ciudadano Kane* adoptan esta postura comunicativa: recordemos en concreto el noticiario, o los encuadres que filman en un único plano a Thompson y a sus entrevistados. En todos estos casos, de hecho, el punto de vista es neutro, no «pertenece» a nadie, o mejor, pertenece sólo a quien organiza el texto y no a quienes lo interpretan.

6.4.3. La mirada objetiva irreal

La imagen muestra una porción de realidad de modo anómalo o aparentemente injustificado, como signo de una intencionalidad comunicativa que va explícitamente más allá de la simple representación. Es el caso de las tomas de lugares «imposibles», como los encuadres «verticales» que impiden la inmediata reconocibilidad de las situaciones; o los movimientos de cámara «vertiginosos» que trastornan el modo habitual de acercarse a las cosas.

También en esta configuración, llamada *objetiva irreal*, opera un punto de vista emisor y otro receptor, pero aquí acompañados por una especie de subrayado extremo que convierte las presencias en explícitas: se encarnan respectivamente en la manera evidente con que se exhibe la constitución de la imagen, y en la forma, por así decirlo, descarada con que está se ofrece para el desciframiento. Por lo tanto, tenemos un Autor implícito y un Espectador implícito que se encarnan en un Narrador y un Narratario un poco especiales; en el orden, en el protagonismo absoluto de la cámara (y más en general de la cámara cinematográfica), y en el relieve incondicional que se concede al espectador y a su rol de intérprete.

Este último, a diferencia de lo que ocurre en la mirada objetiva, donde desempeña el papel de testigo oculto, asume aquí la posición de quien puede recorrer el mundo (y el texto) con plena libertad e iniciativa. De ahí una identificación más precisa con la cámara, en cuyo punto de vista anómalo y a la vez decidido sitúa su propia mirada, mientras que antes la neutralidad y la naturalidad de la visión convertían esta identificación en poco explícita.[17] De ahí sobre todo la emergencia de algunas actitudes comunicativas concretas; un ver «total» (porque la identificación con la cámara, sobre todo en los casos de perspectivas vertiginosas o de movimientos envolventes, lleva siempre consigo un matiz de omnipotencia visual); un saber «metadiscursivo» (porque aquello de lo que la imagen nos informa no sólo está relacionado con el contenido representado, sino también con el modo en que se presenta este contenido; lo que la mirada objetiva irreal nos sugiere, de hecho, es la idea de una cámara que se empeña en recorrer y ver el mundo, y que por ello dicta las condiciones de la «escritura» fílmica) y finalmente un creer «absoluto»

17. Véase un análisis de lo que aquí llamamos mirada objetiva irreal, en sus relaciones con la mirada objetiva simple, en COSTA, 1986.

(en cuanto la omnipotencia visual y el protagonismo de la cámara no permiten ni dudas ni rechazos).

El *travelling* final de *Ciudadano Kane* es un claro ejemplo de mirada objetiva irreal: la cámara recorre el salón de la mansión de Xanadu, lleno de cajas y objetos, como si buscase algo, y lentamente se acerca a un objeto de madera, que resulta ser un pequeño trineo, y en la inscripción que hay pintada en él («Rosebud»). El punto de vista óptico, el picado con movimiento oblicuo, llama fuertemente la atención sobre la dimensión connotativa de la imagen, y empuja al espectador a una evidente identificación con la cámara. El matiz de omnipotencia visual («Veo todos los objetos y me dirijo al único importante»), el carácter «metadiscursivo» del saber (la información sobre un objeto y sobre el modo en que este objeto aparece ante mi vista) y «lo absoluto» del creer que deriva de ahí (la total disposición para «recibir» sin ningún tipo de dudas, y además maravillados, cuanto se nos muestra) son los frutos de esta configuración, las actitudes que derivan de este tipo de mirada sobre el mundo.

6.4.4. La interpelación

La imagen presenta un personaje, un objeto o una solución expresiva cuya función principal es la de dirigirse al espectador llamándolo directamente: es el caso de la voz *over*, de lo didascálico, de la mirada a la cámara, etc., cuya función es la de hacer explícitas las «instrucciones» relativas al proyecto comunicativo del film, y de hacerlas explícitas a alguien que se supone sigue la exposición. Pueden localizarse aquí, por lo tanto, un Autor implícito, un Narrador que en cierto modo lo encarna (el elemento interpelador) y un Espectador implícito que sin embargo no encuentra un verdadero Narratario que lo represente (por ello se dirige a alguien que permanece rigurosamente fuera de campo).

Esta configuración se denomina *interpelación* a causa del gesto que la apoya, una especie de «¡Eh, tú!» lanzado directamente al espectador. *Ciudadano Kane* está punteado en su totalidad por momentos de este tipo: pensemos en la voz fueracampo del noticiario «News on the march», en las miradas a la cámara de Kane durante la entrevista, en las de Thatcher durante su apasionada discusión con Kane, etc. Lo repetimos: el Autor que se manifiesta explícitamente, figurativizándose en el elemento interpelador, mientras al espectador se le asigna el papel que en el teatro se denomina «aparte», es decir, de interlocutor llamado a escena («¡Eh, tú!») y a la vez colocado en los márgenes de la escena (en cierto modo, fuera del texto).[18] De ahí surge un ver «parcial» (en forma de instrucciones procedentes de la pantalla: «¡Miradme!»), un saber «discursivo» (atento sobre todo a las relaciones entre destinador y destinatario, y por ello al «discurso» más que a la diégesis) y un creer «contingente» (solamente relacionado con las certezas del interpelador).

En el caso de las miradas a la cámara de Thatcher (las marcas de interpelación más intensas que presenta *Ciudadano Kane*, en cuanto son las únicas que no están inscritas en textos internos al propio texto, como los fragmentos de noticiarios y las entrevistas), el ver se reduce al encuentro con la mirada del personaje; el saber comporta un abandono momentáneo del plano de la narración y una apertura al plano de la comunicación: «Es a mí a quien están hablando», «Es a mí a quien quieren hacer comprender algo, y no a los otros interlocutores (los personajes) con los que se relacionan»; y el creer, finalmente, no se apoya en la evidencia de cuanto se dice o muestra, sino únicamente en la relación fiduciaria instaurada con quien dice o muestra.

6.4.5. *La mirada subjetiva*

En la mirada *subjetiva*, todo cuanto aparece en la pantalla coincide con lo que un personaje ve, siente, aprende, imagina, etc.: nosotros, espectadores, debemos pasar por sus ojos, por su mente, por sus opiniones o creencias. La imagen, pues, presenta una instancia de emisión, pero sobre todo una instancia de recepción y su figurativización concreta. En otros términos, nos encontramos con un Autor implícito, pero sobre todo con un Espectador implícito y un Narratario que lo representa (el personaje en escena, mostrado mientras pro-

18. Las formas de lo que aquí llamamos interpelación han sido sistemáticamente exploradas por VERNET, 1988.

cede a mirar, mientras empieza a comprender, o incluso indicado en aquello que ve, sabe o cree).

Esta configuración se denomina «subjetiva» por la importancia que tiene la «subjetividad» de un personaje.[19] Gracias a él, el espectador asume una posición, por así decirlo, activa, entrando en campo a través de sus ojos, su mente y sus creencias. De ahí surge un ver «limitado» (relacionado con la visión del personaje), un saber «infradiegético» (es decir, completamente inscrito en la vivencia de quien está en escena: se sabe aquello que sabe el personaje, además de verlo todo con sus ojos) y, finalmente, un creer «transitorio» (destinado a durar lo que dura la credibilidad de quien está en campo).

Nuestro film, en realidad, presenta muy pocas miradas subjetivas: recordemos sin embargo las que aparecen en la doble secuencia del debut operístico de Susan Alexander, visto primero con los ojos de Kane y luego con los de Leland.

6.4.6. Configuraciones y actitudes

Resumamos de nuevo en una tabla cuanto hemos dicho. Por un lado se señalan las cuatro configuraciones cinematográficas principales, los cuatro tipos de «mirada» que un film puede estructurar. Junto a ello, en correspondencia con las tres columnas del ver, el saber y el creer, las actitudes comunicativas que están relacionadas con las conexiones.

	ver	*saber*	*creer*
objetiva	decidido	diegético	firme
objetiva irreal	total	metadiscursivo	absoluto
interpelación	parcial	discursivo	contingente
subjetiva	limitado	infradiegético	transitorio

19. Véase una profundización sobre el funcionamiento de la mirada subjetiva en Dagrada, 1985 y 1986.

6.5. Los recorridos de la mirada

6.5.1. Las construcciones de la mirada

Los distintos roles que hemos diferenciado (Autor y Espectador implícitos, Narradores y Narratarios en sus diversas formas) están conectados entre sí, como hemos visto, por una compleja trama de relaciones. Las cuatro configuraciones examinadas, los cuatro tipos de mirada, son un modo de leer una trama de este tipo, evidenciando las actitudes comunicativas que un film sitúa en campo.

Una investigación complementaria a la precedente consiste en analizar los modos en que el cuadro comunicativo se constituye y se define: se tratará de observar, por ejemplo, la manera en que el Autor implícito se crea un portavoz figurado en el interior del texto, en qué medida delimita su autonomía, con que instrumentos informa su acción, y según qué criterios sanciona su operación. Y lo mismo hay que decir en el caso del Espectador implícito.

Para analizar este *proceso* de constitución del cuadro comunicativo, resultará útil servirse de las categorías modales ya utilizadas a propósito de las interacciones entre los roles narrativos. De hecho, son categorías particularmente funcionales para examinar los recorridos de cualquier operación. Así pues, también en el plano de la actuación comunicativa localizaremos «mandatos», «competencias», «*performances*» y «sanciones».

En la constitución del cuadro comunicativo, el *mandato* se manifiesta cada vez que alguien es encargado de intervenir en la propia comunicación, es decir, de mostrar, de observar, de decir, de escuchar, de escribir, de leer, etc. De ahí nace una precisa atribución de roles, la definición de un papel.

La *competencia* es un efecto de todo esto: la atribución del rol se relaciona de hecho con el reconocimiento de la idoneidad para representarlo, idoneidad articulada en las cuatro condiciones del deber hacer, querer hacer, poder hacer y saber hacer.

La *performance* es el momento de la ejecución de las funciones asignadas: en esta fase vemos a los distintos roles realizando aquello para lo que han sido situados en campo. Además del propio hecho de actuar, naturalmente, son importantes las modalidades de estas acciones: cómo se mueven el Autor implícito y el Espectador implícito; en qué medida los focalizadores homodiegéticos (personajes y objetos a los que se ha asignado una función vicaria) desarrollan su misión; si operan fielmente, alineándose con el punto de vista del Autor o del Espectador implícitos, o por su propia cuenta; y así sucesivamente.

La *sanción*, finalmente, es el momento del juicio sobre lo operado, la aprobación y la condena, y en consecuencia el reequilibrio de las axiologías en juego en la totalidad del cuadro.

En *Ciudadano Kane*, el recorrido comunicativo se desarrolla claramente a través de estas cuatro etapas. Ante todo, desde el principio resultan evidentes los *mandatos*: quién está encargado de investigar, de escrutar, de leer (Thompson, y con él el Espectador implícito), y quién tiene la misión de revelarse, de mostrarse, de dar testimonio (Thatcher, Bernstein, Susan, Leyland, Raymond, en los cuales se advierte la intensa presencia organizadora del Autor implícito). Luego corresponde al juego de la *competencia* estructurar la trama comunicativa: Thompson está en condiciones de querer hacer y poder hacer, pero no de saber hacer (muchas veces está cerca de la verdad, pero se muestra miope ante ella); entre los informadores, Susan Alexander y Raymond parecen no querer hacer (la primera vez, ella se niega a hablar con Thompson, y él se muestra bastante reticente ante los interrogatorios del periodista), y ninguno de ellos, incluidos Bernstein y Leland, es capaz de dar las informaciones justas (no saben hacer). Quizá solo Thatcher, en cuyas memorias se habla de «Rosebud», hubiera podido informar bien, pero de hecho no puede: ha muerto y sólo puede hablar a través de las memorias que Thompson se ve impedido de estudiar a fondo (sólo se le conceden unas pocas horas de lectura). En cuanto a la *performance*, advirtamos que todos los roles en campo se manifiestan ansiosos e inconcluyentes: las investigaciones de Thompson no llevan a ninguna parte, los testimonios de los informadores se acumulan, se contradicen, actúan con fatiga y con desdén, situando a menudo el orgullo y el protagonismo por encima de las exigencias que supone la investigación de un delicado secreto. La *sanción*, pues, sólo puede demostrar dureza: a todas las figuras de los informadores y de los observadores se les ordena abandonar el campo para siempre, como si se las cancelara mediante un juicio negativo; mientras que al Espectador implícito se le llama para que asista al desvelamiento de la verdad, expresión no menos dura de la sanción negativa («Mira lo inútil que eres: he aquí lo que estabas buscando con tanto afán. Hubieras podido entenderlo a su tiempo si hubieses prestado atención a los indicios que te he mostrado: la bola con la nieve, la primera aparición de Kane con el trineo, etc.) y al mismo tiempo grandiosa exhibición de la omnipotencia del Autor implícito, el único que conoce la verdad y que sabe mostrarla.

6.5.2. Presupuestos, acciones

Las cuatro etapas del mandato, la competencia, la *performance* y la sanción, aun dando origen a un recorrido unitario, en cuanto fases lógicas de cualquier actuación comunicativa, se sitúan en dos planos muy distintos: el plano cognitivo y el plano pragmático. Sobre las nociones de cognitivo y de pragmático ya hemos hablado en el capítulo anterior. A la primera, recordémoslo, van dirigidas todas aquellas formas de la actuación que se sitúan en el plano mental (intelectual o afectivo), y que por ello no se resuelven mediante una intervención concreta sobre las cosas: pensamientos, propósitos, sentimientos, recuerdos, miradas, etc. A la segunda, por el contrario, se dirigen todas las formas de la actuación que comportan una intervención directa y sensible sobre el mundo: movimientos, acciones, operaciones, etc. Pues bien, el mandato y la sanción se sitúan en el nivel cognitivo: el hacer hacer (ya sea obligación o concesión) y el juicio sobre el hacer (positivo o negativo) son de hecho momentos esencialmente mentales, aunque tengan consecuencias y repercusiones en el plano de los acontecimientos (la obligación lleva a la acción, el juicio prevé una recompensa o una punición concretas, etc.). La competencia y la *performance*, por el contrario, se colocan en el nivel pragmático: el encontrarse en la obligación, en las condiciones, en la capacidad y en la disposición de hacer, así como la actuación concreta, son fases que expresan una forma de intervención directa sobre las cosas.

El recorrido más inmediato y recurrente que relaciona estos cuatro momentos, a través de los dos niveles de acción, es aquel en el que, en el plano cognitivo (asignación de un mandato y determinación de una sanción), encontramos exclusivamente al Autor implícito, mientras que en el pragmático registramos la alternancia o la copresencia de Narradores y Narratarios. En el fondo, ésta es la estructura dominante de *Ciudadano Kane*, un Autor implícito fuerte que preside en solitario el plano cognitivo, y numerosas figuras vicarias que atestan, con su inclusión, el plano pragmático.

Sin embargo, podemos imaginar otras distribuciones: cada etapa de este recorrido, de hecho, puede albergar a cualquier figura.

El plano cognitivo puede estar en manos del Espectador implícito, y no del Autor implícito. En ese caso, será el Destinatario del texto quien otorgue mandatos y determine sanciones: como en las llamadas «obras abiertas», donde los hechos y los valores propuestos encuentran su confirmación y su motivación únicamente en el juicio personal de quien los interpreta.

El plano cognitivo también puede estar a cargo de un Narrador o Narratario: entonces el personaje no sólo ofrece o recibe un discurso, sino que también se propone como medida de todo el relato. *Ciudadano Kane* parece quizás asumir este recorrido, sobre todo cuando un testigo nos envía al otro, que a su vez sigue, profundiza o desmiente cuanto ha dicho el primero.

Igualmente, el Autor implícito o el Espectador implícito pueden operar tanto en el plano cognitivo como en el pragmático. Entonces una única instancia implícita emite un mandato, se dota de una competencia, realiza una *performance* y manifiesta una sanción: ningún portavoz visible se hace cargo del relato, ninguna figura vicaria se hace portadora explícita de un punto de vista. Es el caso, para entendernos, de los textos descriptivos o en toma directa, donde desaparecen las hipótesis, los recuerdos y las perspectivas relacionadas con los personajes, y la narración procede por sí misma, como si fuese autónoma y absoluta («Las cosas son así: no hay que hacer más que conseguir que hablen»).

Cada configuración, naturalmente, puede encabalgarse y entrelazarse con las demás: el film, más allá de nuestras racionalizaciones y de nuestros esquemas, acaba siendo un terreno complejo que se puede racionalizar de muchos modos.[20]

6.6. Los regímenes de la comunicación

6.6.1. Figuras, formas y recorridos

Al abordar la comunicación, hemos precisado desde el principio que el film no es sólo la puesta en funcionamiento de la relación entre Emisor y Receptor, un objeto de intercambio, sino también un auténtico terreno de maniobras, el lugar en el que los roles continúan redefiniéndose y donde Destinador y Destinatario se ponen en escena, ya sea de una manera apenas perceptible o exhibiéndose con evidencia. De ahí nuestro interés por la emergencia en el interior del film de puntos de vista que subrayan el «hacerse» y el «darse» (con una especie de «yo» que se propone como el origen de la comunicación, y una especie de «tú» hacia el que convergen los sonidos y las imágenes); el interés por las distintas formas que asumen estos puntos de vista (con las figuras de los focalizadores y las configuraciones canónicas que resultan de su combinación); y finalmente el interés por las maniobras gracias a las cuales se afirman estos puntos de vista (los recorridos, las estrategias, los complejos entrelazamientos entre los roles). De ahí resulta un recorrido en tres estadios que hay que subrayar brevemente para recuperar mejor la visión de conjunto:

1. Hemos sacado a la luz las *figuras* gracias a las cuales una instancia abstracta, de emisión o de recepción, se pone al descubierto y se manifiesta en campo. Desde este punto de vista, hemos distinguido tres elementos puramente implíci-

20. Sobre la colocación, ya sea en el plano cognitivo o en el plano pragmático, de los distintos roles (Destinador y Destinatario) y de los diversos núcleos (mandato, competencia, *performance* y sanción), véase CASETTI, 1986.

tos (Autores implícitos y Espectadores implícitos) y su eventual encarnación en un personaje o un objeto puesto en escena (Narradores y Narratarios); y además hemos distinguido entre personajes que asumen hasta el final su función de informadores o de observadores, típica de quien se dispone a proponer o recibir las imágenes y los sonidos (narradores y narratarios «fidedignos», informadores y observadores), y personajes que, aunque insertos en la figuración y en el relato, o bien inmersos en la visión y en la escucha, no representan realmente el punto de origen del film o aquel hacia el que se mueve (narradores y narratarios «increíbles»).

2. Hemos evidenciado las diversas *formas* de la mirada sobre el mundo que activa el cine, con las diversas actitudes relacionadas con ellas. Desde este punto de vista, hemos descubierto perfiles distintos con respecto al espectador, como el espectador oculto de la mirada objetiva, puro testigo de los acontecimientos, el espectador móvil de la mirada objetiva irreal, perfectamente alineado con la cámara, el espectador en los márgenes de la interpelación, limitado a una especie de «aparte», y el espectador en campo de la mirada subjetiva, metido en la piel de un protagonista de la diégesis.

3. Finalmente, hemos visto los *recorridos* de la mirada, o procesos gracias a los cuales el hacer emisor y receptor propuesto en el texto se espesa relacionándose con un deber y un querer, un poder y un saber, un hacer hacer y un hacer ser, etc. Desde este punto de vista, trasladando a los roles de la comunicación el esquema modal ya aplicado a los roles de la narración, hemos diferenciado algunas fases muy distintas: la de la asignación de un deber emisor o receptor (mandato), la de la predisposición para llevarlo a cabo (competencia), la de su ejecución concreta (*performance*) y la de la valoración de los resultados (sanción).

A través de estos tres estadios, hemos registrado numerosas opciones, distintas posibles soluciones de activación. Ahora bien, tampoco estas opciones, de un modo parecido a lo que sucede en las otras perspectivas desde las que hemos analizado el film (la representación, la narración, etc.), se dan todas juntas contemporáneamente: el Autor implícito, o bien manifiesta una presencia fuerte y densa, o bien se esconde en el interior de su figurativización; el Espectador implícito, o se mantiene en el trasfondo (mirada objetiva) o se convierte en protagonista (mirada subjetiva), o se le llama aparte (mirada subjetiva) o se le traslada por todas partes (mirada objetiva irreal); un Narrador es fidedigno o increíble, y así sucesivamente. También en el terreno de la comunicación, pues, se procede mediante espesamientos o rarefacciones, homologías y alejamientos, diseños unitarios y emergencias impredecibles: también aquí se pueden esbozar, en una primera aproximación, sistemas coherentes de opciones en torno a los que se sitúan las soluciones concretas; «regímenes» que definen las opciones de fondo que modelan la disposición y la dinámica comunicativas.

6.6.2. Comunicación referencial y comunicación metalingüística

Cada proceso comunicativo, como hemos visto, viene definido por la presencia de ciertos elementos en detrimento de otros, por la recurrencia de ciertas variables y no de otras. De una manera más profunda, estos agregados en torno a un diseño coherente expresan una disposición comunicativa concreta, un «modo» preciso de comunicar. Ahora bien, acudiendo con una cierta libertad a una tipología clásica de las funciones comunicativas,[21] podemos distinguir dos disposiciones fundamentales, dos regímenes clave, a su vez articulables por matices y acentos: la comunicación referencial y la comunicación metalingüística.

La *comunicación referencial* es la que se dedica preferentemente a la transmisión de un contenido, a la presentación de un objeto, a la denotación de la realidad. Lo que cuenta aquí, en resumen, es el «mostrar el mundo» y por consiguiente el «ver el mundo», sin que este mostrar y este ver se presenten como momentos de mediación. Es el caso de la mirada «objetiva», forma comunicativa en la que el Autor y el Espectador implícitos se presentan verdaderamente como tales, borrando su presencia en beneficio de la presentación y de la recepción «neutras» de la realidad (piénsese en los documentales o en las simples descripciones).

21. Véase JAKOBSON, 1963.

La *comunicación metalingüística*, por el contrario, es la que se dedica a expresar el acto mismo del comunicar. Lo que se intenta mostrar o ver no es tanto el mundo (inevitablemente presente en cuanto contenido de la imagen) como el propio hecho de mostrar y de ver. Así pues, retorno de la comunicación sobre sí misma, o por lo menos sobre cada uno de sus elementos constitutivos, es decir, sobre el Destinador, el Destinatario, las relaciones entre ambos y el mensaje intercambiado.

En concreto, cuando la comunicación «vuelve» preferentemente sobre el Destinador, tenemos una *comunicación emotiva*, que se caracteriza por la explicitación de un punto de vista propio desde el que se muestran las cosas. Lo importante aquí, en resumidas cuentas, no es tanto la realidad de referencia como el modo y la intención personales con los que se hace ver (por decirlo con un juego de palabras: «Me muestro mostrando»). Un ejemplo canónico en este sentido es *Ocho y medio*, de Fellini, prototipo de los films que tienen como protagonista a su propio director. Pero, más allá de este ejemplo, pensemos en un procedimiento como la mirada objetiva irreal y todas las soluciones en las que se manifiesta el «yo» del texto, su Autor implícito.

Cuando por el contrario la comunicación vuelve preferentemente sobre el Destinatario, tenemos la *comunicación identificativa*, que sitúa en el centro de su estructura organizativa la contraparte del intercambio comunicativo y su acción. Es el caso de la comunicación sometida a la mirada subjetiva, que intenta hacer coincidir el punto de vista del Destinatario con el de un personaje en escena, lanzándolo a la identificación y al conocimiento de su propio rol («Me veo viendo»). Además de la subjetiva, otras formas de mirada pueden jugar a favor de una comunicación de tipo identificativo: la objetiva irreal o la mirada a la cámara, por ejemplo, en la medida en que exhiben en cierto modo una presencia del Destinatario. Un ejemplo que mezcla estos procedimientos en función de la representación del espectador es *La rosa púrpura de El Cairo*, de Woody Allen (pensemos también, en esta línea, en ese espléndido antecedente que es *El moderno Sherlock Holmes*, en el que Buster Keaton se atreve a entrar en la pantalla, o en la secuencia final de *Y el mundo marcha*, de King Vidor).

Cuando la comunicación se centra en el contacto que se instaura entre el Destinador y el Destinatario, con lo que se dedica preferentemente a la explicación de los nexos existentes entre las contrapartes, o a la verificación del funcionamiento de los canales de intercambio, tenemos la *comunicación fáctica*. Esta, que en el lenguaje verbal viene activada por expresiones del tipo «¿Me oyes?», «¡Permanece atento!» o «¡Habla más fuerte!», puede verse esencialmente en la mirada a la cámara, que entre otras cosas ejercita una intensa función de reclamo de la atención sobre los modos y las condiciones técnicas del intercambio («¡Miradme a mí!»); sin embargo, también la mirada objetiva irreal, o soluciones técnicas concretas (la imagen congelada, la pantalla en blanco, el ralentí, etc.), por la extraordinaria experiencia perceptiva que comportan, pueden actuar como test del buen funcionamiento de la comunicación y sobre todo como manifestación de la existencia misma de una relación comunicativa, que obedece a reglas particulares y que exige un comportamiento adecuado. De todos modos, a la hora de localizar un ejemplo fílmico al respecto, la secuencia de la montadora en *Cieloviek s kinoapparatom* [El hombre de la cámara], de Dziga Vertov, continúa siendo el más explícito.

Finalmente, cuando la comunicación se centra preferentemente en el mensaje intercambiado, exaltando sus características estructurales y formales y exhibiendo la técnica de su constitución, nos encontramos con la *comunicación poética*, concentrada, por así decirlo, más sobre la forma del mensaje intercambiado que sobre su contenido. El meticuloso cuidado formal, la atención a los ritmos y a las recurrencias, la *performance* técnica gratuita, en resumen, todas las formas de exhibición del mensaje son ejemplos del régimen poético: el virtuosismo técnico de algunas obras de vanguardia (*Regen*, de Ivens; *Berlín, sinfonía de una gran ciudad*, de Ruttmann; o *Ballet mécanique*, de Léger, por poner algunos ejemplos), así como el estilo de los modernos videoclips y de muchos films publicitarios, parece andar en esta dirección.[22]

22. Discurso aparte merecería la *comunicación paródica,* en la que la relación explícita con un texto anterior instituye en cierto modo una dimensión metalingüística.

Naturalmente, estas distintas formas de comunicación metalingüística pueden superponerse, entrelazarse y contaminarse recíprocamente: algunas miradas objetivas irreales, por ejemplo, insisten a un mismo tiempo sobre el rol demiúrgico del Destinador, sobre el rol pasivo del Destinatario, sobre las características técnicas constitutivas del mensaje y sobre la existencia de un contacto entre las dos partes; y lo mismo puede decirse de algunas miradas subjetivas, a veces subrayadas por los movimientos de la cámara, o de ciertas miradas a la cámara particularmente explícitas e insistentes. De todos modos, queda clara la atención privilegiada sobre el acto mismo de la comunicación antes que sobre la realidad de referencia, y por ello la centralidad del mostrar y del ver por encima del mundo mostrado y visto.

La distinción entre un régimen comunicativo referencial y uno metalingüístico, en sus distintas determinaciones, ha sido muchas veces afrontada por la teoría de la comunicación: recordemos las oposiciones entre *showing* y *telling*, mímesis y diégesis, relato y comentario, historia y discurso, etc.[23]

Los caracteres esenciales de estas distinciones, como hemos visto, pueden convertirse en la oposición entre dos disposiciones generales del comunicar: por un lado la neutralidad del acto comunicativo y la eliminación de cualquier intención mediadora («Muestro y veo el mundo»), por otro lado la explicitación del acto comunicativo como momento de mediación y de reorganización de los datos («Muestro y veo el mostrar y el ver»). Dos orientaciones opuestas, pues, que encuentran contínuamente puntos de unión y de superposición, en la compleja trama comunicativa que cada texto entreteje.

23. Para esta serie de oposiciones aplicadas al cine, véanse BETTETINI, 1984 y CASETTI, 1986. Por otra parte, también están en la base de investigaciones como la de FINK, 1982 (dedicada al papel del fueracampo en la narración) o la de KAWIN, 1978 (dedicada al cine «en primera persona»).

7. Instrucciones y estrategias

7.1. Itinerarios aconsejados

Finalizando ya nuestro recorrido, podemos detenernos un poco y mirar hacia atrás durante un momento. Paso a paso, hemos tomado contacto con una metodología del análisis, y en particular con el análisis textual del film: ahora debería resultarnos más fácil, por un lado, «captar» el film, es decir, observarlo y comprenderlo en su estructura y en su dinámica, y por el otro «captar cómo se ha captado», adquirir un conocimiento del método y familiaridad con sus técnicas de aplicación. Para esto sirve precisamente el análisis: para poseer el objeto investigado y a la vez convertir en conscientes los procedimientos de investigación.

Evidentemente, el análisis textual, tal como lo hemos conducido, se ha concentrado sobre aquello que caracteriza el film en cuanto texto: nos hemos centrado así, después de haber definido las coordenadas de fondo de nuestro recorrido y las intenciones que lo mueven, sobre cuatro grandes aspectos, típicos de cada texto: los códigos y los componentes lingüístico-expresivos, las modalidades representativas, las formas narrativas y las dinámicas comunicativas. Y en cada uno de estos aspectos hemos encontrado, ordenado y observado algunos elementos decisivos para el análisis.

Ahora bien, en el amplio y a veces intrincado territorio que hemos diseñado, no siempre resultará fácil, en el ejercicio analítico, moverse con desenvoltura, incluso por el hecho de que los procedimientos y las categorías sobre los que nos hemos detenido puedan dar la idea de un «mecanismo» implacable y omnívoro. Queremos ahora aconsejar algunos itinerarios, en una lógica de progresión didáctica.

En primer lugar, según nuestro parecer, hay que afrontar el análisis de un solo elemento tal como se presenta a lo largo de todo el texto fílmico: por ejemplo, los códigos del sonido, el espacio, los personajes, las formas de la mirada, etc.

Luego, pasando por así decirlo de una óptica intensiva a otra extensiva, se puede abordar el análisis de los aspectos más importantes de un fragmento del film: la secuencia o el encuadre se investigarán entonces o bien desde el punto de vista de los componentes, o desde el de la representación, o desde el de la narración, o, finalmente, desde el de la comunicación, y en cada caso se introducirán en el análisis todos los elementos en juego según el aspecto elegido. Si entonces nos concentramos, por ejemplo, en la representación, deberemos analizar la puesta en escena, la puesta en cuadro y la puesta en serie (los tres niveles), luego el espacio y el tiempo, y finalmente los distintos regímenes de analogía incluidos en el fragmento en cuestión.

El paso siguiente es el análisis, siempre a través de sus aspectos más importantes, de un texto completo: los elementos pertinentes a la óptica elegida (todos, o al menos tendencialmente todos) se contemplarán entonces en su actuación a lo largo de todo el film.

Se puede después pasar a un nivel más complejo: el análisis de un elemento (un tipo de código, un componente de la narración, una dimensión de la representación, etc.) a través de muchos films. Se activará así un proceso comparativo que necesariamente requerirá un notable dominio del método y de las técnicas de la investigación.

Finalmente, se podrá afrontar el análisis comparativo de un aspecto completo, captado en sus múltiples determinaciones, a través de muchos films.

Estos son, en orden progresivo, los itinerarios que aconsejamos[1]. Sigue en pie, por supuesto, la posibilidad de entrecruzamientos y contaminaciones, de nuevos puntos de vista y de nuevos trayectos. De hecho, desde el momento en que se escoge el objeto que se debe analizar, las exigencias de la

1. Las diferentes opciones aluden a la explicitada por Metz entre «el análisis de un texto en sus componentes» y «el análisis de un componente textual a través de distintos films» (análisis fílmico el primero y cinematográfico el segundo). Véase METZ, 1971.

disciplina y las idiosincrasias personales empiezan a enfrentarse: como ya hemos dicho muchas veces, cada analista debe seguir ciertos pasos, pero con ellos debe inventarse su propio recorrido.

7.2. Extensiones y omisiones

La elección de una aproximación textual, con su atención a los principios de construcción y de funcionamiento de un film, nos ha consentido ampliar la mirada hasta encuadrar algunos aspectos clave de todo el dispositivo cinematográfico. Pasar revista a las estructuras y dinámicas utilizadas por un film significa de hecho descubrir cuáles son los horizontes en los que se mueve el cine, ya que cada film remite al cine, ya sea en sus rasgos más amplios o en sus opciones específicas: encarna, por ejemplo, sus caracteres generales (adoptando como base la imagen en movimiento), explicita sus limitaciones históricas (recurriendo ya sea a la imagen muda, ya a la combinación imagen-sonido), abraza algunas de sus soluciones expresivas (adoptando el *découpage*, o por el contrario el plano-secuencia), etc.

Pero la elección de una aproximación textual nos ha permitido también otras ampliaciones del horizonte, que quizá no hemos subrayado lo suficiente, pero que eran intrínsecas a todo cuanto íbamos diciendo. Pensemos en particular en la dimensión «transtextual»: el hecho de sacar a la luz los componentes de base de un film, los códigos que activa, los tipos de signo que usa, permite inmediatamente relacionarlo con una estructura de género (es decir, con un conjunto de films en el que se repiten las mismas elecciones de base) o también con un sistema de producción cultural (es decir, con un sistema de textos, ya sean fílmicos, literarios, pictóricos, científicos, etc., que activan procedimientos expresivos o estrategias comunicativas similares). Pero pensemos también en la dimensión «contextual»: el hecho de sacar a la luz la representación o la narración permite también captar el modo en que el film traduce o elabora la realidad social. Esta relación entre el film y cuanto lo rodea, según se dice, es doble: el primero puede proponerse como «espejo» de la realidad social, es decir, reproducirla o eventualmente amplificarla; pero también puede proponerse como su «modelo», es decir, ofrecer una ejemplificación y una lectura a través de la propuesta de una situación en cierto modo extrema. En cada caso, el film, ya sea «espejo» o «modelo» (o quizás ambas cosas a la vez), se abre al contexto que le rodea, vive con el ambiente que le ha dado vida; o mejor dicho, explicita los «modos de ser», los «modos de pensar» y los «modos de ver» de la sociedad en la que se sitúa. En este sentido, sus representaciones y sus relatos delatan siempre un cierto «espíritu de la época». En el film actúa siempre un verdadero escenario social. Sin duda, en nuestro trabajo todo esto ha quedado en parte implícito: pero en el modo en que hemos presentado el análisis textual resulta evidente que es posible reconstruir estos escenarios, o al menos empezar a hacerlo.

En el cuadro que hemos trazado, han quedado en la sombra dos aspectos fundamentales de todo texto: su valor estético y su carga ideológica. Omisiones en parte justificadas, aunque molestas. En el caso de la estética, el cariz que hemos otorgado a nuestra labor, atenta sobre todo a los modos en que se organiza un texto, hacía difícil dar cuenta de la dimensión intangible y quizás un poco resbaladiza de lo «bello», a menos que lo consideráramos también como un cierto tipo de organización textual, una cierta forma de construcción y de funcionamiento, basada quizás en el descarte de la norma o en la creación de una redundancia perfectamente calculable (cosa que ningún estetólogo de hoy, sin duda aficionado a lo intangible, al estremecimiento, a la estupefacción irracional, aceptaría sin protestar). Es distinto el caso de la ideología: está indudablemente relacionada con la estructura y la dinámica de un texto, tal como hemos intentado explicar; sin duda, nace de una cierta disposición de los elementos, de ciertas formas de representación, de la elección de ciertas líneas narrativas, del uso de ciertos estilos de comunicación. Sin embargo, el análisis de los aspectos ideológicos de un texto no puede hacerse en el exterior de la historia (la ideología no es algo que no tenga tiempo ni lugar): deberíamos haber operado una remisión al contexto que, como hemos dicho, ha quedado implícito. Todo esto no significa que nosotros queramos cerrar la puerta a la estética y a la ideología: por el contrario, algunos eficaces ejemplos de análisis, tanto de un aspecto[2] como del otro[3], demuestran que el análisis textual del film puede extenderse también a estos dos territorios. Simplemente no hemos afrontado aquellos núcleos que hubieran permitido una extensión de ese tipo, por lo cual dejamos al lector que aborde la tarea de hacerlo.

Esta doble omisión, aunque justificada, puede servir también para llamar la atención sobre los límites fisiológicos del análisis textual. Por mucho que su importancia sea fundamental, no representa un método exclusivo de investigación. De hecho, son posibles otras muchas aproximaciones al film, igualmente productivas, aunque no interesadas en descubrir los principios de construcción y funcionamiento de un texto. Pensemos, por ejemplo, en ciertas exploraciones «externas», como el análisis de los modos de producción o de las formas de consumo de un film, atentas a relacionar el cine con toda una serie de comportamientos sociales. Pero pensemos también en ciertas exploraciones «transversales», como las que investigan la inscripción de un film en el corpus de un autor (siempre que éste sea capaz de convertirse en portador de obsesiones personales, espía de opciones existenciales: en una palabra, ocasión para iluminar el sentido de una vida). Por no hablar, naturalmente, de la evocación cinéfila, de la interpretación imaginista, del comentario exaltado, del debate de salón...[4] Todas estas aproximaciones no pertenecen al análisis textual tal como hemos venido diseñándolo hasta aquí. Y, sin embargo, no son en un sentido propio «alternativas» al análisis textual: podrían atravesarlo con éxito, incluso utilizándolo como soporte. Sin un adecuado conocimiento del

2. Para las demostraciones de las posibles relaciones productivas entre análisis textual y análisis estético, véase la propuesta de una aproximación estilística en BELLOUR, 1966, o más recientemente la idea de una aproximación «neoformalista» propuesta en THOMPSON, 1981. Véase también la experiencia analítica de TINAZZI, 1976.

3. Para las demostraciones de las intensas relaciones existentes entre el análisis textual y el análisis ideológico, véanse las «lecturas» de *Cahiers du Cinéma* (AA.VV., 1970a y AA.VV., 1970b) y el trabajo del grupo LAGNY/ROPARS/SORLIN (ROPARS/SORLIN, 1976, SORLIN, 1977, LAGNY/ROPARS/SORLIN, 1979 y LAGNY/ROPARS/SORLIN, 1986). Véase también TALENS, 1986.

4. Las relaciones (de divergencia y de convergencia) entre el análisis y otros discursos sobre el film pueden verse en AUMONT/MARIE, 1988: 7.

texto, de hecho, nos arriesgamos a realizar construcciones sobre el vacío, esfuerzos tan inútiles como peligrosos. Nos arriesgamos a hablar de cualquier cosa en lugar de abordar su inteligibilidad intrínseca. Ejercicio muy corriente, hoy más que nunca, pero no por ello completamente justificado.

7.3. Recetas, platos y cocineros

Y ahora, cuando nos acercamos al final, no nos queda más que dejar la iniciativa al lector. En este libro hemos proporcionado algunas recetas, cada una de ellas, por así decirlo, con sus dificultades y su tiempo de ejecución. Como se ha dicho, nos parece que seguirlas todas a la vez sería inútil y perjudicial (¿cuál podría ser el resultado de llevar a la práctica simultáneamente todo un libro de cocina?): así pues, aconsejamos alternar los platos y los procedimientos de confección, siguiendo las precauciones aquí indicadas. Así resultará más fácil adquirir confianza en los instrumentos y habilidad en su utilización. Lo que importa es no perder la pasión por las cosas: sin un poco de placer, incluso la ejecución más impecable resultaría sosa. Y nadie, excepto el propio cocinero, puede garantizar este último ingrediente.

Bibliografía

AA.VV.

1970a «Young Mr Lincoln de John Ford», en *Cahiers du cinéma,* 223.

1970b «Morocco de Joseph von Sternberg», en *Cahiers du cinéma,* 225.

AA.VV.

1975 *Lectures du film,* París, Albatros.

ALTMAN, R. (comp.)

1980 *Cinema/Sound* (número monográfico *Yale French Studies,* 60).

ANDREW, D.

1976 *Concepts in Film Theory,* Nueva York-Oxford, Oxford University Press (trad. cast.: *Las principales teorías cinematográficas,* Barcelona, Gustavo Gili, 1981).

1984 *Film in the Aura of the Art,* Princeton, Princeton University Press.

ARISTARCO, G.

1977 *Sotto il segno dello scorpione. Il cinema dei fratelli Taviani,* Florencia-Messina, D'Anna.

ARNHEIM, R.

1932 *Film als Kunst,* Berlín, Rowohlt (trad. cast.: *El cine como arte,* Barcelona, Paidós, 1990).

AUMONT, J.

1980 «L'espace et la matière», en AUMONT, J.; LEUTRAT, J.L. (comps.) 1980.

1983 «Points de vue: l'oeil, le film, l'image», en *Iris,* 2.

1989 *L'oeil interminable,* París, Séguier.

AUMONT, J.; LEUTRAT, J.L. (comps.)

1980 *Théorie du film,* París, Albatros.

AUMONT, J.; MARIE, M.

1988 *L'analyse du film,* París, Nathan (trad. cast.: *Análisis del film,* Barcelona, Paidós, 1990).

BACHTIN, M.
1965 *Tvorcestvo Franksua Rable i narodnaja Kultura srednevekovja i Renessansa,* 1965.
1975 *Voprosy literatury i esteiki.*

BAILBÉ, C.; MARIE, M.; ROPARS, M. C.
1974 *Muriel, histoire d'une recherche,* París, Galilée.

BALÁZS, B.
1949 *Der Film. Werden und Wesen einer neuen Kunst,* Viena, Globus Verlag (trad. cast.: *El film. Evolución y esencia de un arte nuevo,* Barcelona, Gustavo Gili, 1978).

BANDINI, B.; VIAZZI, G.
1945 *Ragionamenti sulla scenografia,* Milán, Il Poligono.

BARTHES, R.
1963 *Essais critiques,* París, Seuil (trad. cast.: *Ensayos críticos,* Barcelona, Seix Barral, 1983).
1966 *Introduction,* en AA.VV., *L'analyse structurale du récit,* «Communications», 8, 1966.
1973 *Le plaisir du texte,* París, Seuil.
1982 *L'obvie et l'obtus. Essais critiques III,* París, Seuil, 1982 (trad. cast.: *Lo obvio y lo obtuso,* Barcelona, Paidós, 1986).

BAZIN, A.
1958 *Qu'est-ce que le cinéma? Ontologie et Langage,* París, Ed. du Cerf (trad. cast.: *¿Qué es el cine?,* Madrid, Rialp, 1990).

BELLOUR, R.
1966 «Pour une stylistique du film» en *Revue d'Esthétique,* 2.
1979 *L'analyse du film,* París, Albatros.

BELLOUR, R. (comp.)
1980 *Le cinéma americain,* París, Flammarion.

BETTETINI, G.
1971 *L'indice del realismo,* Milán, Bompiani.
1979 *Tempo del senso,* Milán, Bompiani.
1984 *La conversazione audiovisiva,* Milán, Bompiani (trad. cast.: *La conversación audiovisual,* Madrid, Cátedra, 1986).

BONITZER, P.
1985 *Décadrages. Peinture et cinéma,* París, Ed. Cahiers du cinéma.

BORDWELL, D.
1985 *Narration in the Fiction Film,* Madison, University of Wisconsin Press.

BORDWELL, D.; STAIGER, J.; THOMPSON, K.
1985 *The Classical Hollywood Cinema,* Nueva York, Columbia University Press.

BORDWELL, D.; THOMPSON, C.
1979 *Film Art. An Introduction,* Reading, Addison Wesley.

BRANIGAN, E.
1985 *Point of View in the Cinema,* Nueva York, Mouton.

BREMOND, C.
1973 *Logique du récit,* París, Seuil, 1973.

BROWNE, N.
1982 *The Rhetoric of Filmic Narration,* Ann Arbor, UMI Research Press.

BRUNETTA, G.P.
1974 *Nascita del racconto cinematografico,* Padua, Pàtron (trad. cast.: *Nacimiento del relato cinematográfico,* Madrid, Cátedra, 1987).
1979-1982 *Storia del cinema italiano,* Roma, Editori Riuniti, 2 vol.

BRUNO, E.
1986 *Film come esperienza,* Roma, Bulzoni.

BURCH, N.
1969 *Praxis du cinéma,* París, Gallimard (trad. cast.: *Praxis del cine,* Madrid, Fundamentos, 1979).

CALABRESE, O.
1985a *La macchina della pittura,* Roma-Bari, Laterza.
1985b *Il linguaggio dell'arte,* Milán, Bompiani (trad. cast.: *El lenguaje del arte,* Barcelona, Paidós, 1987).

CAPRETTINI, G.P.; EUGENI, R. (comps.)
1988 *Il linguaggio degli inizi,* Turín, Segnalibro.

CARLUCCIO, G.
1988 *Lo spazio e il tempo,* Turín, Loescher.

CASETTI, F.
1980 «Le texte du film», en AUMONT, J.; LEUTRAT, J.L. (comps.) 1980.
1981 «I bordi dell'immagine», en *Versus,* 29.
1986 *Dentro lo sguardo,* Milán, Bompiani.

CHATEAU, D.; JOST, F.
1979 *Nouveau cinéma, nouvelle sémiologie,* París, Uge.

CHATMAN, S.
1978 *Story and Discourse,* Ithaca, Cornell University Press.

CHION, M.
1982 *La voix au cinéma,* París, Editions de l'Etoile.
1984 *Le son au cinéma,* París, Editions de l'Etoile.

COMOLLI, J. L.
1980 «Notes sur la profondeur du champ», *Cahiers du cinéma,* número especial *Scénografie.*
1982 *Tecnica e ideologia,* Parma, Pratiche.

CONTE, M.E. (comp.)
1977 *La linguistica testuale,* Milán, Feltrinelli.

CORTI, M.
1976 *Principi della comunicazione letteraria,* Milán, Bompiani.

COSTA, A.
1986 «Campo totale», en *Cinema e cinema,* 47.

CREMONINI, G.
1988 *L'autore, il narratore, lo spettatore,* Turín, Loescher.

CUCCU, L.; SAINATI, A. (comps.)
1987 *Il discorso del film,* Nápoles, ESI.

DAGRADA, E.
1985 «Strategia testuale e soggettiva in *Spellbound*», *Carte semiotiche,* 1.
1986 «The Diegetic Look. Pragmatic of the POV Shot», en *Iris,* 7.

DAYAN, D.
1983 *Western Graffiti,* París, Clancier-Guénaud.

DELEUZE, G.
1983 *Cinéma 1 - L'image-mouvement,* París, Ed. de Minuit (trad. cast.: *La imagen-movimiento. Estudios sobre cine 1,* Barcelona, Paidós, 1984).
1985 *Cinéma 2 - L'image-temps,* París, Ed. de Minuit (trad. cast.: *La imagen-tiempo. Estudios sobre cine 2,* Barcelona, Paidós, 1987).

DERRIDA, J.
1967 *L'ecriture et la différence,* París, Seuil.

DI CHIO, F.
1989 «Qual è il cinema più bello del reame?» en *Cineforum*, 281.

ECO, U.
1968 *La struttura assente*, Milán, Bompiani (trad. cast.: *La estructura ausente*, Barcelona, Lumen, 1981).
1979 *Lector in fabula*, Milán, Bompiani (trad. cast.: *Lector in fabula*, Barcelona, Lumen, 1987).
1984 *Semiotica e filosofia del linguaggio*, Turín, Einaudi.

EISENSTEIN, S.M.
1985 *Teoria generale del montaggio* (1937), Venecia, Marsilio.

EUGENI, R.
1988 «Nascita di una finzione», en CAPRETTINI, G. P.; EUGENI, R. (comps.)

FELL, J.
1977 «Propp in Hollywood», en *Film Quarterly*, 3.

FINK, G.
1982 «From Showing to Telling: Off-Screen Narration in the American Cinema», en *Letterature d'America*, 12.

FRYE, N.
1957 *Anatomy of Criticism*, Princeton, Princeton University Press.
1963 *Fables of Identity*, New York.

GARDIES, A.
1980 *Approche du récit filmique*, París, Albatros.
1981 «La forme générique. Histoire d'une figure révélatrice», en *Annales de l'Université d'Abidjan*, serie D, tomo 1.
1983 *Le cinéma de Robbe-Grillet, essai sémiocritique*, París, Albatros.

GAUDREAULT, A.
1988 *Du littéraire au filmique*, París, Klincksieck.

GENETTE, G.
1972 *Figures III*, París, Seuil.

GOMBRICH, E.
1960 *Art and Illusion. A Study in the Psychology of Pictorial Representation*, New York, Pantheon Books (trad. cast.: *Arte e ilusión*, Barcelona, Gustavo Gili, 1982).

GRANDE, M.
1986 *Abiti nuziali e biglietti di banca,* Roma, Bulzoni.

GRASSI, C. (comp.)
1987 *Tempo e spazio nel cinema,* Roma, Bulzoni.

GREIMAS, A.
1966 *Sémantique structurale,* París, Larousse (trad. cast.: *Semántica estructural,* Madrid, Gredos, 1987).
1970 *Du sens,* París, Seuil (trad. cast.: *En torno al sentido,* Madrid, Fragua, 1973).
1983 *Du sens II,* París, Seuil.

GREIMAS, A.J.; COURTES, J.
1979 *Sémiotique. Dictionnaire raisonné de la théorie du langage,* París, Hachette (trad. cast.: *Semiótica. Diccionario razonado de la teoría del lenguaje,* Madrid, Gredos, 1982).

GUZZETTI, A.
1981 *Two or Three Things I Know about Her,* Cambridge, Harvard University Press.

HEATH, S.
1975 «Film and System. Terms of Analysis», en *Screen,* 1 y 2.
1981 *Questions of Cinema,* Londres, Macmillan.

JAKOBSON, R.
1963 *Essais de linguistique générale,* París, Ed. de Minuit (trad. cast.: *Ensayos de lingüística general,* Barcelona, Ariel, 1984).

JOST, F.
1987 *L'Oeil-caméra,* Lyon, PUL.

KAEL, P.; MANKIEWICZ, H.; WELLES, O.
1971 *The Citizen Kane Book,* Londres, Secker & Warburg.

KAWIN, B.F.
1978 *Mindscreen,* Princeton, Princeton University Press.

KRACAUER, S.
1947 *From Caligari to Hitler,* Princeton, Princeton University Press (trad. cast.: *De Caligari a Hitler,* Barcelona, Paidós, 1985).

KUNTZEL, T.
1972 «Le travail du film 1», en *Communications,* 19.
1973 «Le défilement», en *Revue d'Esthetique,* 2-4.

1975a «Le travail du film 2», en *Communications,* 23.
1975b «Savoir, pouvoir, voir», en *Ça cinéma,* 7-8.

LAGNY, M.; ROPARS, M.C.; SORLIN, P.
1979 *La révolution figurée,* París, Albatros.
1986 *Générique des années 30,* París, PUV.

LEUTRAT, J.L.
1985 *L'alliance brisée,* Lyon, PUL.
1988 *Kaléidoscope,* Lyon, PUL.

LEVINSON, S.
1983 *Pragmatics,* Cambridge, Cambridge University Press.

LEVORATO, M.C.
1988 *Racconti, storie e narrazioni,* Bolonia, Il Mulino.

LUMBELLI, L.
1989 *Fenomenologia dello scrivere chiaro,* Roma, Editori Riuniti.

MARCHESE, A.
1983 *L'officina del racconto,* Milán, Mondadori.

MARIE, M.
1975 «Description/analyse», en *Ça cinéma*, 7-8.

MARMO, C.; PEZZINI, I. (comps.)
1988 «Punto di vista e osservazione. Analisi e tipologia dei discorsi», Actas del XIV Congreso AISS, en *Carte semiotiche,* n. 4-5.

MARRONE, G.
1986 *Sei autori in cerca del personaggio,* Turín, CST.

METZ, C.
1986 *Essais sur la signification au cinéma,* París, Klincksieck (trad. cast.: *Ensayos sobre la significación en el cine,* Barcelona, Buenos Aires, 1983).
1971 *Langage et cinéma,* París, Larousse (trad. cast.: *Lenguaje y cine,* Barcelona, Planeta, 1973).
1977 *Le signifiant imaginaire,* París, UGE (trad. cast.: *Psicoanálisis y cine. El significado imaginario,* Barcelona, Gustavo Gili, 1979).

MICCICHÈ, L.
1979 *La ragione e lo sguardo,* Cosenza, Lerici.

MITRY, J.
1963 *Esthétique et psychologie du cinéma. 1. Les structures,* París, Editions Universitaires.

1965 *Esthétique et psychologie du cinéma. 2. Les formes,* París, Editions Universitaires (trad. cast. obra completa: *Estética y psicología del cine,* Madrid, Siglo XXI, 1986).

ODIN, R.
1972 «Sémiologie et analyse de film», en *Travaux de linguistique II.*
1977 «Dix années d'analyses textuelles de films. Bibliographie analytique», en *Linguistique et sémiologie,* 3.
1980 «L'entrée du spectateur dans le fiction», en AUMONT, J.; LEUTRAT, J.L. (comps.) 1980.
1983 «Pour une sémiopragmatique du cinéma», en *Iris,* 1.
1986 «Il était trois fois numéro deux. Approche pragmatique de trois débuts du film», en *Revue belge de cinéma,* 16.
1988 «Semiotica e analisi testuale dei film», en *Bianco e Nero,* 11.

PANOFSKY, E.
1927 *Die Perspektive als symbolische Form,* Leipzig-Berlín, Teubner (trad. cast.: *La perspectiva como forma simbólica,* Barcelona, Tusquets, 1986).
1955 *Meaning in the Visual Art. Papers in and on Art History,* Garden City, Doubleday (trad. cast.: *El significado en las artes visuales,* Madrid, Alianza, 1987).

PEIRCE, C.S.
1931 *Collected Papers,* Harvard University Press.

PIERANTONI, R.
1986 *Forma fluens,* Turín, Bollati-Boringhieri.

PROPP, V.
1928 *Morfologija skazki,* Leningrado (trad. cast.: *Morfología del cuento,* Torrejón de Ardoz, Akal, 1985).

PUGLIATTI, P.
1985 *Lo sguardo nel racconto,* Bolonia, Zanichelli.

RAY, R.
1985 *A Certain Tendancy of the Hollywood Cinema, 1930-1980,* Princeton, Princeton University Press.

RICOEUR, P.
1983 *Temps et récit I,* París, Seuil (trad. cast. obra completa: *Tiempo y narración*, Madrid, Cristiandad, 1987).
1984 *Temps et récit II,* París, Seuil.
1985 *Temps et récit III,* París, Seuil.

RIGOTTI, E.
1979 *Principi di teoria linguistica,* Brescia, La Scuola.

RONDOLINO, G.
1974 *Roberto Rossellini,* Florencia, La Nuova Italia.
1989 *Roberto Rossellini,* Turín, Utet.

ROPARS, M.C.
1976 «Le film comme texte», en *Le Français Aujourd'hui,* 32.
1980 «Narration et signification», en BELLOUR, R. (comp.) 1980.
1981 *Le texte divisé,* París, PUF.

ROPARS, M.C.; SORLIN, P.
1976 *Octobre. Ecriture et idéologie,* París, Albatros.

SEGRE, C.
1974 *Le strutture e il tempo,* Turín, Einaudi.
1985 *Avviamento all'analisi del testo letterario,* Turín, Einaudi (trad. cast.: *Principios de análisis del texto literario,* Barcelona, Crítica, 1985).

SIMON, J.P.
1979 *Le filmique et le comique,* París, Albatros.

SORLIN, P.
1977 *Sociologie du cinéma,* París, Aubier (trad. cast.: *Sociología del cine,* México, FCE, 1985).

TALENS, J.
1986 *El ojo tachado,* Madrid, Cátedra.

THOMPSON, K.
1981 *Eisenstein's «Ivan The Terrible»: A Neoformalist Analysis,* Princeton, Princeton University Press.

TINAZZI, G.
1976 *Il cinema di Robert Bresson,* Venecia, Marsilio.

TODOROV, T.
1967 *Litérature et signification,* París, Larousse.

TOMASI, D.
1988 *Il personaggio,* Turín, Loescher.

TRUFFAUT, F.
1966 *Le cinéma selon Hitchcock,* París, Laffont (trad. cast.: *El cine según Hitckcock,* Madrid, Alianza, 1985).

VAINA, L. (comp.)
1977 «Théorie des mondes possibles et sémiotique textuelle», *Versus*, 17.

VERNET, M.
1986 «Le personnage de film», en *Iris,* 7.
1988 *Figures de l'absence,* París, Ed. de l'Etoile.

VILLAIN, D.
1985 *L'oeil à la caméra. Le cadrage au cinéma,* París, Ed. de L'Etoile-Cahiers du cinéma.

WOLLEN, P.
1969 *Signs and Meaning in the Cinema,* Londres, Secker & Warburg.
1982 *Readings and Writings,* Londres, Verso.

WOOD, M.
1975 *America in the Movies,* Basic Books Inc.

ZUNZUNEGUI, S.
1989 *Pensar la imagen,* Madrid, Cátedra.